Italian
Vocabulary
Handbook

Rossana McKeane

Berlitz Publishing
New York   Munich   Singapore

Italian Vocabulary Handbook

CONTACTING THE EDITORS
Every effort has been made to provide accurate information in this publication, but changes are inevitable. The publisher cannot be responsible for any resulting loss, inconvenience, or injury. We would appreciate it if readers would call our attention to any errors or outdated information by contacting Berlitz Publishing, 193 Morris Avenue, Springfield, NJ 07081, USA. Fax: 1-908-206-1103. email: comments@berlitzbooks.com

Printed in Singapore by Insight Print Services (Pte) Ltd., April 2009

Cover Photo © Age Fotostock/Corbis

Series Editor:
Christopher Wightwick is a former UK representative on the Council of Europe Modern Languages Project and principal inspector of Modern Languages for England.

CONTENTS

C **Appendices**

D **Subject Index**

How to Use This Handbook

This Handbook is a carefully ordered work of reference covering all areas of Italian vocabulary and phrasing. It is based on the thesaurus structure of the Council of Europe's Threshold Level, expanded to include other major topics, especially in the fields of business, information technology, and education. Unlike a dictionary, it brings together words and phrases in related groups. It also illustrates their usage with contextualized sample sentences, often in dialogue form. This enables learners and users of the language to:

- refresh and expand their general knowledge of vocabulary;
- review systematically, using the word groups to test their knowledge from Italian to English and vice versa;
- extend their knowledge of authentically Italian ways of saying things by studying the sample sentences;
- support their speaking and writing on a given topic, when the logical arrangement of the sections will often prompt new ideas as well as supply the means of expressing them.

THE STRUCTURE OF THE HANDBOOK

The Handbook is divided into four parts:

A Introduction: Word Building in Italian

A brief overview of the Italian language together with suggestions and strategies for vocabulary building. (For a more extensive treatment of this topic, see the Berlitz *Italian Grammar Handbook*.)

B Vocabulary Topics

Ninety-six Vocabularies, grouped under twenty-seven major areas of experience. Most Vocabulary Topics are divided into a number of sections, so that words and phrases are gathered together into closely related groups. Almost all sections contain sample sentences showing the vocabulary in use. Wherever it makes sense to do so, these sentences are linked together to form short narratives or dialogues that help to fix them in memory. In some Vocabularies the lists of words and phrases are both extensive and more independent of context, so that the role of the sample sentences is reduced.

C Appendices

List specific terms such as the names of countries or musical instruments. These are linked to the Vocabularies by clear cross-references.

D Subject Index

An alphabetical index of topics and themes, enabling you to locate quickly the area you are interested in.

LOCATING THE RIGHT SECTION

The Handbook can be approached in two main ways.

• If you are not sure which topic will be best suited to your needs, start with the Contents on page iii. This will give you a general picture of the areas covered. You can then browse through the sections until you find the one you want.

• Alternatively, if you have a specific topic in mind, look it up in the Subject Index at the end of the book. This will take you directly to the relevant Vocabulary Topic or Appendix. To help you find what you are looking for, topics are often listed more than once, under different headings. Within most sections there are cross-references to other, related areas.

A

INTRODUCTION

Word Building in Italian

Conventions Used in This Handbook

Word Building in Italian

Italian evolved from Latin, just as French, Spanish, Portuguese, and Romanian. What is known as standard Italian today dates back to last century, when the great Italian novelist Alessandro Manzoni (1785–1873) gave Italy a national language by resolving that it should basically be Tuscan Italian with a heavy contribution from the Italian used in the other regions of Italy. The language spoken and written in Tuscany had taken precedence over other regional forms from the twelfth century to Manzoni's times because of the political, artistic, and social prominence of Florence.

1 Some Useful Strategies

Because English also contains many words derived from Latin and Greek, much successful language learning takes place when educated guesses are made and knowledge of English (or of other languages) is applied when making connections.

a) Many nouns and adjectives have similar endings:

English	Italian	Meaning	Examples
-ism	**-ismo**	mental attitude, ideology	**femminismo, comunismo, abolizionismo, marxismo, maccartismo, snobismo**
-ist	**-ista**	i) professions	**farmacista, analista, dentista**
		ii) ideology / mental attitude	**razzista, fascista, umanista, pessimista**
		iii) instrumentalists	**violinista, pianista, violoncellista**
		iv) faith, creed	**buddista, calvinista**
		v) expertise in a discipline	**linguista, specialista**
-(a)ble	**-(a)bile**	feasibility, that can be done	**sopportabile, mangiabile**
-(i)ble	**-(i)bile**		**comprensibile, sostenibile, leggibile**
-em / -eme	**-ema**		**sistema, problema, fonema**
-ance / -ence	**-anza / -enza**		**costanza, assistenza, arroganza, consistenza, coerenza, confidenza**
-am / -amme	**-amma**		**telegramma, programma, anagramma**

b) The shared legacy of Greek is evident in the roots and prefixes of many words:

auto-	self	**autonomo, automatico**
cata-	major change	**cataclisma, catastrofe**
-crazia	power	**democrazia, meritocrazia**
crono-	time	**cronometro, cronologico**
fono-	sound	**microfono, fonetica, fonologia**
foto-	light	**fotografia, fotoamatore**
geo-	earth	**geologia, geografico, geotermico**
iper-	excess	**iperattivo, ipersensibile, ipertensione**
ipo-	scarcity, below	**ipodermico, ipofunzionante**
-metria	measure	**geometria**
-iatria	medical science	**psichiatria**
-logia	study	**biologia, astrologia, psicologia**
mono-	one	**monologo, monotono**
poli-	many	**poliglotta, politecnico**
termo-	heat	**termometro**

c) English and Italian share some Latin-based prefixes:

bis-	two	**bicicletta, bilaterale, bisessuale**
cum-	union / company	**compagnia, coordinatore**
dis-	contrast, opposition	**disassociazione, discordante**
sub-	below	**sommergere, sotterraneo**

d) Another key available to the student of Italian is its use of endings that are tagged on to nouns and adjectives to modify their meaning.

- Some indicate that something is particularly small or pretty, dear or pleasant: **-ino, -etto, -ello, -icciolo** as in **casetta, manina, piedino, sorellina, cittadina, porticciolo.**
- Some add the notion of 'large': **-one** gives us **piedone, bottiglione.**
- Others emphasize roughness, ugliness, or nastiness: as **-accio** in **ragazzaccio, vitaccia, nasaccio.**
- Others like **-ucolo, -uzzo** add the idea of mediocrity and are used ironically, as in **artistucolo, medicuzzo, omunculo.**

A word like **scarponcino** is actually made up of **scarpa** 'shoe' and **-one** 'big' = boot plus **-ino** 'small.' The final result is 'a small boot.'

e) Spelling patterns can provide additional clues:

English	Italian	
ph	**f**	**fotografia, filosofo, fallico**
ct	**z**	**azione, frazione**
x	**ss**	**ossigeno, massimo, asse**
pt	**tt / z**	**scrittura, attitudine, corruzione**

2   *Grammatical Terms*

A basic knowledge of the nuts and bolts of the language, or its grammar, is invaluable. A description of Italian grammar is beyond the scope of this Handbook but a brief outline of the main parts of speech may be useful. For a comprehensive treatment, see Berlitz *Italian Grammar Handbook*.

a) The noun

• Italian nouns can be either masculine or feminine. Certain endings (see below) indicate the gender of the noun although there are exceptions to these rules:

Masculine		*Feminine*	
-o	**fratello, presagio**	-a	**orchestra, casa, carta**
-amma	**telegramma, programma**	-à	**città, verità, felicità**
-ema	**problema, sistema, teorema**	-ione	**azione, colazione**
-igma	**stigma, paradigma**		

• Nouns ending in **-ista** can be either masculine or feminine according to the gender of the person; so **un dentista** (male) or **una dentista** (female), **un artista** (male) or **un'artista** (female).

• Nouns ending in **-e** can also be either masculine or feminine. Their correct gender can be found in a dictionary or in this Handbook and should be learned together with the appropriate definite article:

il dovere	duty	**la ricezione**	reception
il televisore	TV set	**la neve**	snow
il giornale	newspaper	**la gente**	people

• Some nouns are formed by two different parts. Rules on the gender and plural form of compound nouns are complex but logical:

noun + noun	**il terremoto**	earthquake	**i terremoti** (pl)
noun + adjective	**la cassaforte**	safe	**le casseforti** (pl)
adjective + noun	**il bassorilievo**	bas-relief	**i bassorilievi** (pl)
verb + noun	**il / la lavastoviglie**	dishwasher	**le lavastoviglie** (pl)
adjective + adjective	**il pianoforte**	piano	**i pianoforti** (pl)

• The genders of some nouns change according to whether they are in the singular or the plural. The most common are:

Singular (masculine)	*Plural (feminine)*
l'uovo	**le uova**
il lenzuolo	**le lenzuola**
il braccio	**le braccia**
il paio	**le paia**

All nouns in this Handbook are given in the singular only, but the plural is given when irregular. The definite article is included. For complete rules on nouns, see Berlitz *Italian Grammar Handbook* ➤20.

b) The adjective

Adjectives, including adjectives of nationality, take the same gender and number as the noun they refer to. Like nouns, they usually end in **-o** (m), **-a** (f), or **-e** (m or f). Thus, a noun and an adjective may look like this: **la ragazza italiana** (f) or **il ragazzo italiano** (m), which look logical, but they could also look like this: **la ragazza inglese**. Adjectives can be used simply to describe, in which case they are usually placed before the noun, or to express a contrast, in which case their position is normally after the noun.

Metto le *vecchie foto* nell'album.	I put the old photos in the album. (all photos, any photos)
Metto le *foto vecchie* nell'album.	I put the *old* photos in the album. (but not the others)

A number of adjectives change meaning when their position is changed:

Una *certa* proposta.	A *certain* proposal.
Una proposta *certa*.	A *sure* proposal.

For complete details of adjectives and their uses, see Berlitz *Italian Grammar Handbook* ➤22. Adjectives in this Vocabulary Handbook appear in the masculine singular form.

c) The verb

Italian verbs fall into three groups defined by their endings:

Group 1	**parl*are*, ascolt*are*, mangi*are*** [-are]
Group 2	**vend*ere*, legg*ere*** [-ere]
Group 3a	**part*ire*, vest*ire*** [-ire]
Group 3b	**fin*ire*, cap*ire*, ag*ire*** (insert **-isc-** between stem / ending in some tenses)

Many irregular verbs also exist.
In this Handbook only the first person of the present tense is given, i.e., 'I eat': **(io) mangio,** together with an indication of the group (either **-are, -ere,** or **-ire**) for ease of reference.
For complete details of conjugations and verb usage, see Berlitz *Italian Grammar Handbook* ➤section C and Berlitz *Italian Verb Handbook*.

3 *Vocabulary Building*

The most effective way to acquire a wide vocabulary in Italian, as in any language, is to learn it in context. The greater the exposure to authentic or appropriate language, whether spoken or written, the faster the progress. Within this Handbook, the systematic collection and use of new vocabulary could take various forms.

a) Topical vocabulary building

If the context is, for example, the movies/cinema, it would be sensible to learn or review the related vocabulary through word chains as in the example below:

movies/cinema

Action	**recitare, girare, produrre**
Equipment	**camera, microfono**
People	**produttore, attore, regista**

Learners could test their memory in this way after studying the vocabulary of a particular topic.

b) Building vocabulary by grammatical classification

One stem may produce four related words as in the example below:

Verb	*Noun*	*Adjective*	*Adverb*
consistere	**consistenza**	**consistente**	**consistentemente**

For a comprehensive treatment of the creation of compound words and the use of suffixes and prefixes to form new words, see Berlitz *Italian Grammar Handbook* ➤3.

Conventions
Used in This Handbook

a) Nouns

All nouns are given in the singular form preceded by the definite article. However, the plural form is included if irregular.

il / lo (pl. **i / gli**) indicates masculine gender
la (pl. **le**) indicates feminine gender
l' could apply to either gender for nouns beginning with a vowel, so the correct gender is given in brackets.

All nouns referring to professions are given in the masculine form, except where the feminine form is irregular and is therefore included. In a number of professions the masculine gender is used for both genders, e.g., **il politico** *(m / f)*. For details on the formation of feminines, see Berlitz *Italian Grammar Handbook* ➤20g.

b) Verbs

Regular verbs are followed by their group ending, either **-are, -ere,** or **-ire**.
Reflexive verbs can be identified in this Handbook by the presence of the reflexive pronoun **mi**, e.g., **mi lavo [-are]**, as well as the verb group. The infinitive forms are **lavarsi, sedersi** and **tradirsi.**
When a preposition is required in Italian it is normally given, e.g., 'I decide' **decido (di)**.
All verbs are in the first person except when an impersonal form is given. In the sample sentences both familiar and polite forms of 'you' are used as appropriate in that particular context. When the polite form is used in Italian, **Lei, Loro, Suo,** etc. take a capital letter.

c) Adjectives

All adjectives are in the masculine singular form.

Abbreviations

adj	adjective	intr	intransitive
adv	adverb	invar	invariable
f	feminine	m	masculine
fam	familiar usage	pl	plural
inf	infinitive	tr	transitive

INTRODUCTION

Symbols

( )   a part of a translation that is optional: **il detersivo (in polvere).**

/   alternative word: **a buon prezzo / mercato — a buon prezzo** or **a buon mercato.**

,   an alternative translation

➤   a cross-reference to vocabulary or a chapter

B

VOCABULARY TOPICS

Functional Words

Articles

a   **un, una, un'**
the   **il, lo, la, l', i, gli, le**

Demonstrative adjectives / pronouns

this / that   **questo / a, quel(lo) / la**
these   **questi / e**
this one   **questo / a**
that one   **quel(lo) / la**
the red one   **quello / a rosso / a**

Pronouns (subject)

I   **io**
you *(informal / formal sing)*   **tu / Lei**
he   **lui**
she   **lei**
it   **esso / essa**
we   **noi**
you *(informal / formal pl)*   **voi / Loro**
they   **loro, essi / esse**
one   **si**
it's me   **sono io**

Unstressed pronouns (direct object)

me   **mi**
you *(informal / formal sing)*   **ti / La**
him   **lo**
her   **la**
it   **lo, la**
us   **ci**
you *(pl)*   **vi**
them   **li, le**

Stressed pronouns (direct object)

me   **me**
you *(informal / formal sing)*   **te / Lei**

him   **lui**
her   **lei**
it   **sé**
us   **noi**
you *(informal / formal pl)*   **voi / Loro**
them   **loro**

Unstressed pronouns (indirect object)

me   **mi**
you *(informal / formal sing)*   **ti / Le**
him   **gli**
her   **le**
it   **gli, le**
us   **ci**
you *(informal / formal pl)*   **vi / Loro**
them   **loro, gli**

Stressed pronouns (indirect object)

me   **me**
you *(informal / formal sing)*   **te / Lei**
him   **lui**
her   **lei**
it   **esso / essa**
us   **noi**
you *(informal / formal pl)*   **voi / Loro**
them   **loro, essi / esse**

Reflexive pronouns

myself   **mi**
yourself *(informal / formal sing)*   **ti / Si**
himself   **si**
herself   **si**
itself   **si**
ourselves   **ci**
yourselves *(informal / formal pl)*   **vi / Si**
themselves   **si**
oneself   **si**
each other   **si**

➤ For a detailed explanation of the usage of demonstrative and personal adjectives and pronouns, consult Berlitz *Italian Grammar Handbook*.

Possessive adjectives

my   **il mio**
your *(informal / formal sing)*   **il tuo / il Suo**
his   **il suo**
her   **il suo**
its   **il suo**
our   **il nostro**
your *(informal / formal pl)*   **il vostro / il Loro**
their   **il loro**
one's   **il proprio**

Possessive pronouns

mine   **(il) mio**
yours *(informal / formal sing)*   **(il) tuo / (il) Suo**
his   **(il) suo**
hers   **(il) suo**
ours   **(il) nostro**
yours *(informal / formal pl)*   **(il) vostro / (il) Loro**
theirs   **(il) loro**

Relative pronouns

who   **che**
which   **che**
that   **che**
of which   **di cui**

Indefinite pronouns

all (of them)   **tutti**
anybody / one   **chiunque**
both (of them)   **entrambi**
each (one)   **ognuno**
everybody   **tutti**
everything   **tutto**
no one / nobody   **nessuno**
nothing   **nulla, niente**
some (of them)   **alcuni (di loro)**
somebody / -one   **qualcuno**
something   **qualche cosa, qualcosa**

Questions

how?   **come?**

how far is?   **quanto dista è?**
how long is?   **quanto è lungo?**
how much is?   **quanto fa / costa?**
what?   **cosa?**
what's it (all) about?   **di cosa si tratta?**
with what?   **con cosa?**
when?   **quando?**
where?   **dove?**
which one?   **quale?**
who?   **chi?**
whom?   **chi?**
to whom?   **a chi?**
with whom?   **con chi?**
whose is?   **di chi è?**
why?   **perché?**

Common prepositions & conjunctions

after   **dopo (che)**
although   **sebbene, benché**
and   **e**
as *(since)*   **poiché**
as if   **come se**
as soon as   **appena**
because   **perché**
but   **ma**
despite   **malgrado (che)**
either . . . or   **o ... o**
except   **eccetto**
if   **se**
neither . . . nor   **né ... né**
not only . . . but also   **non solo ... ma anche**
on condition that   **a patto che, a condizione che, sempre che**
only   **solo, solamente**
or   **o, oppure**
so   **così**
then   **allora, poi**
therefore   **perciò, dunque, quindi**
until   **fino / sino a**
when   **quando**
while / whereas   **mentre**
with   **con**
without   **senza**

Where? — Position & Movement

2a Position

about **attorno, intorno, in giro**	distance **la distanza**
above **sopra, in alto**	in the distance **in lontananza**
above *(adv)* **di sopra**	distant **distante, lontano**
across **attraverso**	down there **laggiù**
across there **dall'altra parte**	downstairs **di sotto, al pian terreno**
after **dopo**	edge **bordo**
against **contro**	at the edge of **sul bordo di**
ahead **avanti, davanti**	end **fine, termine**
ahead of **davanti a**	at the end of **alla fine di**
along **lungo**	everywhere **dappertutto**
among **tra, fra**	far **lontano**
anywhere **dovunque, ovunque**	far away (from) **lontano (da / di)**
around / round *(adv)* **intorno, attorno**	first (of all) **prima di tutto**
around / round the garden **in giro nel giardino**	I am first **sono [essere] il primo / la prima**
around / round the tree **intorno all'albero**	forward(s) **(in) avanti**
as far as **fino a**	from **da**
at **a**	front **fronte, davanti**
at home **a casa**	at the front **davanti**
at school **a scuola**	I am in front **sono [essere] davanti**
at work **al lavoro**	in front of **davanti a, di fronte a**
back **(in)dietro**	to the front **a fronte di**
at the back of **dietro a**	here **qui**
to the back **in fondo (a)**	here and there **qui e là**
backwards **all'indietro**	in **in**
behind **dietro**	in there **là dentro**
below **sotto**	inside **dentro**
beside **accanto**	inside *(adv)* **(di) dentro**
between **fra, tra**	into **in**
beyond **oltre, al di là di**	last **ultimo**
bottom **fondo**	last of all **l'ultimo** *(m)*
at the bottom (of) **in fondo (a), al fondo (di)**	last of all *(adv)* **per ultimo**
center / centre **il centro**	I am last **sono l'ultimo**
in the center / centre **al centro**	left **sinistra**
direction **direzione, via, senso**	on the left **a sinistra**
in the direction of Rome **verso Roma**	to the left **alla sinistra**
	middle **mezzo**
	in the middle (of) **in mezzo (a), al centro di**

near **vicino**
near(by) **vicino a**
nearness, **la vicinanza**
neigborhood / neighbourhood **il quartiere, il vicinato, le vicinanze**
in the neighborhood / neigbourhood of **nel quartiere, nelle vicinanze di**
next *(adj)* **prossimo, più vicino, successivo**
next *(adv)* **dopo, seguente**
next to *(prep)* **accanto, vicino a**
nowhere **da nessuna parte**
on **su, sopra**
onto **sopra**
opposite **di fronte (a)**
out of **fuori di**
out there **là fuori**
outside **esterno, fuori**
outside *(adv)* **all'esterno, fuori**
over **su, sopra, al di sopra**
over there **là, laggiù**
past **oltre**

right **destra**
from the right **dalla destra**
on the right **alla destra**
to the right **a destra**
side **lato, fianco, canto**
at the side **a fianco, accanto**
at both sides of **a entrambi i lati**
somewhere **da qualche parte**
there **là**
to **a, in, da**
top **sopra, il più alto**
top *(of mountain)* **la cima**
at the top **in cima**
on top **sopra**
towards **verso, in direzione di**
under **sotto**
up here / there **quassù, lassù**
upstairs **di sopra, al piano superiore**
where? **dove?**
where from? **da dove?**
where to? **verso dove?**
with **con, insieme a**

Over there in the distance is the river. It's not far away — about one kilometer from our house.

Laggiù in distanza c'è il fiume. Non è lontano, solo a circa un chilometro da casa nostra.

Opposite the houses is the church and nearby are the stores / shops.

Di fronte alle case c'è la chiesa e vicino ci sono i negozi.

At the top of the hill is a farm, and in the middle of the village is the post office.

In cima alla collina c'è una fattoria e al centro del paese c'è l'ufficio postale.

The first house on the main / high street is near the river. Our house is the last. The next village is about five kilometers away.

La prima casa nella via principale è vicino al fiume. La nostra casa è l'ultima. Il prossimo paese è a circa cinque chilometri.

The distance from here to Venice is about one hundred kilometers.

Da qui a Venezia ci sono circa cento chilometri.

13

2b Directions & Location

Points of the compass

atlas **l'atlante** *(m)*
compass **la bussola**
compass needle **l'ago** *(m)* **della bussola**
coordinate **la coordinata**
east **(l')est** *(m)*, **il levante**
   in the east **all'est, a levante**
   to the east **verso (l')est**
   east wind **il vento di levante**
   on the east side **al lato est**
   eastern italy **l'Italia orientale**
gazetteer **il dizionario geografico**
latitude **la latitudine**

location **la posizione**
longitude **la longitudine**
magnetic compass **la bussola magnetica**
magnetic north **il nord magnetico**
map **la carta (geografica), la mappa**
north **(il) nord, il settentrione**
   in the north **al nord**
   to the north **a nord, verso (il) nord**
   north coast **la costa settentrionale**
   north wind **il vento del nord, la tramontana**

Florence is north of Rome. To the the north is Milan. I prefer the south of Italy to the north.

Firenze è a nord di Roma. Al nord c'è Milano. Preferisco l'Italia meridionale a quella settentrionale.

Look on the map. You go north(wards).

Guarda la carta geografica. Prendi la direzione nord.

To the south of the forest you see the church spire.

A sud del bosco vedi la guglia della chiesa.

—Are you lost?
—Yes. Can you tell me the quickest way to the post office?

—Si è smarrito?
—Sì. Può indicarmi il percorso più breve per (raggiungere) l'ufficio postale?

—It's down there on the left.

—È laggiù a sinistra.

—How do I get to Assisi?
—Go straight on to the second intersection / crossroads.
Turn right at the light and take the road to Perugia.
It's twenty-five kilometers / kilometres from here.

—Come si va a Assisi?
—Vada diritto (fino) al secondo incrocio.
Giri a destra al semaforo e prenda la strada per Perugia.
È a venticinque chilometri da qui.

in northern Italy **nell'Italia settentrionale**
northeast **nordest**
northwest **nordovest**
south **(il) sud, il meridione** [*see also* north]
west **(l')ovest, l'occidente** [*see also* east]
 in the west **all'ovest, a ponente**
  west wind **il vento di ponente**

Location & existence

I am **sono [essere]**
 there is / are **c'è / ci sono**
 there isn't / aren't (any) **non**

c'è / ci sono
I become **divento [-are]**
I exist **esisto [-ere]**
existence **l'esistenza** (f)
I have got / I have **ho [avere]**
it lies **sta [-are], si trova [-arsi]**
I possess **possiedo [possedere]**
possession **il possesso**
present **presente**
 I am present (at) **sono [essere] presente (a), presenzio [-are]**
I am situated **sono [essere] situato, mi trovo [-are]**

The town lies at a longitude of 32°.
La città si trova a una longitudine di 32°.

How do you get to the other side?
Come si raggiunge l'altro lato?

— Is there a bank nearby?
— C'è una banca qui vicino?
— It's behind the supermarket.
— È dietro al supermercato.
— Where's the tourist office?
— Dov'è l'ufficio turistico?
— Opposite the town hall.
— Di fronte al municipio.

— Who's that? — It's me.
— Chi è? — Sono io.

— How many children are present?
— Quanti bambini sono presenti?
— There are twenty-five. Five of them are at home.
— Ce ne sono venticinque. Cinque (di loro) sono a casa.

— Is there any cake left? Are there any cookies / biscuits left?
— C'è ancora della torta? Ci sono ancora biscotti?
— I am sorry, there is no cake, but there are some sandwiches.
— Mi dispiace, non c'è torta, ma ci sono dei panini.

I have been to London. I was at a concert when she arrived.
Sono stato a Londra. Ero a un concerto quando (lei) è arrivata.

2c Movement

I arrive **arrivo [-are]**
I bring **porto [-are]**
by car **in macchina, in auto**
I carry **porto [-are], trasporto [-are]**
I climb *(intr)* **mi arrampico [-are]**
   I climb *(tr)* **salgo [salire]**
I come **vengo [venire]**
   I come back (home) **rientro [-are]**
   I come down **scendo [-ere]**
   I come in **entro [-are]**
   I come out **esco [uscire]**
   I come up **vengo su, salgo [salire]**
I drive **guido [-are]**
   I drive on the right **guido a destra**
I fall **cado [-ere]**
   I fall down **cado giù**
I follow **seguo [-ire]**
I get in **entro [-are]**
   I get out **esco [uscire]**
   I get up **mi alzo [-are]**
I go **vado [andare]**
   I go down **scendo [-ere]**
   I go for a walk **vado a fare una passeggiata**
   I go in **entro [-are]**
   I go out **esco [uscire]**

   I go round **giro [-are] intorno**
   I go up **salgo [salire]**
I go (by vehicle) **vado [andare] in**
I hike **faccio [fare] un'escursione a piedi**
I hurry **mi affretto [-are], mi sbrigo [-are]**
   I hurry up **mi sbrigo [-are]**
I jump **salto [-are]**
I leave *(place)* **parto [-ire] da**
   I leave *(something)* **lascio [-are]**
   I leave (person) **abbandono [-are]**
I lie down **mi sdraio [-are]**
I march **marcio [-are], avanzo [-are]**
I move *(tr)* **muovo [-ere]**
   I move *(intr)* **mi muovo**
movement **il movimento**
on foot **a piedi**
I pass **passo [-are]**
   I pass / overtake *(in car)* **sorpasso [-are]**
I pull **tiro [-are]**
I push **spingo [-ere]**
I put *(flat)* **stendo [-ere]**
   I put (into) **introduco [-durre]**
   I put (on) **indosso [-are]**
   I put *(upright)* **metto [-ere], diritto**

I am going by car, but some of them will walk. John is going by bike.

(Io) vado in auto, ma alcuni di loro andranno a piedi. Giovanni va in bicicletta.

Have you put the picnic basket in the car? Don't forget to bring your corkscrew.

Hai messo il cestino del picnic in auto? Non dimenticare di portare il cavatappi.

I will give you a lift as far as the river. Then you must get out and walk.

Ti do un passaggio fino al fiume. Poi devi scendere e continuare a piedi.

raddrizzo [-are]
I ride   faccio [fare] un giro (in)
   I ride *(a horse)*   vado [andare]
   a cavallo, faccio [fare]
   equitazione
I run   corro [-ere]
   I run away   corro [-ere] via,
   scappo [-are]
I rush   mi sbrigo [-are], mi affretto
   [-are]
I sit down   mi siedo [sedere]
I sit up   mi siedo [sedere] diritto
I slip   scivolo [-are]
I stand   mi alzo [-are]
   I stand still   resto [-are] fermo,
   immobile
   I stand up   mi alzo in piedi
I step   faccio [fare] un passo
I stop   mi fermo [-are]
straight   dritto, diritto
   straight ahead   sempre dritto
I stroll   faccio [fare]
   quattro passi
I take   prendo [-ere]
I turn   (mi) giro [-are]
   I turn left   giro [-are] a sinistra
   I turn off   spengo [-ere]
   I turn round   mi giro [-are]
   I turn towards   mi giro [-are]
   verso
walk   la camminata, la
   passeggiata
I walk   cammino [-are]

I wander   vago [-are]
way   la via, il cammino

Here & there

Come here!   Vieni qui!
I go there   vado [andare] là, ci
   vado
I rush there   accorro [-ere]
I travel there   viaggio [-are] là

Up & down

Do sit down!   Siediti! Accomodati!
I climb the mountain   scalo la
   montagna [-are]
I climb the stairs   salgo [salire] le
   scale
I climb up the mountain   mi
   arrampico [-are] su per la
   montagna
I fall down   cado [-ere] giù
I go down the path   seguo [-ire] il
   sentiero, scendo [-ere] per il
   sentiero
I lie down   mi stendo [-ere]
Stand up!   Alzati! [-are]

Round

I go round the town   giro [-are] per
   la città
round the world   attorno / intorno al
   mondo

Go down the hill, along the river,
and then turn left towards the
woods. You will pass a farm
halfway there.

When you get to the village, take
the first road on the left, then
continue straight ahead up to
the market-place.

I will follow you as far as the market.

**Scendi la collina, lungo il fiume
poi gira a sinistra verso il bosco.
A metà strada passerai una
fattoria.**

**Quando arrivi in paese, prendi la
prima strada a sinistra poi
prosegui fino alla piazza del
mercato.**

(Io) ti seguo fino al mercato.

When? — Expressions of Time

3a Past, Present & Future

about **verso, circa**
after **dopo, poi**
    afterwards **in seguito, dopo, più tardi**
again **di nuovo, ancora**
    again and again **più volte, ripetutamente**
ago **fa**
    a short time ago **poco fa**
already **già, di già, ormai**
always **sempre**
anniversary **l'anniversario** *(m)*
annual **annuo, annuale**
as long as *(conj)* **finchè**
as soon as *(conj)* **appena**
at once **subito, immediatamente**
before **prima (di)**
    before *(adv)* **prima d'ora, già**
    beforehand **in anticipo**
    before leaving **prima di partire**
I begin **comincio [-are], inizio [-are]**
beginning **l'inizio** *(m)*
birthday **il compleanno**
brief **breve, corto**
briefly **in breve, brevemente**
by (next month) **entro (il mese prossimo)**
calendar **il calendario**
centenary **il centenario**
century **il secolo**
    in the twentieth century **nel ventesimo secolo**
continuous **continuo**
continuously **ininterrottamente**
daily **giornaliero**
date **la data, il tempo, il periodo**
    date *(appointment)* **la data fissa, l'appuntamento** *(m)*
dawn **l'alba** *(f)*

at dawn **all'alba**
day **il giorno, la giornata**
    by day **di giorno**
    every day **ogni giorno, tutti i giorni**
    one day (when) **un giorno (quando)**
decade **il decennio**
delay **il ritardo**
    delayed **ritardato**
during **durante**
early **presto, di buon'ora**
    I am early **sono [essere] in anticipo**
end **la fine**
I end (something) **finisco [-ire]**
    it ends **finisce**
ever **mai**
every **ogni, tutti**
    every time **ogni volta, tutte le volte**
exactly **esattamente, precisamente**
fast **veloce, rapido**
    my watch is fast **il mio orologio è [essere] in anticipo**
finally **alla fine, in fine**
I finish (doing) **finisco [-ire] (di + inf)**
first **prima**
    at first **per incominciare, per primo**
    in the first place **prima di tutto, in primo luogo**
for **per**
for a day *(duration)* **per una giornata**
    (past progressive / continuous) **da un giorno**
for good / ever **per sempre**

formerly **precedentemente**
frequent **frequente**
frequently **frequentemente**
from **da**
    as of (today) **da (oggi) in poi**
    from now on **da adesso in poi,
d'ora in poi**
I go on (doing) **continuo [-are]
(a** + inf)
half **la metà, il mezzo**
    one and a half **uno e mezzo**
it happens **succede [-ere], capita
[-are]**
hurry **la fretta, la furia, la
precipitazione**
    I am in a hurry **ho [avere]
fretta**
I hurry up **mi affretto [-are], mi
sbrigo [-are]**
instant **l'istante** *(m)*, **l'attimo** *(m)*
just **appena, poco fa**
    just now **proprio adesso**
last *(final)* **ultimo, finale**
    last night **ieri sera**
    last *(previous)* **scorso**
    last week **la settimana scorsa**
it lasts a long / short time **dura
[-are] molto / poco tempo**
late **tardi, in ritardo**
    I am late **sono [essere] in
ritardo**
    it's late **è tardi**
lately **recentemente, ultimamente**
later (on) **più tardi, in seguito**
long **lungo**
    in the long term **a lunga
scadenza**
many **tanti, vari, diversi**
    many times **tante volte,
diverse volte**
meantime / meanwhile **mentre,
intanto**
    in the meantime / meanwhile
intanto, nel frattempo
middle **la metà**

millennium **un millennio**
moment **il momento, l'istante** *(m)*,
l'attimo *(m)*
    at the moment **in questo
momento**
    at this moment *(right now)*
proprio adesso
    at that moment **a / in quel
momento**
    in a moment **fra poco, in un
attimo**
month **il mese**
    monthly **mensile, mensilmente**
never **mai**
next *(adj)* **prossimo, successivo**
    next week **la settimana
prossima**
    next *(adv)* **poi, dopo, in seguito**
not yet **non ancora**
now **adesso, ora**
nowadays **al giorno d'oggi,
oggigiorno**
occasionally **a volte,
occasionalmente**
often **spesso, sovente**
on and off **di quando in quando**
once **una volta**
    once upon a time **c'era una
volta**
    once in a while **una volta ogni
tanto**
    once a day **una volta al giorno**
one day (when) **un giorno
(quando)**
only **solo, solamente**
past **il passato**
    past *(adj)* **scorso**
per day **al giorno**
present **il presente**
    present *(adj)* **presente,
esistente**
    presently **subito, tra poco**
    at present **attualmente**
previously **precedentemente, in
precedenza**

WHEN? — EXPRESSIONS OF TIME

prompt **sollecito, pronto, immediato**
    promptly at (two) **alle (due) in punto**
rarely **raramente**
recent **recente, di recente**
recently **recentemente**
I remain **rimango [rimanere], resto [-are]**
right away **subito, immediatamente**
saint's day **l'onomastico** *(m)*
school term **il trimestre**
season **la stagione**
    in season *(fruit)* **di stagione**
seldom **raramente**
several **diversi, parecchi**
    several times **diverse volte**
short **corto**
    (in the) short term **a breve termine**
    shortly **presto, tra poco, fra poco**
since then **da allora**
slow **lento**
    my watch is slow **il mio orologio ritarda (di)**
sometime **qualche volta**
sometimes **a volte**
soon **fra poco**
    sooner or later **prima o poi, presto o tardi**
I stay **resto [-are], rimango [rimanere]**
still **ancora**
I stop (doing) **smetto [-ere] (di + inf)**
suddenly **all'improvviso, di colpo**
sunrise **l'alba** *(f)*, **l'aurora** *(f)*
    at sunrise **all'alba, all'aurora**
sunset **il tramonto**
    at sunset **al tramonto**
I take (an hour) **ci metto [-ere] (un'ora)**

—Hello Pietro, Gianni Rossi speaking / here. I have been working on this project for a few days. Have you finished yours yet? Call me back this afternoon.

—Hello, Gianni, Pietro speaking / here. Thank you for yesterday's call. Sorry I couldn't call you back then. I had just returned from London a quarter of an hour earlier.

After getting back I talked at length with Anna; she thinks the project will take all month.

We should start on the work at the beginning of June. That way we can finish it on time.

—**Pronto, Pietro? Sono Gianni Rossi. Lavoro a questo progetto da alcuni giorni. Hai già finito il tuo? Richiamami questo pomeriggio.**

—**Pronto, Gianni? Sono Pietro. Grazie per la telefonata di ieri. Scusa se non ho potuto richiamare. Ero appena ritornato da Londra da un quarto d'ora.**

Dopo essere rientrato ho parlato a lungo con Anna — lei pensa che il progetto durerà tutto il mese.
Dovremmo cominciare il lavoro all'inizio di giugno. Così possiamo terminarlo in tempo.

it takes (an hour) **ci vuole [volere] (un'ora)**
then *(next)* **poi, allora**
then *(at that time)* **all'epoca, a quel tempo**
till **fino a**
time *(in general)* **il tempo**
time *(occasion)* **il momento, la volta**
at any time **in qualsiasi momento**
at other times **altre volte**
at the same time **allo stesso momento / tempo**
from time to time **di quando in quando**
for a long time **per molto tempo, a lungo**
in good time **con (buon) anticipo**
a long time ago **molto tempo fa**
the whole time **tutto il tempo**

time zone **il fuso orario**
twice **due volte**
two weeks / fortnight **quindici giorni**
until **fino a, sino a**
usually **di solito, usualmente**
vacation / holiday **le ferie** *(pl)*, **le vacanze** *(pl)*
I wait **attendo [-ere], aspetto [-are]**
week **la settimana**
this week **questa settimana**
weekly **settimanalmente**
weekday **il giorno feriale**
weekend **il fine settimana**
when **quando, nel momento in cui**
whenever **ogni volta che**
while *(conj)* **mentre, invece**
year **l'anno** *(m)*
yearly **annualmente**
yet **ancora**
not yet **non ancora**

—Last Friday the train was late and you didn't get there till a quarter to / before three.
—I'll make it by three at the latest. How long does your bus take?

—Half an hour.
—If I'm late, have a coffee until I get there.
—I don't want to spend all afternoon drinking coffee. Then there will be no time left for shopping.
—You're sometimes late too.
—Yes, but only in bad weather.

—Last week I had to wait for twenty minutes.

—Venerdì scorso il treno era in ritardo e tu non sei arrivato che alle 14.45.
—Ce la farò per le quindici al massimo. Quanto ci mette il tuo autobus?
—Mezz'ora.
—Se sono in ritardo, prendi un caffè mentre aspetti.
—Non voglio passare tutto il pomeriggio a bere caffè. Poi non ci sarà più tempo per fare gli acquisti.
—Anche tu sei in ritardo a volte.
—Sì, ma solo quando fa maltempo.
—La settimana scorsa ho dovuto aspettare per venti minuti.

WHEN? — EXPRESSIONS OF TIME

3b The Time, Days & Dates

The time of day

a.m. **di mattina**
morning **la mattina**
  in the morning **di mattina**
  in the mornings **durante la mattina, in mattinata**
  early in the morning **la mattina presto**
noon **mezzogiorno**
afternoon **il pomeriggio**
  in the afternoon **di pomeriggio**
  in the afternoons **nel pomeriggio, durante il pomeriggio**
p.m. **di sera**
evening **la sera**
  in the evening **di sera**
  in the evenings **durante la sera, in serata**
night **la notte**
  at night **la notte, di notte**
midnight **mezzanotte**
  at midnight **a mezzanotte**
today **oggi**
  a week from today **fra una settimana (sette giorni)**
tomorrow **domani**
  tomorrow morning **domani mattina, domattina**
  tomorrow afternoon **domani pomeriggio**
tomorrow evening **domani sera**
the day after tomorrow **dopodomani**
tonight **stasera, questa sera**
yesterday **ieri**
  yesterday morning **ieri mattina**
  yesterday evening **ieri sera**
  the day before yesterday **l'altro ieri**

Telling time

second **il secondo**
minute **il minuto**
hour **l'ora** *(f)*
  half an hour **mezz'ora**
  in an hour's time **fra un'ora**
  hourly **ogni ora**
quarter **il quarto**
  quarter of an hour **il quarto d'ora**
  three quarters of an hour **tre quarti d'ora**
  quarter after / past (two) **(le due) e un quarto**
  quarter of / to (three) **(le tre) meno un quarto**
half past (two) **(le due) e mezzo**
half past twelve **mezzogiorno** *(m)* **e mezzo** *(f)*, **la mezza** *(fam)*
5:45 p.m. / 17.45 **le diciassette e quarantacinque**
five after / past six **le sei e cinque**
five of / to six **le sei meno cinque**

— What's the date today?
— A moment please! Ah, yes, the twenty-first of January.
— What time does the movie / film start this evening?
— At eight.
— How long does it last?
— One and a half hours.

— Che giorno è oggi?
— Un momento, per favore! Ah sì, il ventun gennaio.
— A che ora comincia il film questa sera?
— Alle venti.
— Quanto dura?
— Un'ora e mezzo.

two a.m. **le due di mattina**
eight a.m. **le otto di mattina**
two p.m. **le due del pomeriggio**
eight p.m. **le otto di sera**
12:00 noon **mezzogiorno**
12:00 midnight **mezzanotte**

*The days of the week**

Monday **lunedì**
Tuesday **martedì**
Wednesday **mercoledì**
Thursday **giovedì**
Friday **venerdì**
Saturday **sabato**
Sunday **domenica** *(f)*

*The months**

January **gennaio**
February **febbraio**
March **marzo**
April **aprile**
May **maggio**
June **giugno**
July **luglio**
August **agosto**
September **settembre**
October **ottobre**
November **novembre**
December **dicembre**

The seasons

spring **la primavera**
  spring *(adj)* **primaverile**
summer **l'estate** *(f)*

summer *(adj)* **estivo**
autumn / fall **l'autunno** *(m)*
  autumn / fall *(adj)* **autunnale**
winter **l'inverno** *(m)*
  winter *(adj)* **invernale**
in spring **in primavera**
in summer **in estate**
in autumn / fall **in autunno**
in winter **in inverno**

The date

last Friday **venerdì scorso**
on Tuesday **martedì**
on Tuesdays **il (di) martedì**
by Friday **entro venerdì**
the first of January **il primo gennaio**
on the third of January **il tre gennaio**
in (the year) 2000 **nel 2000**
January 1, / 1 January 2004 **1 gennaio, 2004**
1.1.2004 **1-1-2004**
at the end of 2006 **alla fine del 2006**
by the end of 2006 **entro la fine del 2006**
at the beginning (of July) **all'inizio (di luglio)**
by the beginning (of July) **entro l'inizio (di luglio)**
in December **a dicembre**
in mid- / the middle of January **a metà gennaio**
at the end of March **a fine marzo**

We're going on vacation / holiday next week. In five days we'll be in Sardinia. The flight lasts only a short time, but in 2003 we had to wait a long time at the airport. We got there three hours late.

Anyway, I'll call you as soon as we get there.

Andiamo in ferie la settimana prossima. Fra cinque giorni saremo in Sardegna. Il volo dura solo per poco tempo, ma nel 2003 abbiamo dovuto aspettare a lungo all'aeroporto — siamo arrivati con tre ore di ritardo.

Comunque, ti telefono appena arriviamo.

---

* All days (except **la domenica**) and months are masculine.

How Much? — Expressions of Quantity

4a Length & Shape

angle **l'angolo** *(m)*
area **l'area** *(f)*, **la superficie**
big **grande**
center/centre **il centro**
concave **concavo**
convex **convesso**
curved **curvo**
deep **profondo**
degree **il grado**
depth **la profondità**
diagonal **diagonale**
distance **la distanza**
I draw **traccio [-are]**
height **l'altezza** *(f)*, **l'altitudine** *(f)*
high **alto**
horizontal **orizzontale**
large **largo**
length **la lunghezza**
line **la linea**
long **lungo**
low **basso**
it measures **misura [-are]**
narrow **stretto**

parallel **parallelo**
perpendicular **perpendicolare**
point **il punto**
round **rotondo**
ruler **la riga**
shape **la forma**
short **corto**
size **la misura**
small **piccolo**
space **lo spazio**
straight **dritto**
tall **alto**
thick **spesso**
thin **sottile**
wide **largo**
width **la larghezza**

Shapes

circle **il cerchio, il circolo**
　circular **circolare**
cube **il cubo**
　cubic **cubico**
cylinder **il cilindro**

You need a straight ruler and pencil. Measure the space and then draw a plan.
Leave room for some vegetables.

The distance from the house to the fence is twelve meters/metres.

— How high is the tree? — About five meters/metres.

Hai bisogno di una riga e di una matita. Prendi le misure e poi disegna una pianta.
Lascia un po' di spazio per qualche ortaggio.

La distanza tra la casa e il recinto è di dodici metri.

— Quanto è alto l'albero? — Circa cinque metri.

cylindrical **cilindrico**
hectare **l'ettaro** *(m)*
pyramid **la piramide**
rectangle **il rettangolo**
   rectangular **rettangolare**
sphere **la sfera**
   spherical **sferico**
square **il quadrato**
   square *(adj)* **quadrato**
triangle **il triangolo**
triangular **triangolare**

Units of length

centimeter / centimetre **il centimetro**
foot **il piede**
inch **il pollice**
kilometer / kilometre **il chilometro**
meter / metre **il metro**
mile **il miglio, le miglia** *(pl)*
millimeter / millimetre **il millimetro**
yard **la iarda**

Expressions of quantity

about **circa**
almost **quasi**
approximate **approssimativo**
approximately **circa, approssimativamente**
as much as **quanto**

at least **almeno**
capacity **la capacità**
it contains **contiene [contenere]**
cubic capacity **la capacità cubica**
it decreases **diminuisce [-ire]**
difference **la differenza**
empty **vuoto**
I empty **svuoto [-are], vuoto [-are]**
enough **sufficiente**
I fill **riempio [-ire]**
full (of) **pieno (di)**
hardly **appena**
increase **l'aumento** *(m)*, **l'incremento** *(m)*
it increases **aumenta [-are]**
little **poco**
   a little **un po', un poco**
a lot (of) **molto, tanto**
I measure **misuro [-are]**
measuring tape **il metro**
more **ancora, più**
nearly **quasi**
number **il numero**
part **la parte**
quantity **la quantità**
sufficient **sufficiente**
too much **troppo**
volume **il volume**
whole **totale, completo, intero**

The shed will be at an angle of about forty degrees to the house, diagonally across from the gate.

Il capannone sarà a un angolo di circa quaranta gradi dalla casa, in direzione diagonale dal giardino.

The area of our garden is one hundred square meters / metres. It is ten meters / metres long and ten wide, so it is a square. We put a round pond in, only eighty to one hundred centimeters / centimetres deep.

Il nostro giardino misura cento metri quadrati. È lungo dieci metri e largo dieci; è quindi un quadrato.

Ci mettiamo un laghetto rotondo, di soli ottanta a cento centimetri di profondità.

4b Measuring

Expressions of volume

bag	**la borsa**
bottle	**la bottiglia**
box	**la scatola**
container	**il recipiente**
cup	**la tazza**
gallon	**il gallone**
glass	**il bicchiere**
liter / litre	**il litro**
centiliter / centilitre	**il centilitro**
milliliter / millilitre	**il millilitro**

package	**il pacco**
packet	**la confezione**
packet (small)	**il pacchetto**
pair	**il paio, le paia** *(fpl)*
piece	**il pezzo**
pint	**la pinta**
portion	**la porzione**
pot	**il vaso**
sack	**il sacco, il sacchetto**
tube	**il tubo**

—How many centiliters / centilitres are there in the bottle?
—Seventy-five, but you can also get it in liter / litre bottles.

—**Quanti centilitri ci sono nella bottiglia?**
—**Settantacinque, ma si può comprare anche in bottiglie da un litro.**

—Would you like a cup of tea?
—No, thank you. I would prefer a glass of water.

—**Vuole una tazza di tè?**
—**No, grazie. Preferirei un bicchiere d'acqua.**

Could I have two packets of tissues and a tube of aspirin, please?

Vorrei due pacchetti di fazzoletti di carta e un tubo di aspirina, per favore.

—What is the volume of water in the swimming pool?
—Ten thousand gallons; that is, about forty-five thousand liters / litres.

—**Qual è il volume d'acqua nella piscina?**
—**Diecimila galloni, cioè circa quarantacinquemila litri.**

—How much wood do you want?
—Enough for the whole fence. I must not buy too much. Yes, that should be sufficient. Give me a bag of cement too, please.

—**Quanto legno vuole?**
—**Sufficiente per tutto il recinto. Non devo comprarne troppo. Sì, quello dovrebbe essere sufficiente. Mi dia anche un sacco di cemento, per favore.**

Temperature

it boils	**bolle [-ire]**
I chill	**raffreddo [-are]**
cold	**il freddo**
cold (adj)	**freddo**
cool	**fresco**
I cool down	**rinfresco [-are]**
degree	**il grado**
I freeze	**congelo [-are]**
heat	**il calore, il gran caldo**
I heat	**scaldo [-are], riscaldo**
I heat (the house)	**scaldo la casa [-are]**
hot	**caldo**
temperature	**la temperatura**
I warm (up)	**riscaldo [-are]**
warmth	**il calore**

Weight and density

dense	**denso**
density	**la densità**
gram / gramme	**il grammo**
heavy	**pesante**
kilo	**il chilogrammo**
light	**leggero**
mass	**la massa**
ounce	**l'oncia** (f)
pound (lb)	**la libbra** (f)
scale / balance	**la bilancia**
ton(ne)	**la tonnellata**
I weigh	**peso [-are]**
weight	**il peso**

It's so hot! What's the temperature? It must be nearly thirty degrees (centigrade). I am too hot.

Fa così caldo! Quanti gradi sono? Saranno quasi trenta gradi. Ho troppo caldo.

In winter it's cold here. We all freeze in this house and have to put the heating on in October. When the temperature reaches zero we have to light two fireplaces.

In inverno, qui fa freddo. Congeliamo tutti freddo in questa casa e dobbiamo accendere il riscaldamento in ottobre. Quando la temperatura tocca lo zero dobbiamo accendere due camini.

—Let's weigh out the ingredients. How many gram(me)s of sugar do we need?
—I want a pound—that must be about five hundred gram(me)s.

—Pesiamo gli ingredienti. Quanti grammi di zucchero occorrono?
—Ne voglio una libbra, dovrebbe essere circa cinquecento grammi.

I need a little flour and a lot of sugar. Give me a piece of butter—half a packet will do.

Mi occorre un po' di farina e molto zucchero. Mi dia un po' di burro—metà panetto dovrebbe bastare.

—That's too little. We need even more cakes. Make a bit more.

—Così è troppo poco. Abbiamo ancora bisogno di altre torte. Ne faccia un po' di più.

▶ WEATHER 24d

HOW MUCH? — EXPRESSIONS OF QUANTITY

4c Numbers

Cardinal numbers

zero	**zero**
one	**uno**
two	**due**
three	**tre**
four	**quattro**
five	**cinque**
six	**sei**
seven	**sette**
eight	**otto**
nine	**nove**
ten	**dieci**
eleven	**undici**
twelve	**dodici**
thirteen	**tredici**
fourteen	**quattordici**
fifteen	**quindici**
sixteen	**sedici**
seventeen	**diciassette**
eighteen	**diciotto**
nineteen	**diciannove**
twenty	**venti**
twenty-one	**ventuno**
twenty-two	**ventidue**
twenty-nine	**ventinove**

thirty	**trenta**
thirty-one	**trentuno**
thirty-two	**trentadue**
thirty-three	**trentatré**
forty	**quaranta**
forty-one	**quarantuno**
forty-two	**quarantadue**
fifty	**cinquanta**
sixty	**sessanta**
seventy	**settanta**
eighty	**ottanta**
ninety	**novanta**
a hundred	**cento**
a hundred and one	**cento uno**
two hundred	**duecento**
five hundred	**cinquecento**
a thousand	**mille**
one thousand two hundred	**milleduecento**
two thousand	**duemila**
million	**un milione**
two million	**due milioni**
billion / milliard	**un miliardo**

Half of the house belongs to my brother. We divided it between us. However, he only pays a quarter of the costs since I rent / let my half out in summer.	**Metà della casa è di mio fratello. L'abbiamo divisa tra noi due. Comunque lui paga solo un quarto delle spese, visto che io do in affitto la mia metà in estate.**
—How old are you?	**—Quanti anni hai?**
—(I am) thirty.	**—(Ne ho) trenta.**

Ordinal numbers

first **primo**
second **secondo**
third **terzo**
fourth **quarto**
fifth **quinto**
sixth **sesto**
seventh **settimo**
eighth **ottavo**
ninth **nono**
tenth **decimo**
nineteenth **diciannovesimo**
twentieth **ventesimo**
twenty-first **ventunesimo**
hundredth **centesimo**

Nouns

one **uno**
  unit **l'unità**
a couple **un paio**
ten **dieci**
  tens (of) **decine (di)**
a dozen **una dozzina**
eighteen dollars a dozen **diciotto
  dollari la dozzina**
about fifteen / a fortnight **una
  quindicina**
hundred **cento**
  about a hundred **un centinaio**
  hundreds of **centinaia di**
about a thousand **un migliaio**

Writing numerals

1,000 **1000**
1,525,750 **1.525.750**
1st **1º**
2nd **2º**
1.56 **1,56**
0.5 **,05**

Fractions

half **mezzo, metà**
  a half **una metà**
  one and a half **uno e mezzo**
  two and a half **due e mezzo**
quarter **il quarto**
a quarter **un quarto (di)**
a third **un terzo**
a fifth **un quinto**
five and five sixths **cinque e
  cinque sesti**
a tenth **un decimo**
a sixth **un sesto**
a hundredth **un centesimo**

Years

1990 **il millenovecentonovanta**
in 1962 **nel
  millenovecentosessantadue**
in '79 **nel settantanove**
the sixties **gli anni sessanta**

—You can't all have half a bar of chocolate.
There is only enough for a quarter each.
And a quarter of a liter / litre of apple juice for each.
—I don't want a quarter, I want half.

—Non potete avere tutti mezza tavoletta di cioccolato.
Ce n'è solo abbastanza per un quarto a testa.
E un quarto di litro di succo di mela a testa.
—Non ne voglio un quarto, ne voglio metà.

4d Calculations

addition **la somma, l'addizione** *(f)*
I add **aggiungo [-ere]**
average **la media**
  on average **in media**
I average out **faccio [fare] la media**
I calculate **calcolo [-are]**
calculation **il calcolo**
calculator **la calcolatrice**
I correct **correggo [-ere]**
I count **conto [-are]**
data **i dati** *(pl)*
  piece of data **l'informazione** *(f)* **di dati**
decimal **decimale**
  decimal point **la virgola**
diameter **il diametro**
digit **la cifra**
  two digits **due cifre**
I double **raddoppio [-are]**
division **la divisione**

I divide by **divido [-ere] per**
  six divided by two **sei diviso per due**
it equals **è uguale a, equivale [-ere] a**
three times four equals twelve **tre (moltiplicato) per quattro fa [fare] dodici**
equation **l'equazione** *(f)*
it is equivalent to **è uguale a**
I estimate **valuto [-are]**
even **pari**
figure **la cifra**
graph **il grafico**
is greater than **è superiore a**
is less than **è minore di**
maximum **il massimo**
  maximum *(adj)* **massimo**
  up to a maximum of **per un massimo di**
medium **medio**

An inch is the same as 2.54 centimeters, and there are twelve inches in a foot, thirty-six in a yard. A mile is 1,760 yards. A kilometer/kilometre is 1,000 meters/metres.

Un pollice è uguale a 2,54 centimetri, e ci sono dodici pollici in un piede e trentasei in una iarda. Un miglio equivale a 1760 iarde. Un chilometro equivale a 1000 metri.

What is fourteen plus eight? It equals twenty-two. Did you get the right result?

Quanto fa quattordici più otto? Fa ventidue. Hai (ottenuto) il risultato corretto?

Twenty minus five is fifteen, twenty divided by five equals four.

Venti meno cinque fa quindici, venti diviso cinque fa quattro.

Multiply twelve times twenty-two. That is an easy sum.

Moltiplica dodici per ventidue. È una moltiplicazione facile.

How do you work out the square root of a number?

Come si calcola la radice quadrata di un numero?

You have made a mistake there.

Hai fatto un errore qui.

minimum **il minimo**
  minimum *(adj)* **minimo**
minus **meno**
mistake / error **l'errore** *(m)*, **lo sbaglio**
multiplication **la moltiplicazione**
I multiply **moltiplico [-are]**
  three multiplied by / times two **tre (moltiplicato) per due**
negative **negativo**
number **il numero**
numeral **numerale**
odd **dispari**
percent **percento**
  10% **10 percento**
percentage **la percentuale**
plus **più**
  two plus two **due più due**
positive **positivo**
power **il potere**
  to the fifth **fino al quinto**
problem **il problema**
quantity **la quantità**

ratio **il rapporto**
  a ratio of 100:1 **il rapporto di 100 a 1**
result **il risultato**
solution **la soluzione**
I solve **risolvo [-ere]**
I square **elevo [-are] al quadrato**
square root **la radice quadrata**
  cube root **la radice cubica**
statistics **le statistiche**
statistical **statistico**
sum **la somma**
I subtract **sottraggo [-trarre]**
subtraction **la sottrazione**
symbol **il simbolo**
total **il totale**
  in total **in totale**
I treble **triplico [-are]**
triple **il triplo**
I work out **risolvo [-ere]**, **elaboro [-are]**
wrong **sbagliato**

—I estimate that we have about five hundred visitors a year.
—What percentage of visitors are local? —Twenty percent.
—Have you got any statistics about it?

—Ritengo che abbiamo circa cinquecento visitatori all'anno.
—Quale percentuale di visitatori è della zona? —Il venti per cento.
—Hai delle statistiche al riguardo?

A snail travels at an average speed of 0.41 kilometers / kilometres per hour.

Una lumaca viaggia ad una velocità di 0,041 chilometri all'ora.

—In this game you add up your score over the week.

—In questo gioco devi sommare il tuo punteggio durante la settimana.

—What was the total score?

—Qual è stato il punteggio finale?

—I have a total of five hundred points. To calculate the average, you add up the totals and divide by the number of games.

—Io ho ottenuto cinquecento punti. Per calcolare la media devi fare la somma dei totali e dividere per il numero dei giochi.

What Sort Of? — Descriptions & Judgments

5a Describing People

appearance **l'aspetto** *(m)*, **l'apparenza** *(f)*	different (from) **diverso (da)**
attractive **attraente**	elegant **elegante**
average **normale, medio**	energy **l'energia** *(f)*
bald **calvo**	expression **l'espressione** *(f)*
beard **la barba**	farsighted/longsighted **presbite**
he is bearded **ha [avere] la barba**	fat **grasso**
beautiful **bellissimo, magnifico**	features **i lineamenti** *(pl)*
beauty **la bellezza**	feminine **femminile**
blond **biondo**	figure **la figura, il personale**
build **il fisico**	fit **in forma**
chic **elegante, alla moda**	I frown **aggrotto [-are] le sopracciglia**
clean-shaven **ben rasato**	glasses **gli occhiali**
clumsy **sgraziato**	good-looking **bello, attraente**
complexion **la carnagione**	I grow **cresco [-ere]**
curly **riccio**	hair **i capelli** *(pl)*
dark **scuro**	hairstyle **l'acconciatura** *(f)*, **la pettinatura** *(f)*
I describe **descrivo [-ere]**	
description **la descrizione**	

---

adolescence **l'adolescenza** *(f)*	old **anziano**
adolescent **l'adolescente** *(m/f)*	older/elder **più anziano**
age **l'età** *(f)*	young **giovane**
elderly **anziano**	young person **il giovane**
grown up/adult **l'adulto** *(m)*	young people **i giovani**
grown up *(adj)* **maggiorenne**	youth **la gioventù**
middle-aged **di mezza età**	youthful **giovanile**

I brush my hair **mi spazzolo [-are] i capelli**	I get thin **dimagrisco [-ire]**
I comb my hair **mi pettino [-are]**	I lose weight **perdo [-ere] peso**
I cut my hair **mi taglio [-are] i capelli**	I make up **mi metto [-ere] il trucco**
I'm on a diet **sono [essere] a dieta**	I put on weight **ingrasso [-are]**
I get fat **ingrasso [-are]**	I slim **dimagrisco [-ire]**
	I wash my hair **mi lavo [-are] i capelli**

---

handsome **bello, di bell'aspetto**
heavy **pesante**
height **l'altezza** *(f)*
large **grande**
laugh **la risata**
I am left-handed **sono [essere] mancino**
light **leggero**
I look like **assomiglio [-are] a**
I look well **ho [avere] un buon aspetto**
masculine **maschile**
mustache **i baffi** *(pl)*
nearsighted / shortsighted **miope**
neat **accurato**
neatness **l'accuratezza** *(f)*
obese **obeso**
I'm overweight **peso [-are] troppo**
paunch **la pancia**
physical **fisico**
plump **grassoccio**
pretty **grazioso, carino**
redheaded / red-haired **con capelli rossi**
I am right-handed **uso [-are] la mano destra**

scowl **lo sguardo minaccioso**
sex / gender **il sesso, il genere**
short **basso**
similar (to) **simile a**
similarity **la somiglianza**
size **la taglia, la misura**
slim / slender **sottile, esile**
small **piccolo**
smile **il sorriso**
spotty **foruncoloso, pieno di foruncoli**
stocky **corpulento**
strength **la forza**
striking **che fa colpo, bello**
strong **forte**
tall **alto**
thin **magro**
tiny **minuscolo**
trendy **alla moda**
ugly **brutto**
walk **l'andatura** *(f)*
wavy **ondulato**
I weigh **peso [-are]**
weight **il peso**

—What a wonderful family photo! Look at your father, he looks strange.
What's your uncle like? Can you describe him?
—He looks very much like my father, but he wears glasses.
—Look, who's that tall fellow?
—That's my brother, with a beard. He's a fanatic about keeping fit.
—What a pretty girl! Is that your cousin?

—**Che meravigliosa foto di famiglia! Guarda tuo padre, ha un aspetto strano.**
Com'è tuo zio? Puoi descriverlo?
—**Assomiglia molto a mio padre, ma porta gli occhiali.**
—**Guarda, chi è quel tipo alto?**
—**È mio fratello, con la barba. È un fanatico della forma.**
—**Che ragazza carina! È tua cugina?**

—Ben is about one meter tall.
—He looks very well, but he's very thin.
—Yes, he weighs only sixteen kilos.

—**Ben è alto circa un metro.**
—**Ha (un) buon aspetto ma è molto magro.**
—**Sì, pesa solo sedici chili.**

5b The Senses

bitter   **amaro**
bright   **luminoso, chiaro, brillante**
bright *(light)*   **intenso**
cold   **freddo**
   cold   **il freddo**
dark   **scuro**
dark blue   **blu scuro**
delicious   **delizioso, squisito**
disgusting   **disgustoso**
dull   **ottuso, tardo**
I feel...   **sento [-ire]**
   it feels   **sembra [-are]**
I hear   **sento [-ire]**
hot   **caldo**
light   **la luce**
light *(color/colour)*   **chiaro**
I listen   **ascolto [-are]**
I look (at)   **guardo [-are]**
loud   **forte**
noise   **il rumore**
noisy   **rumoroso**
odor/odour   **l'odore** *(m)*
opaque   **opaco, oscuro**
perfume   **il profumo**
perfumed   **profumato**
quiet   **tranquillo, calmo, taciturno**

rough   **ruvido, scabro, tempestoso**
salty   **salato**
I see   **vedo [-ere]**
sense   **il senso**
silence   **il silenzio**
silent   **silenzioso, taciturno, zitto**
   I am silent   **sono silenzioso,**
   rimango [-ere] in silenzio
smell   **l'odore** *(m)*, **l'olfatto** *(m)*
I smell   **sento [-ire] odore di**
   it smells (of)   **odora [-are] di,**
   puzza [-are] di
smelly   **maleodorante, puzzolente**
soft *(sound)*   **tenue, attenuato**
   soft *(texture)*   **soffice**
sound   **il suono, il rumore**
it sounds   **suona [-are]**
   it sounds like   **suona come**
sour   **acido, aspro**
sticky   **appiccicaticcio**
sweet   **dolce, amabile**
taste   **il sapore, il gusto**
I taste   **assaggio [-are]**
it tastes (of)   **ha [avere] sapore di,**
   sa [sapere] di
tepid   **tiepido**

— What color/colour are you painting the living room? — Pale bluish green.

— In che colore dipingi il soggiorno? — Verde-blu chiaro.

— And the bedroom? — Pale pink, with dark stripes.

— E la camera da letto? — Rosa chiaro con strisce scure.

The jam tastes of fruit but is very bitter.

La marmellata sa di frutta, ma è molto amara.

Don't touch that book, your hands are all sticky.

Non toccare quel libro, hai le mani tutte appiccicose.

The children are so noisy. If only they would play more quietly.

I bambini sono così rumorosi. Se solo giocassero senza fare rumore.

I touch **tocco [-are]**
touch **il tatto**
transparent **trasparente**
visible (in-) **(in)visibile**
warm **caldo, cordiale**
warmth **il calore, la cordialità**

Common parts of the body

arm **il braccio, le braccia** *(fpl)*
back **la schiena**
body **il corpo**
chest **il petto**
ear **l'orecchio** *(m)*, **le orecchie** *(fpl)*

eye **l'occhio** *(m)*
face **la faccia, il viso**
hand **la mano**
head **la testa, il capo**
leg **la gamba**
mouth **la bocca**
neck **il collo**
neck (back of) **la nuca**
nose **il naso**
shoulder **la spalla**
stomach **lo stomaco, la pancia**
tooth **il dente**

Colors / Colours

beige **beige**
black **nero**
blue **blu**
brown **marrone**
brownish **marroncino**
cream **color crema**
gold **oro**
gray / grey **grigio**
green **verde**
maroon **rossiccio**

orange **arancio**
pink **rosa**
purple **porpora** *(invar)*
red **rosso**
scarlet **scarlatto**
silver **argento**
turquoise **turchese**
violet **violetto, viola**
white **bianco**
yellow **giallo**

Their cousin is always very quiet. He hardly says anything.

—What's in that bag? It feels hard.

—Let me feel. . . . It's a bottle. What's in it?
—It looks like orange juice.
—I'll taste it. . . . It's disgusting. It tastes of oranges, but it's too sweet.

Il loro cugino è sempre molto taciturno. Parla a malapena.

—Cosa c'è in quella borsa? Sembra dura al tatto.

—Fammi toccare ... È una bottiglia. Cosa contiene?
—Sembra succo d'arancia.
—Lo assaggio ... È disgustoso. Ha gusto d'arancia, ma è troppo dolce.

5c Describing Things

broad   **largo, ampio**
broken   **rotto**
appearance   **l'aspetto** *(m)*,
   l'apparenza *(f)*
clean   **pulito**
closed   **chiuso**
color / colour   **il colore**
colorful / colourful   **colorato,**
   variopinto
damp   **umido**
deep   **profondo**
depth   **la profondità**
dirt   **la sporcizia**
dirty   **sporco**
dry   **secco**
empty   **vuoto**
enormous   **enorme**
fashionable   **alla moda**
fat   **grasso**
firm   **solido, compatto**

flat   **piatto**
flexible   **flessibile**
fresh   **fresco**
full (of)   **pieno (di)**
hard   **duro**
height   **l'altezza** *(f)*
kind   **il tipo**
large   **grande**
liquid   **liquido**
little   **piccolo**
long   **lungo**
it looks like   **sembra [-are]**
low   **basso**
main   **maggiore, principale**
material   **la stoffa**
   material *(adj)*   **materiale**
it matches   **armonizza [-are] (con)**
matter   **la faccenda, l'affare** *(f)*
moist   **umido, madido**
moldy / mouldy   **ammuffito**

Ten questions

What's that thingamajig?   **Cosa**
   è quel coso?
What's it for?   **A cosa serve?**
What do you use it for?   **A cosa**
   ti serve?
Can you see it?   **Puoi vederlo?**
What's it like?   **Com'è?**
What does it look like?   **A cosa**
   assomiglia?

What does it smell like?   **Che**
   odore ha?
What color is it?   **Di che colore**
   è?
What kind of thing is it?   **Che tipo**
   di cosa è?
What does it taste like?   **Che**
   sapore ha?

—All the chairs are too low.

Both cupboards are too high.

—Get a ladder. —Which one?
This one?
—No, that one there.

—Tutte le sedie sono troppo
basse.
Entrambe le credenze sono
troppo alte.
—Prendi una scala. —Quale?
Questa?
—No, quella là.

narrow	**stretto**	solid	**solido**
natural	**naturale**	soluble	**solubile**
new	**nuovo**	sort	**il tipo**
open	**aperto**	spot	**il punto, la macchia**
out-of-date	**scaduto**	spotted	**macchiato, chiazzato**
painted	**dipinto**	stain	**la macchia**
pale	**pallido, chiaro**	stained	**macchiato**
pattern	**il disegno**	stripe	**la striscia**
patterned	**a disegni**	striped	**a striscie**
plump	**paffuto, pienotto**	subsidiary	**sussidiario, ausiliario**
real / genuine	**genuino, vero**	substance	**la sostanza,**
resistant	**resistente**		**l'essenza** *(f)*
rotten	**marcio, fradicio**	synthetic	**sintetico**
shade	**ombra**	thick	**spesso**
shallow	**poco profondo,**	thing	**la cosa**
	superficiale	thingamajig	**l'affare** *(m)*, **il coso**
shiny	**brillante, lucido**	tint	**la tinta**
short	**corto**	varied	**vario**
shut	**chiuso**	waterproof	**impermeabile**
small	**piccolo**	wet	**bagnato**
smooth	**liscio**	wide	**largo, ampio**
soft *(texture)*	**soffice, morbido**		

The refrigerator / fridge is empty and the sink is full of water. Those dirty cups there need washing.

Il frigorifero è vuoto e il lavello pieno d'acqua. Si devono lavare quelle tazze sporche.

—I am looking for a striped material, something to match my coat.

—Cerco una stoffa a strisce, qualcosa che armonizzi con il cappotto.

—This is a genuine natural material, soft and thick. That is a synthetic material; it feels smooth, but the colors / colours are harsh.

—Questa è vera stoffa naturale, morbida e spessa. Quella è una stoffa sintetica, è morbida al tatto ma i colori sono violenti.

—Don't you have anything else? Something cheaper?

—Non ha nient'altro? Qualcosa di più economico?

—No, we haven't anything cheaper.

—No, non abbiamo nient'altro di più a buon mercato.

5d Evaluating Things

abnormal **anormale**
I adore **adoro [-are]**
all right *(adv)* **bene**
   it is all right **va bene, può andare**
appalling **spaventoso**
bad **cattivo**
beautiful **bello**
best **il migliore**
better **migliore**
   better *(adv)* **meglio**
cheap **a buon mercato, economico**
correct **corretto, esatto**
it costs **costa [-are]**
delicious **delizioso, squisito**
I detest **detesto [-are], odio [-are]**
difficulty **la difficoltà**
difficult / hard **difficile, duro**
disgusting **disgustoso**

I dislike **non mi piace [-ere]**
I enjoy **mi piace [-ere], godo [-ere]**
easy **facile**
essential **essenziale**
excellent **eccellente**
expensive **caro, costoso**
I fail **fallisco [-ire]**
failure **il fallimento, il fiasco**
false **falso**
fine **bello, bravo, fine, aguzzo**
   fine *(adv)* **bene**
good **buono**
good value **a prezzo conveniente**
great / terrific **straordinario**
I hate **odio [-are]**
hate **l'odio** *(m)*
high **alto**
important (un-) **importante (senza importanza)**

---

a bit **un pò, un poco**
enough **abbastanza**
extremely **estremamente**
fairly **discretamente**
hardly . . . at all **difficilmente, appena**
little **poco**
   a little **un poco, un po'**
a lot **molto**

much (better) **molto (meglio)**
not at all **affatto**
particularly **particolarmente**
quite **abbastanza**
rather **piuttosto**
really **veramente, davvero**
so **così**
too (good) **troppo (buono)**
very **molto**

How do you like our neighbor's garden? We do not like it at all.
I wish he would throw away that broken table.
I fear he's not a very successful gardener. His vegetables are a complete failure.

Ti piace il giardino del vicino? A noi non piace affatto.
Se solo buttasse via quel vecchio tavolo!
Temo non abbia il pollice verde. I suoi ortaggi sono un fiasco completo.

incorrect **inesatto**
interesting (un-) **(non) interessante**
I like **mi piace [-ere]**
mediocre **mediocre**
necessary (un-) **(non) necessario (superfluo)**
normal **normale**
order **ordine**
    in order to **allo scopo di**
    out of order **fuori uso**
out-of-date **scaduto**
ordinary **normale**
pleasant (un-) **piacevole, (s)gradevole**
poor **povero**
practical (im-) **(in)attuabile**
I prefer **preferisco [-ire]**
quality **la qualità**
    top quality **la migliore qualità**
    poor quality **la qualità mediocre**

right **giusto, corretto**
strange **strano**
I succeed **riesco [riuscire] (a)**
success **il successo**
successful **di successo, riuscito**
true **vero, autentico**
I try **provo [-are], tento [-are]**
ugly **brutto**
unsuccessful **non riuscito, vano**
I use **uso [-are]**
use **l'uso** *(m)*
useful **utile**
useless **inutile**
well **bene**
worse **peggiore**
    worse *(adv)* **peggio**
worst **il peggiore**
I would rather **preferisco [-ire]**
wrong **sbagliato, falso**

I tried to call / ring you yesterday, but the telephone was out of order.

Ho cercato di telefonarti ieri, ma il telefono non funzionava.

—Do you like going to the movies / cinema?
—Yes, I found last week's thriller really intelligent.

—Ti piace andare al cinema?
—Sì, ho trovato il giallo della settimana scorsa veramente intelligente.

The new play is extremely interesting. I prefer going to the theater / theatre than to the movies / cinema.

La nuova commedia è estremamente interessante. Preferisco andare a teatro che al cinema.

—Did you succeed in finding something less expensive?
—Yes, this dress is a particularly good value. And it's better quality.

—Sei riuscito a trovare qualcosa di meno costoso?
—Sì, questo vestito è particolarmente a buon prezzo. E la qualità è migliore.

5e Comparisons

Regular comparatives & superlatives

happy **felice**
    happier **più felice**
    happiest **il più felice**

Irregular comparatives and superlatives

bad **cattivo**
    worse **più cattivo, peggiore**
    worst **il peggiore, pessimo**

big **grande**
    bigger **più grande, maggiore**
    biggest **il maggiore, massimo**
good **buono**
    better **più buono, migliore**
    best **il migliore, ottimo**
high **alto**
    higher **più alto, superiore**
    highest **il più alto, altissimo**
small **piccolo**
    smaller **più piccolo, minore**
    smallest **il minore, minimo**

Look at the children! Peter, our eldest son, is now the tallest. He's best at soccer/football, too. That's what he enjoys most.

Guarda i bambini! Pietro, il maggiore, è ora il più alto. È anche il migliore nel calcio. È la cosa che gli piace di più.

John is now almost as tall as Peter, and he really is too fat. He prefers to swim.

Gianni è ora quasi alto come Pietro. Ed è veramente troppo grasso. Preferisce nuotare.

The smallish boy over there is Alan. He is quite small compared to the others, but on the other hand very confident.

Quel piccolino laggiù è Alan. È piuttosto piccolo rispetto agli altri, d'altra parte è molto sicuro di sè.

John has eaten the largest piece of cake.
He's getting fatter and fatter.

Gianni ha mangiato la fetta di torta più grande. Sta diventando sempre più grasso.

5f Materials

acrylic **l'acrilico** *(m)*
brick **il mattone**
cardboard **il cartone**
cashmere **il cachemire**
cement **il cemento**
chiffon **lo chiffon**
china **la porcellana**
concrete **il cemento armato, il calcestruzzo**
corduroy **il velluto a coste**
cotton **il cotone**
crepe **il crespo**
Dacron / Terylene **il dacron, il terilene**
denim **il tessuto jeans**
felt **il feltro**
flannel **la flanella**
gas **il gas**
glass **il vetro**
gold **l'oro** *(m)*
iron **il ferro**
lace **il pizzo**
leather **il cuoio, la pelle**
linen **il lino**

man-made fiber / fibre **la fibra artificiale**
material **il tessuto, la stoffa**
metal **il metallo**
mineral **il minerale**
nylon **il nailon**
oil **l'olio** *(m)*, **il petrolio**
paper **la carta**
plastic **la plastica**
polyester **il poliestere**
pottery **la ceramica**
satin **il raso**
silk **la seta**
silver **l'argento** *(m)*
steel **l'acciaio** *(m)*
stone **la pietra**
toweling **il tessuto di spugna**
velvet **il velluto**
viscose **la viscosa**
wood **il legno**
  wooden **di legno**
wool **la lana**
  woolen / woollen **in / di lana**

Have you seen our latest products? They are just as cheap as the competition.

Ha visto i nostri ultimi prodotti? Sono tanto economici quanto quelli della concorrenza.

We can't ask a higher price, as the greatest demand is for the cheaper product.

Non possiamo chiedere un prezzo più alto, in quanto la maggiore domanda è per i prodotti più economici.

Which dress do you prefer? Silk is softer than wool, but it costs a lot. Cotton is the cheapest.

Quale vestito preferisci? La seta è più morbida della lana, ma costa molto. Il cotone è il più economico.

▶ CLOTHES 9c; COMPOUNDS & ALLOYS, CHEMICAL ELEMENTS App. 23b

The Human Mind & Character

6a Human Character

active **attivo**
I adapt **mi adatto [-are]**
amusing **divertente**
I annoy **disturbo [-are], do [dare] fastidio**
bad **cattivo**
bad-tempered **irritabile, irascibile**
I behave **mi comporto [-are]**
behavior / behaviour **il comportamento**
I boast **mi vanto [-are]**
calm **tranquillo, calmo**
I care **mi importa [-are], ci tengo [-ere]**
careful **attento, prudente**
careless **trascurato, negligente**
character **il carattere, la personalità**
characteristic **caratteristico, tipico**
charming **attraente, incantevole, delizioso**
cheerful **allegro, di buon umore**
clever **intelligente, furbo**
confident **sicuro di sé**
discipline **la disciplina**
dreadful **tremendo, spaventoso**

evil **malvagio**
I forget **(mi) dimentico [-are]**
forgetful **smemorato**
friendly (un-) **simpatico (antipatico)**
fussy **pignolo**
generous **generoso**
I get on (well) with **mi trovo [-are] bene con**
gifted **di gran talento, intelligente, dotato**
good **bravo, buono**
good-tempered **amabile**
habit **l'abitudine** *(f)*
hardworking **buon lavoratore, diligente**
I help **aiuto [-are]**
helpful **utile, servizievole**
honest (dis-) **(dis)onesto**
humor / humour **l'umore** *(m)*
humorous **divertente, spiritoso**
immorality **l'immoralità** *(f)*
impolite **maleducato, sgarbato**
innocent **innocente**
innocence **l'innocenza** *(f)*

Do you remember our neighbor / neighbour? He is a lazy fellow, but very gifted. He has a good sense of humor / humour.

Ricordi il nostro vicino di casa? E' un tipo pigro, ma ha molto talento. Ha un gran senso dell'umorismo.

Your colleague is very pleasant and helpful. She always appears to be relaxed, and yet she is extremely hardworking.

La tua collega è molto amabile e servizievole. Lei ha sempre un'aria distesa, eppure è una grande lavoratrice.

intelligence	l'intelligenza *(f)*
intelligent	intelligente
kind (un-)	(non) gentile
kindness	la cortesia, la gentilezza
lazy	pigro
laziness	la pigrizia
lively	vivace
mad	pazzo, matto
manners	le maniere, il comportamento
mental	mentale
mentally	mentalmente
moral (im-)	(im)morale
morality	la moralità
morals	i valori morali / etici
nervous	nervoso
nice	simpatico
I obey (dis-)	(dis)obbedisco [-ire]
optimistic	ottimista
patient (im-)	(im)paziente
personality	la personalità
pessimistic	pessimista
pleasant	cordiale, simpatico
polite	educato, garbato
popular	popolare, benvoluto
quality	la qualità
reason	la ragione
reasonable (un-)	(ir)ragionevole
reliable (un-)	(in)affidabile
respect	il rispetto, la stima
I respect	rispetto [-are], tengo [tenere] in considerazione

rude	maleducato
sad	triste
self-confidence	la sicurezza di sé
self-esteem	la stima di sé
sense	il senso
common sense	il buonsenso
good sense	il buonsenso
sensible	assennato
serious	serio
shy	timido
skill	la capacità
skillful	abile, capace, esperto
sociable (un-)	(non) socievole
strange	strano, bizzarro
stupid	scemo, stupido
stupidity	la stupidità, stupidaggine
suspicious	sospettoso
sympathetic	comprensivo
sympathy	la compassione
tactful	delicato, discreto
tactless	indiscreto
talented	esperto, abile, capace
temperament	il carattere
temperamental	capriccioso
I trust	ho [avere] fiducia in
trusting	fiducioso
warm	gentile, cordiale
well-known	conosciuto
wise	saggio
wit	lo spirito, l'umorismo *(m)*
witty	spiritoso

The children have such different personalities. The eldest is very sensible and rather shy. Our daughter is more sociable and witty. The youngest is musically gifted but rather temperamental.

Mr. Tristoloni is a serious person — I wish he looked less gloomy.

I bambini hanno personalità talmente differenti. Il maggiore è molto assennato e piuttosto timido. Nostra figlia è più socievole e spiritosa. Il minore è dotato per la musica ma è piuttosto capriccioso.
Il Signor Tristoloni è una persona seria — vorrei che avesse un aspetto meno lugubre.

▶ THOUGHT PROCESSES 6c; EXPRESSING VIEWS 6d

6b Feelings & Emotions

I am afraid (of)   **ho [avere] paura di**

I am amazed (at)   **mi stupisco [stupire] che**

amazement   **la sorpresa, lo stupore**

I amuse   **diverto [-ire], intrattengo [-ere]**

I amuse (myself)   **mi diverto [-ire]**

amusement   **il divertimento, lo svago**

anger   **la rabbia**

angry   **arrabbiato**

I am annoyed (at / about)   **mi dà [dare] fastidio**

anxiety   **l'ansia** (f), **l'ansietà** (f)

anxious   **ansioso, inquieto**

I approve (of)   **approvo [-are]**

I am ashamed (of)   **mi vergogno [-are] di**

I am bored   **sono annoiato**

boredom   **la noia**

content (with)   **contento (di)**

cross (with)   **arrabbiato (con)**

delighted (about)   **felice (di), contentissimo**

I dislike   **non mi piace [-ere]**

I dislike (person)   **mi è antipatico**

dissatisfaction   **l'insoddisfazione** (m), **la scontentezza**

dissatisfied (with)   **scontento di**

embarrassed   **imbarazzato**

embarrassment   **l'imbarazzo** (m), **la confusione**

emotion   **l'emozione** (m), **il sentimento**

emotional   **emotivo**

I enjoy   **mi piace [-ere]**

envy   **l'invidia** (f)

envious (of)   **invidioso di**

I feel   **sento [-ire], provo [-are]**

I forgive   **perdono [-are]**

forgiveness   **il perdono**

I am frightened (of)   **temo [-ere], ho [avere] paura di**

furious (about)   **infuriato, furioso**

fussy   **pignolo**

grateful   **grato, riconoscente**

gratitude   **la gratitudine, la riconoscenza**

—I worry about Helen. She cares for her mother who is quite old and who has not adapted to life in the city. She is often in a bad temper and very fussy.

—Does her sister help?

—Not much. She never approved of her mother remarrying, and she does not feel very close to the family now.

—**Elena mi preoccupa. Accudisce alla madre, che è piuttosto anziana e che non sè abituata alla vita in città. Spesso è di cattivo umore e molto pignola.**

—**Sua sorella l'aiuta?**

—**Non molto. Non ha mai approvato che la madre si risposasse e ora non sente molto attaccamento alla famiglia.**

guilt **la colpa**
guilty **colpevole**
happiness **la contentezza, la felicità**
happy (about) **contento / felice (di)**
hate **l'odio** *(m)*
I hate **odio [-are]**
I have a grudge against him **ce l'ho [avere] con**
hope **la speranza**
I hope **spero [-are]**
hopeful **speranzoso**
idealism **l'idealismo** *(m)*
indifference **l'indifferenza** *(f)*
indifferent (to) **indifferente a**
I am indifferent **mi è indifferente**
interest **l'interesse** *(m)*
jealous **geloso**
jealousy **la gelosia**
joy **la gioia**
joyful **pieno di gioia, gioioso, lieto**
I like **mi piace [-ere]**
love **l'amore** *(m)*, **l'affetto** *(m)*
I love **amo [-are], voglio [-ere] bene a**

miserable (about) **infelice (di)**
misery **l'infelicità** *(f)*
mood **l'umore** *(m)*, **lo stato d'animo**
I'm in a good / bad mood **sono di buon / mal umore**
I prefer **preferisco [preferire]**
I regret **mi dispiace [-ere], mi pento [-ire]**
satisfaction **la soddisfazione**
satisfied (with) **soddisfatto**
surprise **la sorpresa**
I am surprised (at) **mi sorprende**
thankful **grato, riconoscente**
unhappy **infelice**
unhappiness **l'infelicità** *(f)*
I am upset (about) **sono [essere] addolorato / sconvolto**
I wonder (at) **mi stupisco [-ire], mi meraviglio [-are]**
I wonder if **mi chiedo [-ere] se, chissà se**
worried (about) **preoccupato (di)**
worry **la preoccupazione**
I worry (about) **mi preoccupo [-are] di**
it worries **me mi preoccupa**

I am really ashamed of my behavior / behaviour yesterday.
I was so upset and worried. Please forgive me.

Mi vergogno moltissimo del mio comportamento di ieri. Ero così sconvolta e preoccupata. Ti prego di scusarmi.

We are very fond of our uncle. He has many good qualities.
He hates it when we thank him. It makes him incredibly embarrassed.

Vogliamo molto bene allo zio. Ha molte buone qualità. Detesta essere ringraziato. La cosa lo imbarazza incredibilmente.

The boss is in a bad mood. She is cross with her secretary. He is fed up with the work and couldn't care less.

Il capo è di cattivo umore. È arrabbiata con il segretario. Lui è stufo del lavoro e se ne infischia.

6c Thought Processes

against **contro**
   I am against **sono [essere] contro**
analysis **l'analisi** *(f)*
I analyze **analizzo [-are]**
I assume **suppongo [supporre]**
assuming that . . . **supponendo che, dato per scontato che**
I base **baso [-are]**
basic **basilare, essenziale**
basically **fondamentalmente, sostanzialmente**
basis **la base**
belief **la credenza, la fede, l'opinione** *(f)*
I believe (in) **credo [-ere] (in)**
certainty **la certezza**
I consider **considero [-are], ritengo [-ere]**
   I consider it (to be) **lo considero**
consideration **la considerazione**
   I take into consideration **prendo [-ere] in considerazione**
   taking everything into consideration **tutto considerato**
context **il contesto**
on the contrary **al contrario**

controversial **controverso, discutibile**
I decide **decido [-ere] di**
decision **la decisione**
I determine **stabilisco [-ire], determino [-are]**
disbelief **l'incredulità** *(f)*
I disbelieve **non credo [-ere] a**
I distinguish **individuo [-are], distinguo [-ere]**
doubt **il dubbio**
I doubt **dubito [-are], sospetto [-are]**
doubtful **dubbioso, indeciso**
doubtless / without a doubt **senza dubbio, indubbiamente**
exception **l'eccezione** *(f)*
evidence **le prove, la testimonianza**
evidently **chiaramente, evidentemente**
fact **il fatto**
   in fact **infatti**
false **falso**
I am for it **sono [essere] a favore (di)**
I forbid **proibisco [-ire]**
hypothesis **l'ipotesi** *(f)*

—What is your conclusion?
—I would like to make my position clear from the beginning. In my opinion he is not the right person for this job.
—I think you are wrong. What do you base your opinion on?
—I phoned his former boss.

—**Qual è la Sua conclusione?**
—**Io vorrei chiarire sin dall'inizio la mia posizione. Secondo me non è la persona adatta per questo lavoro.**
—**Penso che Lei abbia torto. Su che cosa basa la Sua opinione?**
—**Ho telefonato al suo capo di prima.**

implication **la conseguenza**
interesting **interessante**
issue **il problema, la questione**
I judge **giudico [-are]**
judgment **il giudizio**
justice **la giustizia**
I justify **giustifico [-are]**
I know **conosco [-ere]**
knowledge **la conoscenza, la sapienza**
logic **la logica**
logical **logico**
I memorize / learn by heart **imparo [-are] a memoria**
memory **la memoria**
philosophy **la filosofia**
point of view **il parere, l'opinione** (m), **il punto di vista**
I presume **suppongo [-porre], presumo [-ere]**
principle **il principio**
on / in principle **per principio**
problem **il problema**
proof **la prova**
I prove **provo [-are], dimostro [-are]**
I reason **affermo [-are], sostengo [-tenere], ragiono [-are]**
reason (faculty) **la ragione**
I recognize **riconosco [-ere], ammetto [-ere]**

I reflect **rifletto [-ere], considero [-are]**
relevant **pertinente**
I remember **(mi) ricordo [-are]**
right **giusto, esatto, corretto**
I am right **ho [avere] ragione**
it is right **è [essere] giusto**
I see **vedo [-ere]**
I solve **risolvo [-ere]**
solution **la soluzione**
I suppose **suppongo [-porre]**
sure / certain **sicuro, certo**
theoretical **teorico**
theory **la teoria**
in theory **in teoria**
I think **penso [-are], credo [-ere], ritengo [-tenere]**
thought **il pensiero**
true **vero**
truth **la verità**
I understand **capisco [-ire], comprendo [-ere], intendo [-ere]**
understanding **la comprensione**
valid (in-) **(in)valido**
view **l'opinione** (f), **il parere, l'asserzione** (f)
in my view **a mio parere**
wrong **sbagliato**
I am wrong **mi sbaglio [-are], ho [avere] torto**

—On the one hand we need to do more research. On the other hand we must cut the budget. In short, we cannot afford it right now.

—Da una parte dobbiamo fare ulteriori ricerche, dall'altra dobbiamo ridurre il bilancio. In breve, non possiamo permettercelo proprio ora.

—He probably wants us to decide at once. Perhaps we should, but in general I am against hasty decisions.

—Lui probabilmente vorrebbe che noi prendessimo una decisione immediata. Forse dovremmo, ma di regola io sono contrario alle decisioni affrettate.

THE HUMAN MIND & CHARACTER

6d Expressing Views

I accept   **accetto [-are]**
I agree   **convengo [-venire], sono [essere] d'accordo**
I answer   **rispondo [-ere]**
answer   **la risposta**
I argue   **discuto [-ere]**
argument   **la discussione**
I ask   **chiedo [-ere]**
I ask (a question)   **faccio [fare] (una domanda)**
in brief   **brevemente**
I contradict   **contraddico [-ire]**
I criticize   **critico [-are]**
I define   **definisco [-ire], chiarisco [-ire]**
definition   **la definizione**
I deny   **nego [-are]**
I describe   **descrivo [-ere]**
description   **la descrizione**

I disagree (with)   **non sono [essere] d'accordo (con)**
I discuss   **discuto [-ere]**
discussion   **la discussione**
I maintain   **sostengo [-tenere]**
I mean   **voglio [-ere] dire**
opinion   **l'opinione** *(f)*
in my opinion   **a parere mio, secondo me**
question   **la domanda**
   a thorny question   **una questione spinosa**
   it is a question of   **si tratta di, è una questione di**
I question   **interrogo [-are]**
I say   **dico [dire]**
I state   **affermo [-are], dichiaro [-are]**
statement   **l'affermazione** *(f)*, **la dichiarazione**

---

beginning   **l'inizio** *(m)*
from the beginning   **dall'inizio**
I shall be brief   **sarò breve**
I conclude   **concludo [-ere]**
conclusion   **la conclusione**
in conclusion   **per concludere, in conclusione**
final   **finale**
finally   **infine**
firstly   **prima di tutto, per cominciare**
furthermore   **inoltre**
on the one hand   **da una parte**

on the other hand   **dall'altra parte**
initially   **inizialmente**
lastly   **per finire, per concludere**
   at last   **finalmente**
next *(adv)*   **poi**
place   **il luogo, il posto**
in the first place   **in primo luogo**
in the second place   **in secondo luogo**
in short   **in breve**
I sum up   **riassumo [-ere]**
summing up   **riassumendo**

—What do you think of the speaker?
—In my opinion he did not consider the basic problem. I would have liked to ask more questions.

—**Che ne pensi del relatore?**
—**Secondo me non ha preso in considerazione il problema fondamentale. Avrei voluto fargli altre domande.**

I suggest   **suggerisco [-ire]**
suggestion   **il suggerimento**
I summarize   **riassumo [-ere]**
summary   **il riassunto**
I think (of / about)   **penso di / a**
thought   **il pensiero**

Giving examples

as is known   **come sappiamo,
   com'è noto**
etc. / and so on   **e così via,
   eccetera**
example   **l'esempio** *(m)*
for example   **per esempio**
i.e.   **cioè**
namely   **vale a dire, cioè**
I quote   **cito [-are]**
such as   **come, per esempio**

Comparing and contrasting

advantage   **il vantaggio**
I compare   **confronto [-are],
   paragono [-are]**

comparison   **il paragone, il
   confronto**
in comparison with   **a paragone
   di, a confronto di**
I contrast   **contrasto [-are]**
it contrasts with   **contrasta con**
contrast   **il contrasto**
in contrast   **in contrasto**
I differ   **differisco [-ire], sono
   [essere] diverso**
difference   **la differenza**
different (from)   **diverso (da)**
different   **diverso, differente**
disadvantage   **lo svantaggio**
dissimilar   **diverso, dissimile**
I distinguish   **differenzio [-are],
   distinguo [-ere]**
pros and cons   **il pro e il contro**
relatively   **relativamente**
same   **stesso, medesimo,
   identico**
similar   **simile, equivalente**

In principle I agree with his views. On the one hand he proved the need for new housing. On the other hand he discussed the problems of finding a suitable site.

Fondamentalmente sono d'accordo con il suo punto di vista. Da un lato ha dimostrato la necessità di nuove abitazioni. Dall'altro ha discusso il problema di trovare un terreno adatto.

I suggest we try to analyze the problem carefully. Then we shall be able to judge the situation and come to a sound conclusion.

Propongo di analizzare il problema con attenzione. Saremo allora in grado di valutare la situazione e di raggiungere una conclusione sensata.

Let me quote my colleague. As is well known, these statements are contradictory. For example, we can not have total freedom of the press and censorship at the same time.

Permettetemi di citare il mio collega. Com'è noto, queste affermazioni sono contraddittorie. Ad esempio, non possiamo avere totale libertà di stampa e, allo stesso tempo, una censura.

THE HUMAN MIND & CHARACTER

Expressing reservations

even if **anche se**
even so **tuttavia, nondimeno**
to some extent **fino ad un certo punto**
at first sight **a prima vista**
hardly **appena**
in general **in genere, generalmente**
in the main **per la maggior parte**
maybe / perhaps **forse**
in part **in parte**
partly **parzialmente**
presumably **presumibilmente**
probably **probabilmente**
relatively **abbastanza, relativamente**
unfortunately **sfortunatamente**
unusual(ly) **insolito, insolitamente**
virtually **praticamente, virtualmente**
in a way **in un certo senso**

Arguing a point

admittedly **certo, certamente**
all the same **nondimeno**
although **sebbene, benché**
anyway **comunque, in ogni modo, tuttavia**
apart from **a parte**

as for . . . **per quanto riguarda**
as I see it **come la vedo io, dal mio punto di vista**
as well **anche**
despite this **nonostante questo**
fortunately **fortunatamente**
in effect **in effetti**
however **comunque**
incidentally **per inciso**
instead **invece, piuttosto**
instead of **al posto di, invece di**
just as important **altrettanto importante**
likewise **allo stesso modo**
that may be so **forse è vero (ma), sarà pur vero**
nevertheless **nonostante ciò, tuttavia**
otherwise **altrimenti**
in reality **in realtà**
in many respects **sotto molti aspetti**
in return **in cambio**
as a rule **di regola**
so to speak **per dire**
in spite of **nonostante, tuttavia**
still . . . **ancora, tuttora**
to tell the truth **a dire il vero**
whereas **mentre, laddove**
on the whole **tutto sommato, nel complesso**

—How did he break his leg?
—When he went to get the ladder he did not notice that the ladder was broken. So he fell off it.
—Why did he want the ladder?
—Because he wanted to paint the room.

—What are the reasons for his behavior / behaviour?
—Maybe he is cross with me and that is why he went away.

—Come si è rotto la gamba?
—Quando è andato a prendere la scala, non si è accorto che era rotta. Così è caduto.
—Perché voleva la scala?
—Perché voleva pitturare la stanza.

—Perché si comporta in questo modo?
—Forse è arrabbiato con me e ciò spiega perchè se ne è andato.

Cause & effect

as **come**
because **perché**
cause **la causa**
consequence **la conseguenza**
consequently **di conseguenza**
effect **l'effetto** *(m)*
it follows that **ne segue che**
how? **come?**
if **se**
reason **la ragione**
for this reason **per questa ragione**
result **il risultato**
   as a result **di conseguenza**
since **da**
so long as **finché, purché**
thanks to **grazie a**
that is why **per questo motivo**
therefore / so **perciò, quindi**
thus **dunque**
when(ever) **ogni volta che**
when *(past event)* **quando, tutte
   le volte che**
why? **perché?**

Emphasizing

above all **soprattutto**
in addition **in più**
all the more reason **una ragione
   in più per**
also **anche**

both . . . and **sia ... tanto ...**
certainly **certo**
clearly **senza dubbio,
   chiaramente**
under no circumstances **in nessun
   caso**
completely **completamente**
especially **specialmente**
even (more) **ancora più**
without exception **senza
   eccezione**
I emphasize **sottolineo [-are]**
extremely **estremamente**
honestly **in tutta sincerità,
   sinceramente**
just when **proprio quando**
mainly **soprattutto,
   principalmente**
moreover **inoltre, per di più**
naturally **naturalmente**
not at all **non affatto**
not in the least **per niente, affatto**
obviously **ovviamente,
   chiaramente**
in particular **in particolare**
particularly **particolarmente**
in every respect **sotto ogni
   aspetto**
I stress **sottolineo [-are]**
undeniably **incontestabilmente**
very **molto**

Honestly, I'm extremely angry with him. Thanks to his carelessness we missed the plane.	**Sinceramente, sono estremamente arrabbiato con lui. Grazie alla sua noncuranza abbiamo perso il volo.**
Fortunately there was another, but we got to London completely exhausted.	**Per fortuna ce n'era un altro, ma siamo arrivati a Londra completamente esausti.**
And what is more, he clearly didn't care at all.	**Per di più, lui chiaramente se ne infischiava completamente.**
Under no circumstances will I work with him again.	**Io non lavorerò più con lui in nessun caso.**

Human Life & Relationships

7a Family & Friends

Friendship

acquaintance **il / la conoscente**
boyfriend **il ragazzo, l'innamorato** *(m)*
buddy / mate **l'amicone** *(m)*
classmate **il compagno di scuola**
companion **il compagno**
friend **un amico, un'amica**
friendly **amichevole**
friendship **l'amicizia** *(f)*
gang **il gruppo, la banda**
we get on well together **ci troviamo [-are] bene insieme, stiamo [-are] bene insieme**
we get together **ci incontriamo [-are]**
I get to know **faccio [fare] la conoscenza (di)**
girlfriend **l'amica** *(f)*
I introduce **presento [-are]**
pal / chum **l'amicone** *(m)*
pen pal / penfriend **il / la corrispondente**

relationship **il rapporto**
school friend **il compagno di scuola**

The family and relatives

adopted **adottivo**
ancestor **il progenitore, l'antenato** *(m)*
aunt **la zia**
baby **il bambino, il bebè**
brother **il fratello**
brother-in-law **il cognato**
child **il figlio, la figlia**
close relative **il parente stretto**
common-law husband / wife **il / la convivente**
cousin **il cugino, la cugina**
dad **il papà**
daughter **la figlia**
daughter-in-law **la nuora**
distant relative **il lontano parente**
elder **maggiore**
family **la famiglia**

When I was a teenager, I used to challenge my parents' authority.
I used to provoke my father.
I questioned everything he said.
"Why don't you respect my views?" he would say.
"You just can't talk to your father like that!" my mother used to say.
Our relationship has improved now. We get on very well; I am really very fond of him.

Quando ero adolescente, sfidavo l'autorità dei miei genitori
Provocavo mio padre. Dubitavo di tutto quello che diceva.
«Perché non rispetti il mio punto di vista?» mi diceva.
«Non puoi parlare a tuo padre in quel modo!» diceva mia madre.
Ora il nostro rapporto è migliorato. Andiamo molto d'accordo; gli voglio veramente molto bene.

family tree   **l'albero** *(m)* **genealogico**
father   **il padre**
father-in-law   **il suocero**
fiancé(e)   **il fidanzato, la fidanzata**
forebear   **l'antenato** *(m)*
foster   **adottivo**
godchild / son   **il figlioccio**
goddaughter   **la figlioccia**
godfather   **il padrino**
godmother   **la madrina**
grandad / pa   **il nonno**
grandchildren   **i nipoti**
granddaughter   **la nipote**
grandfather   **il nonno**
grandma / granny   **la nonna**
grandmother   **la nonna**
grandparents   **i nonni**
grandson   **il nipote**
great-aunt   **la prozia**
great grandchild   **il / la pronipote**
great-grandfather   **il bisnonno**
great-grandmother   **la bisnonna**
great-nephew   **il pronipote**
great-niece   **la pronipote**
great-uncle   **il prozio**
guardian   **il tutore**
half brother   **il fratellastro**
half sister   **la sorellastra**
husband   **il marito**

in-laws   **i parenti d'acquisto**
mother   **la madre**
mother-in-law   **la suocera**
mom / mum   **la mamma**
nephew   **il nipote**
niece   **la nipote**
only (child)   **(il figlio) unico**
parents   **i genitori**
partner   **il / la coniuge, il compagno, la compagna**
related   **di parentela**
relation   **il / la parente**
relative   **il / la parente**
second cousin   **il cugino / la cugina di secondo grado**
sister   **la sorella**
son   **il figlio**
son-in-law   **il genero**
spouse   **il / la coniuge**
stepbrother   **il fratellastro**
stepdaughter   **la figliastra**
stepfather   **il patrigno**
stepmother   **la matrigna**
stepsister   **la sorellastra**
stepson   **il figliastro**
twin brother   **il (fratello) gemello**
twin sister   **la (sorella) gemella**
uncle   **lo zio**
wife   **la moglie**
youngest   **minore**

Has the nuclear family completely replaced the traditional extended family?	**La famiglia nucleare ha completamente rimpiazzato la famiglia tradizionale estesa?**
It runs in the family.	**È una caratteristica di famiglia.**
Have you met Robert? He and my mother are distantly related.	**Conosci Roberto? Lui e mia madre sono lontani parenti.**
He is the spitting image of his grandfather.	**Assomiglia a suo nonno come una goccia d'acqua.**

▶ LOVE & MARRIAGE, CHILDREN 7b; GROWING UP, DEATH 7c

HUMAN LIFE & RELATIONSHIPS

7b Love & Children

Love & marriage

affair   l'avventura *(f)*, la relazione
bachelor   lo scapolo
best man   il testimone di nozze
betrothal   il fidanzamento
betrothed   fidanzato
bride   la sposa
bridegroom   lo sposo
bridesmaid   la damigella d'onore
couple   la coppia
I court   corteggio [-are], faccio
   [fare] la corte a
courtship   il corteggiamento
divorce   il divorzio
divorced   divorziato
divorcée   il divorziato, la
   divorziata
engaged   fidanzato
engagement   il fidanzamento
I fall in love (with)   m'innamoro
   [-are] di
I get divorced (from)   divorzio [-are]
I get engaged (to)   mi fidanzo
   [-are] (con)
I get married (to)   mi sposo [-are]
   (con)
I go out with   esco [uscire] con,
   frequento [-are]
honeymoon   la luna di miele

lover   l'amante *(m/f)*
marriage / matrimony   il matrimonio
married   sposato
I marry   sposo [-are]
mistress   l'amante *(f)*, l'amica *(f)*
newly married couple   la coppia
   appena sposata
promiscuity   la promiscuità
promiscuous   promiscuo
I separate from   mi separo [-are] da
separated   separato
separation   la separazione
unmarried   celibe *(m)*, nubile *(f)*
unmarried / single mother   la madre
   nubile
wedding   il matrimonio, lo
   sposalizio
widow   la vedova
widower   il vedovo

Birth & children

abortion   l'aborto *(m)*
I have an abortion   abortisco [-ire]
I adopt   adotto [-are]
adoption   l'adozione *(f)*
au pair   la ragazza alla pari
baby   il bebè
baby food   gli alimenti per
   neonati / bebè

—I am crazy about him. We were
made for each other!
—I can't live without her. It was
love at first sight.

—He doesn't understand me. We
have nothing more to say to each
other.
—She is always nagging, shouts at
me for the slightest reason and
drives me mad! Our relationship is
breaking up.

—Sono pazza di lui. Siamo fatti
l'uno per l'altro!
—Non posso vivere senza di lei.
È stato amore a prima vista.

—Lui non mi capisce. Non
abbiamo più niente da dirci.

—Lei mi fa continui rimproveri,
urla per un nonnulla, mi fa
impazzire! Il nostro rapporto si
sta guastando.

baby sitter/child minder **il/la babysitter**
baptism **il battesimo**
bib **il bavaglino**
birth **la nascita**
birth rate **il tasso di natalità**
birthday **il compleanno**
I was born **sono nato [nascere]**
boy **un maschio, un bambino**
I bring up a child **allevo [-are] un bambino**
I breast feed **allatto [-are] al seno**
cesarian operation **il taglio cesareo**
child(ren) **il figlio, la figlia, i figli**
childhood **l'infanzia** (f)
christening **il battesimo**
condom **il preservativo**
contraception **l'anticoncezionale** (m), **il contraccettivo**
contractions **le contrazioni**
crib/cot **il lettino**
I deliver a baby **aiuto [-are] a partorire**
diaper/nappy **il pannolino**
I am expecting a baby **sono [essere] incinta**
feeding bottle **il biberon**
fertile (in-) **(in)fecondo**
fertility **la fecondità**
fetus **il feto**
first born **il primogenito**

I foster **adotto [-are]**
I get pregnant **resto [-are] incinta**
I give birth **metto [-ere] al mondo, partorisco [-ire]**
girl **una femmina, una bambina**
I go into labor/labour **ho [avere] le doglie**
incubator **l'incubatrice** (f)
infancy **l'infanzia** (f)
infant **l'infante** (m/f)
infertility **la sterilità**
lad **il ragazzo**
lass **la ragazza**
live birth **un nato vivo**
I have a miscarriage **ho [avere] un aborto spontaneo**
nanny **la bambinaia**
newborn child **il neonato**
orphan **l'orfano** (m)
period **il periodo**
pill **la pillola (anticoncezionale)**
pregnant **incinta**
still birth **il parto di un feto morto**
still born **nato morto**
stroller/pram **la carrozzina**
teat/pacifier **la tettarella, il succhiotto**
toddler **il bambino ai primi passi**
toys **i giocattoli**
triplet **il trigemino**
twin **il gemello**

My daughter went into labor/labour at seven at night and her first baby boy was born three hours later.

Mia figlia ha avuto le doglie alle sette di sera, e il suo primogenito è nato tre ore dopo.

I spoil my child.

Vizio mio figlio.

Adoption laws are now changing in many countries in response to changes in society.

Le leggi sull'adozione stanno cambiando in molti paesi a seguito dei cambiamenti nella società.

7c Life & Death

Growing up

adolescent	**l'adolescente** *(m/f)*
adult	**l'adulto**
age	**l'età** *(f)*
aged	**attempato, anziano**
centenarian	**il centenario**
he comes from	**viene [venire] da**
I come of age	**divento [-are] maggiorenne**
early retirement	**il prepensionamento**
elderly	**anziano**
female	**la femmina, la donna**
female *(adj)*	**femminile**
foreigner	**lo straniero**
generation	**la generazione**
generation gap	**il divario generazionale**
grow up!	**non fare il bambino!**
life	**la vita**
life insurance	**l'assicurazione** *(f)* **sulla vita**
I look my age	**dimostro [-are] la mia età**
male	**il maschio**
male *(adj)*	**maschile**
man	**l'uomo** *(m)*
manhood	**la virilità**
manly	**virilmente**
mature	**maturo, adulto**
maturity	**la maturità**
menopause	**la menopausa**
middle-aged	**di mezza età**
name	**il nome**
nickname	**il soprannome**
octogenarian	**l'ottuagenario** *(m)*
old	**vecchio**
old age	**la vecchiaia, la terza età**
old man / woman	**il vecchio, la vecchia, l'anziano** *(m)*, **l'anziana** *(f)*
old people's home	**la casa per anziani**
pension	**la pensione**
pensioner	**il pensionato**
people	**la gente**
permissive society	**la società permissiva**
person	**la persona**
I prosper	**prospero [-are]**
responsibility	**la responsabilità**
responsible	**responsabile**
retired	**pensionato**
single	**celibe, nubile**
spinster	**la nubile**
stranger	**lo straniero, il forestiero**

Unless they have a motorbike, young people have to rely on their parents and the school bus for transport.

In Italian families with teenage children there are endless discussions about motorbikes and road safety!

A meno che non abbiano il motorino, per il trasporto i giovani devono dipendere dai genitori o dallo scuolabus.

Nelle famiglie italiane con figli adolescenti ci sono discussioni interminabili sull'uso delle moto e sulla sicurezza stradale!

---

surname   **il cognome**
woman   **la donna**
womanhood   **la femminilità**
young   **giovane**
young person   **adolescente**
younger   **più giovane**
youngest   **il / la più giovane**
youth   **la gioventù**
youth *(persons)*   **i giovani**

Death

afterlife   **l'aldilà** *(m)*
angel   **l'angelo** *(m)*
ashes   **le ceneri**
autopsy   **l'autopsia** *(f)*
body   **il cadavere**
burial   **la sepoltura**
I bury   **seppellisco [-ire]**
cemetery   **il cimitero, il camposanto**
corpse   **il cadavere**
he is cremated   **è cremato**
cremation   **la cremazione**
crematory / crematorium   **il crematorio**
dead   **morto**
death   **la morte**
death certificate   **il certificato di morte**
death rate   **il tasso di mortalità**

he dies   **muore [morire]**
epitaph   **l'epitaffio** *(m)*
eulogy   **l'elogio** *(m)* **funebre**
funeral   **il funerale**
grave   **la tomba**
gravestone / tombstone   **la pietra tombale**
graveyard / cemetery   **il camposanto**
heaven   **il paradiso, il cielo**
hell   **l'inferno** *(m)*
I inherit   **eredito [-are]**
inheritance   **l'eredità** *(f)*
last rites   **i riti funebri**
he lies in state   **è esposto al pubblico**
mortuary   **la camera mortuaria**
I mourn   **lamento [-are]**
mourning   **il lutto**
I am in mourning for   **sono [essere] in lutto per**
obituary   **il necrologio**
he passes away   **passa [-are] a miglior vita**
reincarnation   **la reincarnazione**
remains   **la salma, i resti**
tomb   **la tomba**
undertaker   **l'impresario** *(m)* **di pompe funebri**
will   **il testamento**

—What about the elderly? How do they cope?
—Most try to stay on in their own homes rather than go into an old people's home.

Their pensions are barely adequate. However, the family looks after them well.

—**E gli anziani, come se la cavano?**
—**La maggior parte cerca di continuare ad abitare nella propria casa, piuttosto che andare nelle case per anziani.**
Le loro pensioni sono a malapena sufficienti per vivere. Comunque la famiglia se ne prende cura.

➤ RELIGION 13

Daily Life

8a The House

amenities **le amenità, le comodità**
apartment / flat **l'appartamento** *(m)*
apartment house / block of flats **il palazzo, il condominio**
(of) brick **di mattone**
I build **costruisco [-ire]**
building **l'edificio** *(m)*
building plot **il terreno da costruzione**
building site **il cantiere**
bungalow **il bungalow, la villetta**
caretaker **il / la custode**
chalet **lo chalet**
council house **la casa comunale**
detached house **una casa unifamiliare**
furnished apartment / flat **l'appartamento arredato** *(m)*
furnished house **la casa arredata** *(f)*
freehold **la proprietà assoluta**

garbage / refuse collection **la raccolta di rifiuti**
I have an extension built **faccio [fare] construire un'estensione**
house **la casa**
housing **l'alloggio** *(m)*, **l'abitazione** *(f)*
landlord **il padrone di casa, il locatore**
lease / leasehold **il contratto di locazione**
lodger / roomer **il / la pensionante**
I modernize **modernizzo [-are]**
mortgage **il mutuo**
mortgage rate **il tasso di mutuo**
I move (house) **cambio [-are] casa, trasloco [-are]**
I move in **entro [-are], occupo [-are]**

We are buying a new detached house. | **Stiamo comprando una nuova casa / villa.**
I prefer a fine old house that I can fix up little by little. | **Preferisco una bella casa vecchia che posso riattare poco per volta.**
We are having a house built. | **Stiamo facendoci costruire una casa.**
I live in a rented, furnished apartment. | **Vivo in un appartamento ammobiliato in affitto.**
My lease expires in two weeks. | **Il mio contratto di locazione scade fra due settimane.**

I move out **sgombro [-are]**
I occupy **occupo [-are]**
I own **possiedo [possedere]**
owner-occupied house **la casa occupata dal proprietario**
penthouse **l'attico** *(m)*
partly furnished **parzialmente arredato**
prefabricated house **la casa prefabbricata**
premises **gli immobili**
public housing apartment / council flat **l'appartamento in case comunali**
rent **l'affitto** *(m)*
I rent **affitto [-are]**
rental / leasehold property **la proprietà in affitto / locazione**
semi-detached house **la casa bifamiliare**
sewage system / disposal **la fognatura**
(of) stone **di pietra**
street light **il lampione**
I take out a mortgage **ottengo [-tenere] un mutuo**
tenancy **l'affitto** *(m)*
tenant **l'inquilino** *(m)*
unfurnished *(flat / apartment)* **non arredato**
unfurnished *(house)* **non ammobiliato**

Rooms

attic **l'attico** *(m)*, **la mansarda**
basement **lo scantinato**
bathroom **il bagno**
bedroom **la camera da letto**
breakfast room **la cucina, l'angolo** *(m)* **per la colazione**
cellar **la cantina**
corridor **il corridoio**
dining room **la sala da pranzo**
hall(way) **il corridoio, l'entrata** *(f)*
kitchen **la cucina**
landing **il pianerottolo**
lavatory / bathroom **il bagno, il gabinetto**
living room / sitting-room **il salone, il soggiorno, il salotto**
loft **la soffitta**
lounge **il salone, il salotto**
shower room **la doccia**
study **lo studio**
utility room **il ripostiglio**
veranda **la veranda**
W.C. **il gabinetto**

She is renting out her penthouse. | **Mette il suo attico in affitto.**

The real estate agency is looking for a small terraced house for a client. | **L'agenzia immobiliare sta cercando una villetta con terrazzo per un cliente.**

The house has a pleasant view of the orchard — pity about the railroad / railway line! | **La casa ha una bella vista sul frutteto; peccato ci sia la linea ferroviaria!**

The whole house needs painting before we put it up for sale. | **Bisogna dipingere tutta la casa prima di metterla in vendita.**

We moved (house) two years ago. | **Abbiamo traslocato due anni fa.**

DAILY LIFE

8b The Household

aerial l'antenna *(f)*
backdoor la porta di dietro
balcony il balcone
baseboard / board skirting lo zoccolo
blind le veneziane
boiler la caldaia
burglar alarm l'antifurto *(m)*
carpet il tappeto
ceiling il soffitto
chimney / smokestack il camignolo
clean pulito
comfortable (un-) (s)comodo
cosy accogliente, confortevole
curtain la tenda
desk la scrivania
dirty sporco
door la porta
doorhandle la maniglia
doorknob il pomello
doormat lo stuoino
downstairs giù, al primo piano
electric elettrico
electric plug la spina
electric socket la presa di corrente
electricity l'elettricità *(f)*
elevator / lift l'ascensore *(m)*
en suite la camera da letto con bagno
extension cord / flex il filo
fire alarm l'allarme *(m)* antincendio

fire extinguisher l'estintore *(m)*
floor il pavimento
floor *(story / storey)* il piano
  on the first floor al primo piano
  upper floor il piano superiore
front door la porta d'ingresso
furnished arredato, ammobiliato
furniture i mobili
  item of furniture il mobile
garage l'autorimessa, il garage
garret il sottotetto
gas il gas
glass *(material)* il vetro
ground floor il piano terra
gutter la gronda(ia)
handle *(on drawer, etc.)* la maniglia
handle *(on jug, etc.)* il manico
hearth il camino
heating il riscaldamento
  central heating il riscaldamento centrale
included incluso, compreso
key la chiave
keyhole il buco della serratura
lamp la lampadina
lampshade il paralume
lever la leva
light la luce
light bulb la lampadina
light switch l'interruttore *(m)*
lighting l'illuminazione *(f)*

Come into the dining room.

Vieni nella sala da pranzo.

The hot water tap is leaking.

Il rubinetto dell'acqua calda perde!

The table has not yet been cleared! Whose turn is it?

La tavola non è ancora stata sparecchiata! A chi tocca?

lock **il lucchetto**
it looks onto **dà [dare] su**
mailbox / letter box **la cassetta postale**
mat **lo zerbino**
mended **riparato**
mezzanine floor **il (piano) mezzanino**
modern **moderno**
new **nuovo**
off *(switches, electrical apparatus)* **spento**
off *(tap)* **chiuso**
old **vecchio**
on *(switches, electrical apparatus)* **acceso**
on *(tap)* **aperto**
own **proprio**
passage **il passaggio, il corridoio**
pipe **il tubo**
hot-water pipes **i tubi dell'acqua calda**
radiator **il radiatore, il termosifone**
railing **la ringhiera**
rent **l'affitto** *(m)*
roof **il tetto**
roof garden **il giardino pensile**
room **la camera, la stanza**
shelf **lo scaffale**
shutters **le persiane**
situation **la posizione**
skylight **il lucernario**

small **piccolo**
spacious **spazioso**
staircase **la scalinata**
stairs **le scale**
steps **gli scalini**
terrace **la terrazza**
tidy **lindo, ordinato**
tile *(floor, wall)* **la mattonella, la piastrella**
roof tile **la tegola**
toilet **il bagno**
trash can / dustbin **la pattumiera**
upstairs **sopra**
veranda **la veranda**
view **la vista, il panorama**
wall **il muro**
garden wall **il recinto**
inside wall **la parete**
partition wall **la parete divisoria**
wallpaper **la carta da parati**
wastepaper basket **il cestino per la carta straccia**
water **l'acqua** *(f)*
window **la finestra**
windowpane **il vetro di finestra**
windowsill **il davanzale**
wire **il filo**
wiring **l'impianto** *(m)* **elettrico**
wood **il legno**
worn out **consunto, logoro**

Who is going to wash / wash up the dishes?	**Chi lava i piatti?**
Sweep up that mess right now!	**Spazza via quel sudiciume immediatamente!**
The furniture needs polishing. And don't forget to turn / switch off the lights.	**Bisogna lucidare i mobili. E non dimenticare di spegnere le luci.**

8c Furnishings

Lounge

armchair **la poltrona**
ashtray **il portacenere**
bookcase **la libreria**
bookshelf **lo scaffale**
bureau **la scrivania**
closet / cupboard **la credenza,**
  l'armadio *(m)*
coffee table **il tavolino da caffè**
cushion **il cuscino**
dishwashing / washing-up liquid **il**
  detergente per stoviglie
easy chair **la poltrona**
faucet / tap **il rubinetto**
fireplace / hearth **il camino**
garbage can / rubbish bin **il bidone**
  della spazzatura
mantelpiece **la mensola del camino**
ornament **l'ornamento** *(m)*
picture **il quadro**
  picture *(portrait)* **il ritratto**
photo **la fotografia**
poster **il manifesto**
rocking chair **la sedia a dondolo**
rug **il tappeto**
settee **il divano**
sofa **il sofà**

Kitchen

bottle opener **l'apribottiglie** *(m)*
bowl **la ciotola, la scodella**
clothesline **la corda del bucato**
clothespin **la molletta da bucato**
coffee machine **la macchinetta da**
  caffè
coffee pot **la caffetiera**
cooker / stove **la cucina**
crockery **le stoviglie**
cup **la tazza**
cupboard **la credenza**
  wall-cupboard **la credenza a**
  muro
cutlery **le posate**
dish **il piatto**
dishwasher **il lavastoviglie**

drainboard **lo scolatoio**
fork **la forchetta**
glass **il bicchiere**
  wineglass **il bicchiere da vino**
jug **la brocca**
knife **il coltello**
  carving knife **il trinciante**
leftovers **gli avanzi**
milk jug **il bricco da latte**
oven **il forno**
pepper pot **la pepaiola**
plate **il piatto**
saltcellar **la saliera**
saucer **il piattino**
sink **il lavandino**
sink unit **il lavello**
spoon **il cucchiaio**
stove / gas cooker **la cucina a gas**
teapot **la teiera**
tea towel **l'asciugapiatti** *(m)*
tray **il vassoio**
washing powder **il detersivo in**
  polvere

Dining room

chair **la sedia**
candle **la candela**
candlestick **il candeliere**
chandelier **il lampadario**
sideboard / dresser **la credenza**
table **la tavola**
tablecloth **la tovaglia**
table mat **il sottopiatto**
table napkin / serviette **la salvietta,**
  il tovagliolo

Bedroom

alarm clock **la sveglia**
bed **il letto**
  bunk bed **il letto a castello**
  double bed **il letto a due piazze**
bedclothes **il pigiama, la camicia**
  da notte
bedding **la biancheria**
bedside table **il tavolino da notte**

bedspread **il copriletto**
blanket **la coperta**
chest of drawers **il cassettone**
dressing table **la toletta**
duvet **il piumone**
mattress **il materasso**
pillow **il guanciale**
quilt **il piumone**
sheet **il lenzuolo, le lenzuola** *(pl)*
wardrobe **l'armadio** *(m)*

Bathroom

basin **il lavandino**
bath **il bagno**
bathmat **il tappetino da bagno**
bidet **il bidè**
clothes brush **la spazzola per vestiti**
faucet / tap **il rubinetto**
handbasin **il lavandino**
laundry basket **il cesto del bucato**
lavatory **il gabinetto**
mirror **lo specchio**
nailbrush **lo spazzolino per le unghie**
plug **il tappo**
razor socket **la presa per rasoio**
scale **la bilancia pesapersone**
shampoo **lo sciampo**
shower **la doccia**
sink **il lavandino**
soap **il sapone**
toilet **il bagno, il gabinetto**
toilet paper **la carta igienica**
toothbrush **lo spazzolino da denti**
toothpaste **il dentifricio**
towel **l'asciugamano** *(m)*

towel rail **il portasciugamani**
washbasin **il lavandino**

Electrical goods

blender / food mixer **il frullatore**
cassette player **il mangianastro**
cassette recorder **il registratore**
compact disc player **il CD**
electric appliance **l'elettrodomestico** *(m)*
electric razor / shaver **il rasoio elettrico**
freezer **congelatore**
fridge / refrigerator **il frigorifero**
hi-fi **l'hi-fi, l'alta fedeltà** *(f)*
iron **il ferro da stiro**
microwave oven **il forno a microonde**
radio **la radio**
record player **il giradischi**
refrigerator **il frigorifero**
spin drier **la centrifuga**
stereo system **lo stereo**
electric stove / cooker **la cucina elettrica**
tape player **il mangianastri**
tape recorder **il registratore**
trouser press **lo stirapantaloni**
tumble drier **l'essiccatoio** *(m)*, **l'asciugatrice** *(f)*
TV set **il televisore**
television (TV) **la televisione**
vacuum cleaner **l'aspirapolvere** *(m)*
video recorder **il video registratore**
walkman® **il walkman®**
washcloth / flannel **la pezzuola per lavarsi**
washing machine **la lavatrice**

The washing machine doesn't work! Can you repair it?

La lavatrice non funziona! Puoi ripararla?

I have just bought a compact disc player.

Ho appena acquistato un lettore per CD / compact.

8d Daily Routine

bath   **il bagno**
bed   **il letto**
breakfast   **la (prima) colazione**
clean   **pulito**
daily routine   **l' abitudine** (f)
   quotidiana
dinner   **la cena**
dishwashing / washing up (dishes to
   be washed)   **i piatti da lavare**
dressed   **vestito**
evening meal   **la cena**
garbage / rubbish   **l'immondizia** (f),
   i rifiuti (pl)
home   **la casa**
   at home   **a casa**
housekeeper / maid   **la colf**
   (collaboratrice familiare)
housework   **i lavori domestici**
lunch   **la seconda colazione, il**
   pranzo (fam)
school   **la scuola**
shop   **il negozio**
shower   **la doccia**
sleep   **il sonno**
spare time   **il tempo libero**
supper   **la cena**
time (commodity)   **il tempo**
   time (of day)   **l'ora** (f)
washing   **il bucato**
   dirty washing   **gli indumenti da**
   lavare

washing (hung to dry)   **il bucato**
   appeso
work   **il lavoro**

Actions

I bath   **faccio [fare] il bagno/ a**
I break   **rompo [-ere]**
I bring   **porto [-are]**
I build   **costruisco [-ire]**
I buy   **compro [-are]**
I carry   **porto [-are]**
I change (clothes)   **mi cambio**
   [-are] i vestiti
I chat   **chiacchiero [-are]**
I clean   **pulisco [-ire]**
I clear away   **ripongo [riporre]**
I clear the table   **sparecchio [-are]**
   la tavola
I close / shut   **chiudo [-ere]**
I cook   **cucino [-are]**
I dam   **rammendo [-are]**
I do   **faccio [fare]**
I drink   **bevo [-ere]**
I drop   **faccio [fare] cadere**
I dry up   **asciugo [-are]**
I dust   **pulisco [-ire], spolvero [-are]**
I eat   **mangio [-are]**
I empty   **svuoto [-are]**
I enter   **entro [-are]**
I fall   **cado [-ere]**
I fasten   **attacco [-are]**

We usually get up at seven o'clock,
except for Simon, who is on night
shift.
The person who did not prepare
supper the night before makes
breakfast.
Lunch is in the dining room, but as
soon as the warm season comes,
we eat in the garden.

**Di solito ci alziamo alle sette, ad
eccezione di Simone che fa i
turni di notte.
La persona che non ha
preparato la cena la sera prima
prepara la colazione.
La seconda colazione è nella
sala da pranzo, ma appena
arriva la bella stagione,
mangiamo in giardino.**

I fill   **riempio [-ire]**
I garden / work in the yard   **pratico [-are] il giardinaggio**
I get dressed   **mi vesto [-ire]**
I get undressed   **mi svesto [-ire], mi spoglio [-are]**
I get up   **mi alzo [-are]**
I go to bed   **vado [andare] a letto**
I go to sleep   **vado [andare]; mi addormento [-are]**
I go to the toilet / bathroom   **vado [andare] in bagno**
I grow   **cresco [-ere]**
I have breakfast   **faccio [fare] colazione**
I have dinner   **ceno [-are]**
I have lunch   **pranzo [-are]**
I have a bath   **faccio [fare] il bagno**
I heat   **riscaldo [-are]**
I iron   **stiro [-are]**
I knit   **lavoro [-are] a maglia**
I knock   **busso [-are]**
I lay the table   **apparecchio [-are] la tavola**
I leave (place)   **parto [-ire]**
I let (allow)   **permetto [-ere], lascio [-are]**
I rent / let out   **affitto [-are], noleggio [-are]**
I live   **vivo [-ere], abito [-are]**
I lock   **chiudo [-ere] a chiave**
I make   **faccio [fare]**
I paint   **dipingo [-ere]**
I pick up   **raccolgo [-cogliere]**
I plant   **pianto [-are]**
I polish   **lucido [-are]**
I prepare   **preparo [-are]**
I press (a button)   **premo [-ere] (un pulsante)**
I put on (clothes)   **mi metto [-ere] (i vestiti), mi vesto [-ire]**
I put on the radio   **accendo [-ere] la radio**
I rent / hire   **prendo [-ere] a nolo**
I rent out / hire out   **noleggio [-are]**
I rent out / let   **affitto [-are]**
I rest   **mi riposo [-are]**

I ring (telephone)   **telefono [-are]**
I ring the doorbell   **suono [-are] il campanello**
I scrub   **sfrego [-are], strofino [-are]**
I sell   **vendo [-ere]**
I sew   **cucio [-ire]**
I share   **condivido [-ere], spartisco [-ire]**
I shine   **lucido [-are]**
I shop   **faccio [fare] la spesa**
I shower   **faccio [fare] la doccia**
I sit   **siedo [-ere]**
I sit down   **mi siedo [-ere]**
I sleep   **dormo [-ire]**
I speak   **parlo [-are]**
I stand   **sto [stare] in piedi**
I stand up   **mi alzo [-are] in piedi**
I start   **incomincio [-are]**
I stop   **smetto [-ere]**
I sweep   **spazzo [-are], scopo [-are]**
I take off (clothes)   **mi spoglio [-are], mi svesto [-ire]**
I take   **prendo [-ere], porto [-are]**
I talk   **parlo [-are]**
I throw away   **butto [-are] via**
I tidy / straighten up   **metto [-ere] in ordine**
I tie   **lego [-are]**
I trim   **taglio [-are]**
I turn off / switch off   **spengo [spegnere]**
I turn on / switch on   **accendo [-ere]**
I unblock   **sturo [-are]**
I use   **uso [-are], utilizzo [-are]**
I wake up   **mi sveglio [-are]**
I wallpaper   **rivesto [-ire] con carta da pareti, tappezzo [-are]**
I wash   **lavo [-are]**
I wash dishes / wash up   **lavo [-are] i piatti**
I watch TV   **guardo [-are] la televisione**
I water   **annaffio [-are]**
I wear   **indosso [-are]**

Shopping

9a General Terms

article l'articolo *(m)*
assistant il commesso, la commessa
automatic door la porta automatica
automatic teller / cash dispenser la cassa automatica, il bancomat
bar code il codice a barre
bargain l'occasione *(f)*, l'affare *(m)*
brand new nuovissimo, nuovo di zecca
business il commercio
catalog / catalogue il catologo
change *(money)* il resto
cheap a buon prezzo / mercato, economico
checkout la cassa
choice la scelta
closed chiuso
closed / day off il giorno di chiusura
coin la moneta
consumer il consumatore
consumer protection la difesa del consumatore
contents il contenuto
costly caro, costoso
credit il credito
credit card la carta di credito
customer information il servizio informazione clienti
customer service l'assistenza *(f)* alla clientela
dear caro, costoso
department il reparto, il settore
discount lo sconto
elevator / lift l'ascensore *(m)*
entrance l'ingresso *(m)*, l'entrata *(f)*

escalator la scala mobile
exit l'uscita *(f)*
exit / fire door l'uscita *(f)* di sicurezza
expensive caro, costoso
fashion la moda
fitting room il salottino di prova
free libero, gratis, gratuito
free gift l'offerta *(f)* gratuita
fresh fresco
frozen congelato
genuine / real genuino, autentico
it is good value è [essere] conveniente
handbag la borsa, la borsetta
instructions for use le istruzioni per l'uso
item l'articolo *(m)*
label l'etichetta *(f)*
mail order la vendita per corrispondenza
manager il direttore, il gestore
manageress la direttrice, la gerente
market il mercato
money il denaro
note *(money)* la banconota, il biglietto (da)
open aperto
opening hours l'orario *(m)* di apertura
packet il pacchetto, il pacco
perishable foodstuffs i cibi deteriorabili
pocket la tasca
pound *(weight)* la libbra
pull tirare
purse il portamonete
push spingere
quality la qualità

receipt **lo scontrino, la ricevuta fiscale**

reduction **lo sconto, la riduzione**

refund **il rimborso**

register / cash desk **la cassa**

sale **la svendita, l'offerta** (f) **speciale**

salesperson / shop assistant **la commessa, il commesso**

secondhand **di seconda mano, d'occasione**

security guard / store detective **la guardia**

self-service **il self-service**

shoplifter **il taccheggiatore**

shopping **la spesa**

I go shopping **faccio [fare] la spesa / gli acquisti**

shopping basket **il cestello**

shopping list **la lista della spesa**

shopping cart / trolley **il carrello**

shut **chiuso**

special offer **l'offerta** (f) **speciale**

stairs **le scale**

storekeeper / shopkeeper **il / la negoziante**

summer sale **la svendita estiva**

till **la cassa**

trader **il / la commerciante**

traveler's check / traveller's cheque **l'assegno** (m) **turistico**

wallet **il portafoglio**

way in **l'ingresso** (m) **l'entrata** (f)

way out **l'uscita** (f)

Actions

I change **cambio [-are]**

I choose **scelgo [scegliere]**

I decide **decido [-ere]**

I exchange **scambio [-are]**

I order **ordino [-are]**

I pay **pago [-are]**

I put on **mi metto [-ere], indosso [-are] di**

I select **scelgo [scegliere]**

I sell **vendo [-ere]**

I serve **servo [-ire]**

I shop **faccio [fare] la spesa**

I shoplift **taccheggio [-are]**

I show **dimostro [-are]**

I spend (money) **spendo [-ere] (soldi)**

I stand in line / queue **mi metto [-ere] in fila, faccio [fare] la coda**

I steal **rubo [-are]**

I take off **mi levo [-are], mi tolgo [togiere]**

I try on **provo [-are]**

I wait **aspetto [-are], attendo [-ere]**

I wear **indosso [-are]**

I wear / have on **porto [-are], indosso [-are]**

I weigh **peso [-are]**

I wrap up **avvolgo [-ere]**

Expressions you hear

Anything else? / Is that all? **Desidera altro?**

Are you being served? **La stanno servendo?**

Can I help you? **Desidera?**

Who's next? **A chi tocca?**

Whole or sliced? **Intero o affettato?**

I have been standing / queuing in line for ages. **Faccio la coda da un secolo.**

You've given me the wrong change. **Si è sbagliato nel darmi il resto.**

▶ TOILETRIES, HOUSEHOLD GOODS, FOODSTUFFS 9b; CLOTHING 9c

9b Household Goods & Toiletries

Toiletries

aftershave   il dopobarba
antiperspirant   l'antiperspirante *(m)*
brush   la spazzola
comb   il pettine
condom   il preservativo
cosmetics   la cosmetica
cotton wool   l'ovatta *(f)*
dental floss   il filo interdentale
deodorant   il deodorante
eyeliner   l'eyeliner
face cream   la crema per il viso
face powder   la cipria
foundation cream   la crema base
glasses   gli occhiali
hairbrush   la spazzola per capelli
hairspray   la lacca per capelli
lip salve   il burro cacao
lipstick   il rossetto
makeup   il trucco, i cosmetici
moisturizer   l'idratante *(m)*
nail file   la lima da unghie
paper handkerchief   il fazzolettino
   (di carta)
perfume   il profumo
razor   il rasoio
razor blades   le lamette da barba
sanitary napkins   gli assorbenti
shampoo   lo sciampo
shaving cream   la crema da barba
soap   il sapone

spray   la bombola, lo spruzzatore
sunglasses   gli occhiali da sole
suntan lotion   la crema abbronzante
talcum powder   il talco
tampon   il tampone
tissues   i fazzoletti di carta
toilet water   la colonia
toilet paper   la carta igienica
toiletries   gli articoli da toletta
toothpaste   il dentifricio
toothbrush   lo spazzolino da denti
tweezers   le pinzette

Household items

aluminum foil   la carta stagnola
bleach   il decolorante
bowl   la ciotola, la scodella
cellophane / clingfilm wrapping   la
   pellicola
clothespins   le mollette da bucato
cup   la tazza
dish   il piatto
detergent / washing powder
   il detersivo (in polvere)
dishwashing liquid / washing-up liquid
   il detergente per i piatti
fork   la forchetta
glass   il bicchiere
insect spray   l'insetticida *(m)*
jar   il vaso, il vasetto
jug   la caraffa, la brocca

Expressions of quantity

about ten . . .   una decina di ...
a bar of . . .   una tavoletta di ...
a bottle of . . .   una bottiglia di ...
a box of . . .   una scatola di ...
a can of . . .   una lattina di ...
a dozen of . . .   una dozzina di ...
a hundred gram(me)s
   of . . .   centro grammi di ...
a kilo of . . .   un chilogrammo
   di ...

a liter / litre . . .   un litro di ...
a pack / packet of . . .   un
   pacchetto di ..., una
   confezione di ...
a pair of . . .   un paio di ...
a slice of . . .   una fetta di ...
a tin of . . .   una scatola di ...
a tube of . . .   un tubo di ...
half a pound of   mezza libbra
   di ...

kitchen roll **la carta da cucina assorbente**
knife **il coltello**
matches **i fiammiferi**
paper napkin / serviette **la salvietta, il tovagliolo**
paper towel **la salvietta di carta**
plate **il piatto**
pot **la pentola**
saucer **il piattino**
scouring pad **la paglietta**
spoon **il cucchiaio**
string **la corda, il cordino**

Basic foodstuffs

bacon **la pancetta**
beans **i fagioli**
beef **il manzo**
beer **la birra**
bread **il pane**
 bread roll **il panino**
 loaf of bread **la pagnotta**
 sliced bread **il pane affettato**
butter **il burro**
cakes **i dolci**
cannelloni **i cannelloni**
cereals **i cereali**
cheese **il formaggio**
 Parmesan cheese **il parmigiano**
chicken **il pollo**
chips / crisps **le chips**
chocolate spread **la crema di cioccolata**
coffee **il caffè**
cola **la cola**
condiments **i condimenti**
cookies / biscuits **i biscotti**
custard **la crema pasticcera**
eggs **le uova**
fish **il pesce**
flour **la farina**
fries / chips **le patatine fritte**
fruit **la frutta**

garlic **l'aglio** *(m)*
ham **il prosciutto**
ice cream **il gelato**
jam **la marmellata**
juice **il succo**
lamb **l'agnello** *(m)*
lasagna **le lasagne**
lemonade **la limonata**
macaroni **i maccheroni**
margarine **la margarina**
marmalade **la marmellata di arance**
mayonnaise **la maionese**
meat **la carne**
milk **il latte**
mineral water **l'acqua** *(f)* **minerale**
mustard **la mostarda, la senape**
oil **l'olio** *(m)*
olive oil **l'olio** *(m)* **d'oliva**
pasta **la pasta**
pâté **il paté**
peanut butter **il burro di arachide**
pepper **il pepe**
peppers **i peperoni**
pizza **la pizza**
pork **il maiale**
potatoes **le patate**
pudding **il dolce, il budino**
salt **il sale**
sandwich **il sandwich, il tramezzino**
 toasted sandwich **il toast**
sardines **le sardine**
sauce **la salsa**
sausage **la salsiccia**
soup **il brodo, la minestra**
spaghetti **gli spaghetti**
spices **gli aromi, le spezie**
sugar **lo zucchero**
tea **il tè**
tea bag **la bustina di tè**
vegetables **la verdura**
vinegar **l'aceto** *(m)*
wine **il vino**

▶ FOOD & DRINK 10; VEGETABLES, FRUIT 10c; HERBS & SPICES App. 10c

9c Clothing

anorak / parka **il giaccone, l'eskimo** *(m)*
beautiful **bello**
big **grande**
bikini **il bikini**
blouse **la camicetta**
boots **gli stivali**
bra **il reggiseno**
brand new **nuovissimo**
cap **il berretto**
cardigan **il golf**
checked **a quadri, a quadretti**
clothes **i vestiti**
clothing **l'abbigliamento** *(m)*
coat **il soprabito, il cappotto**
color / colourfast **di colore solido**
colorful / colourful **colorato, variopinto**
cotton **il cotone**
cravate / tie **la cravatta**
dinner jacket **lo smoking**
dress **il vestito, l'abito** *(m)*
elegant **elegante**

embroidered **ricamato**
fashionable **alla moda**
glove **il guanto**
handkerchief **il fazzoletto**
hat **il cappello**
heel **il tacco**
high-heeled **con i tacchi alti**
in the latest fashion **all'ultima moda**
jacket **la giacca**
jeans **i jeans**
jersey **il pullover, la maglia**
jewelry / jewellery **i gioielli**
jumper **il maglione**
knitted **a maglia**
knitwear **la maglieria**
ladies' wear **l'abbigliamento** *(m)* **da donna**
linen **il lino**
lingerie **la biancheria intima**
long **lungo**
long-sleeved **a maniche lunghe**
loose **sciolto, ampio**
loud / brash **vistoso, sgargiante**

Expressions in clothes shops / stores

Can I try it on? **Posso provarlo?**
Do you have the same type in red? **Ha lo stesso modello in rosso?**
I bought it at the sale. **L'ho comprato alla liquidazione.**
I like it. **Mi piace.**
You will soon tire of wearing it. **Ti stuferai presto d'indossarlo.**
I wear / take size 42 (clothes). **Prendo / Indosso la (taglia) 42.**
I wear / take size 38 (shoes). **Prendo la 38.**
I would like to change . . . **Vorrei cambiare ...**

I would rather have . . . **Preferisco ...**
I'll take it. **Lo prendo.**
I'll take the big one. **Prendo quello grande.**
I'm next. **Tocca a me.**
I'd like it two sizes bigger. **Lo vorrei più grande di due taglie.**
It suits me. **Mi va bene.**
That's not quite right. **Non mi va molto bene.**
They don't go together. **Non si accordano.**
What color / colour **(Di) che colore?**

low-heeled **con i tacchi bassi**
man-made fiber / fibre **la fibra artificiale**
matching **assortito / intonato a**
material **la stoffa, il tessuto**
men's wear **l'abbigliamento** *(m)* **da uomo**
no-iron **non si stira**
nylon **il nylon**
pair **un paio**
pajamas / pyjamas **il pigiama**
panties **le mutandine, gli slip**
pants **i pantaloni, i calzoni**
plain **semplice**
printed **stampato**
raincoat **l'impermeabile** *(m)*
sandals **i sandali**
scarf **la sciarpa**
shirt **la camicia**
shoe **la scarpa**
shoelace **il laccio (per scarpe)**
short-sleeved **a maniche corte**
silky **di seta**
size **la taglia, la misura**
skirt **la gonna**
slip **la sottoveste**
small **piccolo**
smart **elegante**
sneakers **le scarpe da tennis / ginnastica**
sock **il calzino**
soft **morbido, soffice**
stocking **le calze**
striped **a strisce**
suit **il vestito**
sweater **il maglione di lana**
sweatshirt **la maglietta (di tuta sportiva)**
swimming trunks **i calzoncini da bagno**
swimsuit / bathing suit **il costume**

  da bagno
tailored **su misura**
tie **la cravatta**
tight **stretto**
tights **i collant**
too big / small **troppo grande / piccolo**
trainers **le scarpe sportive**
trousers / pants **i pantaloni**
T-shirt **la camicetta**
ugly **brutto**
umbrella **l'ombrello** *(m)*
underpants **le mutande**
underwear **la biancheria intima**
unfashionable **fuori moda**
vest **la maglietta**
windbreaker **la giacca a vento**
wool **la lana**

Alterations & repairs

I alter **modifico [-are]**
belt **la cintura**
buckle **il fermaglio**
button **il bottone**
dry cleaning **la lavanderia a secco**
hem **l'orlo** *(m)*
hole **il buco**
knitting needle **il ferro da calza**
material **la stoffa, il tessuto**
needle **l'ago** *(m)*
pin **lo spillo**
pocket **la tasca**
sleeve **la manica**
snap fastener / press stud **il bottone a pressione**
stain **la macchia**
I stitch **cucio [-ire]**
tailor **il sarto**
thread **il filo**
threadbare **logoro**
zipper **la cerniera, il lampo**

I am looking for a nice leather belt. **Cerco una bella cintura in pelle.**

I am not quite sure about the size. **Non sono sicuro della misura.**

▶ LEISURE WEAR 16c

Food & Drink

10a Drinks & Meals

Drinks

alcoholic	**alcolico**
beer	**la birra**
brandy	**il cognac**
champagne	**lo champagne**
chocolate *(drinking)*	**la cioccolata**
cider	**il sidro**
cocktail	**il cocktail**
coffee	**il caffè**
cola	**la cola**
drink	**la bevanda, la bibita**
dry	**secco**
(fruit) juice	**il succo (di frutta)**
full-bodied *(wine)*	**corposo**
lemonade	**la limonata**
light	**leggero**
low alcohol	**a basso contenuto alcolico**
milk	**il latte**
milk shake	**il frullato, il frappé**
mineral water	**l'acqua** *(f)* **minerale**
nonalcoholic	**non alcolico**
orange / lemon squash	**la bibita di arancia / limone**
sherry	**lo sherry**
sparkling	**frizzante**
spirits	**le bevande alcoliche**
sweet	**dolce, amabile**
tea	**il tè**
water	**l'acqua** *(f)*
fizzy water	**l'acqua gassata**
still water	**l'acqua naturale**
whisky	**il whisky**
wine	**il vino**
red / white	**rosso / bianco**
sparkling	**spumante**
vintage wine	**il vino d'annata**
with ice	**con ghiaccio**

Drinking out

aperitif	**l'aperitivo**
bar	**il bar**
bar / counter	**il banco**
barman	**il barista**
beer hall	**la birreria**
bottle	**la bottiglia**
coffee bar	**il bar**
coffee shop / cafe	**il caffè**
cup	**la tazza**
I drink	**bevo [bere]**
glass	**il bicchiere**
pub / public house	**il pub**
refreshments	**i rinfreschi**
saucer	**il piattino**
I sip	**sorseggio [-are]**
straw	**la cannuccia**
teaspoon	**il cucchiaino**
wine bar	**l'osteria** *(f)*, **la taverna**
wine cellar	**la cantina**
wine glass	**il bicchiere da vino**
wine list	**la lista dei vini**
wine tasting	**la degustazione del vino**

cafeteria	**il caffè**
canteen	**la mensa**
ice cream parlor	**la gelateria**
pizza parlor	**la pizzeria**
restaurant	**il ristorante**
self-service	**il self-service**
snack bar	**il bar**
stall	**la bancarella**
take-out / take-away	**da portar via**

Meals

appetizer / starter **l'antipasto** *(m)*
breakfast **la prima colazione**
course **la portata, il piatto**
dessert **il dolce**
I dine **ceno [-are]**
dinner **la cena**
I drink **bevo [bere]**
I eat **mangio [-are]**
I have a snack **faccio [fare] uno spuntino**
I have breakfast **faccio [fare] colazione**
I have dinner **ceno [-are]**
I have lunch **pranzo [-are]**
lunch **il pranzo, la colazione**
main **principale**
meal **il pasto**
snack **lo spuntino**
supper **la cena**

Eating out

I add up the check **faccio [fare] il conto**
charge *(service)* **il coperto**
cheap **economico**
check / bill **il conto, la ricevuta fiscale**
I choose **scelgo [-ere]**
it costs **costa [-are]**
cover charge **il (prezzo del) coperto**

I decide **decido [-ere]**
expensive **caro, costoso**
first course **il primo piatto**
fixed price **il prezzo fisso**
fork **la forchetta**
inclusive **incluso, compreso**
knife **il coltello**
main course **il secondo**
menu **il menu**
menu of day **il menu del giorno**
napkin **il tovagliolo**
I order **ordino [-are]**
order **l'ordine** *(m)*
place setting **il coperto**
plate **il piatto**
portion **la porzione**
reservation **la prenotazione**
I serve **servo [-ire]**
service **il servizio**
set menu **il menu fisso**
side dish **il contorno**
spoon **il cucchiaio**
table **la tavola**
tablecloth **la tovaglia**
tip / gratuity **la mancia**
I tip **do una mancia**
toothpick **lo stuzzicadenti**
tourist menu **il menu turistico**
tray **il vassoio**
waiter **il cameriere**
waitress **la cameriera**

I'd like a beer and some mineral water, please.

Vorrei una birra e dell'acqua minerale, per favore.

I'd like to try a glass of the liqueur, please.

Vorrei assaggiare (un bicchiere) del liquore.

Where does this wine come from?

Dove è prodotto questo vino?

What is there for starters?

Cosa c'è come antipasto?

We'll have the tomato soup.

Prendiamo la minestra di pomodoro.

▶ VEGETABLES, FRUIT, DESSERT 10c; COOKING & EATING 10d

10b Fish & Meat

Fish & seafood

anchovy **l'acciuga** *(f)*, **l'alice** *(f)*
bass **il branzino**
clam **le vongole**
cod **il merluzzo**
crab **il granchio**
crayfish **il gambero**
eel **l'anguilla** *(f)*
fish **il pesce**
hake **il nasello**
herring **l'aringa** *(f)*
lobster **l'aragosta** *(f)*
mackerel **lo sgombro**
mullet **la triglia, il cefalo**
mussels **le cozze**
octopus **il polpo**
oyster **l'ostrica** *(f)*
pike **il luccio**

prawn **il gamberetto**
ray **la razza**
salmon **il salmone**
sardine **la sardina**
scallop **il pesce pettine**
scampi **gli scampi**
seafood **i pesci**
shell **la conchiglia**
shellfish **i frutti di mare**
shrimp **il gamberetto**
snails **le lumache**
sole **la sogliola**
squid **i calamari**
trout **la trota**
tuna / tunny **il tonno**
whitebait **i bianchetti**
whiting **il merlano**

Would you prefer cod or sole?	**Preferisce il merluzzo o la sogliola?**
I'd rather have tuna than crab.	**Preferisco il tonno al granchio.**
Is this fish fresh?	**È fresco questo pesce?**
— Shall we try the chicken?	**— Assaggiamo il pollo?**
— I'd like a pork chop.	**— Preferisco una braciola di maiale.**
We'll have two beefsteaks, one rare and one well-done.	**Prendiamo due bistecche, una al sangue e una ben cotta.**
I'll have a rare steak with fries and salad, please.	**Prendo una bistecca al sangue con patatine fritte e insalata.**

Meat & meat products

bacon   **la pancetta**
beef   **la carne di manzo**
beefburger   **l'hamburger** *(m)*
bolognese   **bolognese**
chop   **la costoletta**
cold table   **la tavola fredda**
cutlet   **la costoletta**
escalope   **la scaloppina**
ham   **il prosciutto**
hamburger   **l'hamburger** *(m)*
hot dog   **l'hot-dog** *(m)*
kidney   **il rognone**
lamb   **l'agnello** *(m)*
liver   **il fegato**
meat   **la carne**
meatballs   **le polpette**
mixed grill   **lo spiedino misto**
mutton   **il montone**
pâté   **il paté**
pork   **il maiale**
salami   **il salame**
sausage   **la salsiccia**
sirloin   **la lombata**

steak   **la bistecca**
stew   **lo stufato**
veal   **il vitello**

Poultry

capon   **il cappone**
chicken   **il pollo**
duck   **l'anatra** *(f)*
goose   **l'oca** *(f)*
pheasant   **il fagiano**
pigeon   **il piccione**
poultry   **il pollame**
turkey   **il tacchino**
quail   **la quaglia**
woodcock   **la beccaccia**

Eggs

egg   **l'uovo** *(m)* *(fpl* **le uova***)*
boiled egg   **l'uovo alla coque**
fried egg   **l'uovo al burro**
omelette   **la frittata**
poached egg   **l'uovo affogato**
scrambled egg   **l'uovo strapazzato**

Traditional Italian dishes

abbacchio   casseroled roast
   lamb
bistecca alla fiorentina   grilled
   steak with pepper, lemon, and
   parsley
costoletta alla milanese
   breaded veal cutlet
costoletta alla valdostana
   breaded veal cutlet with
   cheese
fritto misto   fry of small fish and
   shellfish
galletto amburghese
   oven-roasted chicken

ossobuco   veal shinbone with
   tomatoes and onions
pollo alla diavola   highly spiced,
   grilled chicken
saltimbocca   veal roll with ham
   and sage
scaloppina alla valdostana
   veal escalope in wine with ham
   and sage
spezzatino   meat or poultry stew
stoccafisso   dried cod cooked in
   tomatoes, olives, and artichoke
zampone   pig's trotter filled with
   seasoned pork

FOOD & DRINK

10c Vegetables, Fruit & Dessert

Vegetables & pulses

artichoke	**il carciofo**
asparagus	**gli asparagi**
aubergine	**la melanzana**
avocado	**l'avocado** *(m)*
beans	**i fagioli**
beetroot	**la barbabietola**
broccoli	**i broccoli**
Brussels sprouts	**i cavoletti di Bruxelles**
cabbage	**il cavolo**
carrot	**la carota**
cauliflower	**il cavolfiore**
celery	**il sedano**
chickpeas	**i ceci**
corn	**il granturco**
corn on the cob	**una pannocchia**
courgette	**lo zucchino**
cucumber	**il cetriolo**
eggplant	**la melanzana**
endive	**l'indivia** *(f)*
French beans	**i fagiolini**
garlic	**l'aglio** *(m)*
gherkin	**il cetriolino**
haricot beans	**i fagioli**
herbs	**gli odori, le erbe aromatiche**
leek	**il porro**
lentil	**le lenticchie**
lettuce	**la lattuga**
marrow	**la zucca**
mushroom	**i funghi**

onion	**la cipolla**
parsley	**il prezzemolo**
parsnip	**la pastinaca**
pea	**il pisello**
pepper	**il peperone**
potato	**la patata**
pumpkin	**la zucca**
radish	**il ravanello**
rice	**il riso**
salad	**l'insalata** *(f)*
spinach	**gli spinaci**
sweetcorn	**il granturco dolce**
tomato	**il pomodoro**
truffles	**i tartufi**
turnip	**la rapa**
vegetable	**la verdura**
vegetable *(adj)*	**vegetale**
watercress	**il crescione**

Fruit

apple	**la mela**
apricot	**l'albicocca** *(f)*
banana	**la banana**
berries	**i frutti di bosco**
blackberry	**la mora**
blackcurrant	**il ribes nero**
blueberry / bilberry	**il mirtillo**
bunch of grapes	**un grappolo d'uva**
cherry	**la ciliegia**
chestnut	**la castagna**
coconut	**la noce di cocco**

Traditional Italian desserts

cassata siciliana sponge cake with sweet cream cheese and candied fruit

zabaglione hot or cold cream made with egg yolks, sugar, and Marsala wine

zuppa inglese sponge cake in rum with candied fruit

---

currant l'uva sultanina *(f)*
date il dattero
fig il fico
fruit la frutta
gooseberry l'uvaspina *(f)*
grape l'uva *(f)*
grapefruit il pompelmo
hazelnut la nocciola
kiwi fruit il kivi
lemon il limone
lime la limetta
melon il melone
nut la noce
olive l'oliva *(f)*
orange l'arancia *(f)*
passion fruit il frutto della passiflora
peach la pesca
peanut la nocciolina
pear la pera
peel la buccia, la scorza
I peel sbuccio [-are]
peeled sbucciato
piece of fruit un frutto
pineapple l'ananas *(m)*
pip il seme
plum la susina, la prugna
pomegranate la melagrana
prune la prugna secca
raisin l'uva *(f)* secca
raspberry il lampone
red currant il ribes
rhubarb il rabarbaro
stone il nocciolo

strawberry la fragola
tangerine il mandarino
walnut la noce
watermelon l'anguria *(f)*

Dessert

apple pie la crostata / la torta di mele
biscuit il biscotto
chocolate il cioccolato
chocolates i cioccolatini
cake la torta
cream la panna
crème caramel la creme caramel
custard la crema pasticcera
dessert il dolce
flan lo sformato
flour la farina
fresh fruit la frutta fresca
fruit of the day / season la frutta di stagione
fruit salad la macedonia
ice cream il gelato
mousse la mousse
pancake la frittella
pastry la pasta (per dolci)
pie la torta
pudding il budino
sweet il dolce
tart la crostata
trifle la zuppa inglese
vanilla la vaniglia
yogurt lo yogurt

Two strawberry ice creams. **Due gelati alla fragola.**

I want a tomato salad. Does it have garlic in it? **Prendo un'insalata di pomodori. C'è aglio dentro?**

Do you sell sliced bread? **Vende pane affettato?**

FOOD & DRINK

10d Cooking & Eating

Food preparation

I add **aggiungo [-ere]**
additive **l'additivo** (m)
I bake **cucino [-are] al forno**
baked **cotto al forno**
barbequed **alla graticola**
I beat **sbatto [-ere]**
beaten **sbattuto**
I boil **faccio [fare] bollire**
boiled **bollito**
bone **l'osso** (m)
    bone (of fish) **la lisca di pesce**
boned **disossato, senza lische**
I bone **disosso [-are]**
I braise **cucino [-are] in stufato**
braised **brasato**
in breadcrumbs **impanato [-are]**
breast **il petto**
I carve **trincio [-are]**
casseroled **in casseruola**
I chop **taglio [-are] a pezzi**
I clear the table **sparecchio [-are]**
    la tavola
I cook **cucino [-are]**
cooking / cuisine **la cucina**
I cut **taglio [-are]**
I dice **taglio [-are] a dadini**
I dry up **asciugo [-are]**

flavor / flavour **il sapore, il gusto**
flavoring / flavouring
    l'aromatizzante (m)
fried **fritto**
I fry **friggo [-ere]**
I grate **grattugio [-are]**
grated **grattugiato**
gravy **il sugo / la salsa di carne**
I grill **cucino [-are] sulla griglia**
grilled **cotto alla griglia**
with ice **con ghiaccio**
ingredient **l'ingrediente** (m)
large **grande**
I marinate **marino [-are]**
marinated **marinato**
medium **medio**
I mix / stir **mischio [-are], mescolo**
    [-are]
mixed **misto**
I peel **sbuccio [-are]**
peeled **sbucciato**
I pickle **metto [-ere] sottaceto**
pickled **sottaceto**
I pour **verso [-are]**
I prepare **preparo [-are]**
rare **al sangue**
recipe **la ricetta**
roast **arrosto**

Recipe for a fresh fruit tart

Mix 250 g of flour with 100 g of
sugar. Add 125 g of soft butter,
one whole egg and an egg yolk, a
pinch of salt, and a little grated
lemon peel.

Quickly work into a dough with
your fingertips, forming a ball
that you wrap in plastic wrap.

**Ricetta per una crostata di frutta
fresca**

**Mescolate 250gr di farina con
100gr di zucchero. Aggiungete
125gr di burro, un uovo intero e
un tuorlo d'uovo, un pizzico di
sale e un po' di scorza di limone
grattuggiata.**

**Impastate rapidamente con la
punta delle dita, formate una
palla che avvolgerete in
pellicola.**

I roast **faccio [fare] arrostire**
in sauce **in salsa**
I set the table **apparecchio [-are] la tavola**
I slice **taglio [-are] a fette, affetto [-are]**
sliced **affettato**
I spread **spalmo [-are]**
stewed **in umido**
I toast **abbrustolisco [-ire]**
toasted **tostato, abbrustolito**
I wash up **lavo [-are] le stoviglie**
I weigh **peso [-are]**
well-done **ben cotto**
I whip **sbatto [-are], frullo [-are]**
whipped **battuto, montato**
I whisk **sbatto, frullo**
whisked **frullato**

Eating

I am hungry **ho [avere] fame**
I am thirsty **ho [avere] sete**
appetite **l'appetito** *(m)*
appetizing **appetitoso, stuzzicante**
I bite **mordo [-ere]**
bitter **amaro**
calorie **la caloria**
low-calorie **povero di calorie**
I chew **mastico [-are]**
cold **freddo**
delicious **squisito**

diet *(usual)* **l'alimentazione** *(f)*
diet **la dieta, il regime dietetico**
I'm on a diet **sto [-are] a dieta**
fresh **fresco**
I help myself **mi servo [-ire]**
hot **caldo**
hunger **la fame**
I am hungry **ho [avere] fame**
I like **mi piace [piacere]**
mild **di gusto leggero**
I offer **offro [-ire]**
oily / fatty **grasso**
I pass the salt **passo [-are] il sale**
piece **il pezzo**
I provide **fornisco [-ire]**
salty **salato**
I serve **servo [-ire]**
sharp **tagliente, acuminato**
slice **la fetta**
I smell **sento [-ire] il profumo**
soft **molle, morbido**
spicy **piccante**
stale **stantio**
still **non frizzante**
strong **forte**
I swallow **inghiottisco [-ire]**
tasty **saporito**
thirst **la sete**
I am thirsty **ho [avere] sete**
I try **assaggio [-are]**
vegan **vegetariano integrale**
vegetarian **vegetariano**

Peel and slice the fruit and leave to soak for about thirty minutes in a syrup of sugar and lemon.

Pour the cake mixture into a buttered cake tin and bake in the oven at 180 degrees.
When the cake is ready, dissolve four tablespoons of jam in a little water and pour on the cake. Add the marinaded fruit.

Sbucciate e tagliate a fette la frutta e lasciatela macerare per circa trenta minuti in uno sciroppo di zucchero e limone.
Stendete la pasta in una tortiera imburrata e cuocetela in forno a 180 gradi.
Quando la torta è pronta sciogliete quattro cucchiaiate di marmellata in un po' d'acqua e versatele sulla torta. Aggiungete la frutta macerata.

▶ HOUSEHOLD ITEMS 9b; BASIC FOODSTUFFS 9b

Health & Illness

11a Accidents & Emergencies

accident l'incidente *(f)*
ambulance l'ambulanza *(f)*
I attack aggredisco [-ire]
black eye l'occhio *(m)* nero
break la rottura, la frattura
I break rompo [-ere], fratturo [-are]
I break my arm mi rompo [-ere] il braccio
breakage la rottura
broken rotto, fratturato
I have broken my leg mi sono rotto la gamba
bruise il livido
I bruise mi faccio [fare] un livido, ammacco [-are]
burn la bruciatura, la scottatura
I burn brucio [-are], mi scotto [-are]

casualty la vittima, il ferito
casualty department il pronto soccorso
it catches fire si incendia [-are]
I collide mi scontro [-are]
collision lo scontro, la collisione
I crash mi scontro [-are]
I crush schiaccio [-are]
I cut taglio [-are]
I cut myself mi sono tagliato [-are]
I have cut my finger mi sono tagliato il dito
dead morto
death la morte
I die muoio [morire]
emergency l'emergenza *(f)*
emergency exit l'uscita *(f)* d'emergenza

There has been an accident! We need an ambulance immediately. Call the fire department!

C'è stato un incidente! Occorre un'ambulanza immediatamente. Chiamate i pompieri!

My friend is injured. Don't move him! He may have injured his spine.

Il mio amico è ferito. Non muoverlo! Può avere danneggiato la spina dorsale.

—Are you a doctor? Do you know how to resuscitate?
—I am sorry, I have never done any first aid training.

—Lei è medico? Conosce la tecnica di rianimazione?
—Mi displace, non ho mai fatto un corso di pronto soccorso.

➤ PARTS OF THE BODY App. 5b; ILLNESS & DISABILITY 11b

emergency services **i servizi d'emergenza**
it explodes **esplode [-ere]**
explosion **l'esplosione** *(f)*
I extinguish **estinguo [-ere]**
fatal **fatale, mortale**
fine **la multa, l'ammenda** *(f)*
fire **il fuoco, l'incendio** *(m)*
fire brigade **i pompieri**
fire engine **l'autopompa** *(f)*
fire extinguisher **l'estintore** *(m)*
fireman **il pompiere**
first aid / emergency room **il pronto soccorso**
graze **l'escoriazione** *(f)*, **l'abrasione** *(f)*
I have had an accident **ho avuto [avere] un incidente**
hospital **l'ospedale** *(m)*
impact **l'impatto** *(m)*, **il colpo**
incident **l'incidente** *(m)*
I injure **faccio [fare] male, ferisco [-ire]**
injury **la ferita**
injured **ferito**
insurance **l'assicurazione** *(f)*
I insure **assicuro [-are]**

I kill **uccido [-ere]**
killed **ucciso**
life belt **la cintura di sicurezza**
life jacket **il giubbotto di salvataggio**
oxygen **l'ossigeno** *(m)*
paramedic **il paramedico**
I recover **mi rimetto [-ere]**
recovery **il ricupero, la ripresa**
I rescue **salvo [-are], soccorro [-ere]**
rescue **il soccorso, il salvataggio**
rescue services **i servizi di soccorso**
I run over **investo [-ire]**
safe and sound **sano e salvo**
safety belt **la cintura di sicurezza**
salvage **il salvataggio**
I save **salvo [-are]**
scar **la cicatrice**
seat belt **la cintura di sicurezza**
terrorist attack **l'attacco** *(m)* **terroristico**
third party **i terzi** *(pl)*
witness **il / la testimone**
wounded **ferito**

Where's the nearest hospital? | **Dov'è l'ospedale più vicino?**

Hurry, my wife is about to have a baby! | **Si sbrighi, mia moglie sta per partorire!**

This casualty needs to be admitted to the hospital immediately. | **Questo ferito deve essere ricoverato d'urgenza.**

This one can go to the outpatient department. | **Questo può andare in ambulatorio.**

Call a doctor, quick! | **Presto, chiamate un medico!**

▶ MEDICAL TREATMENT 11C; HEALTH & HYGIENE 11d; DEATH 7c

11b Illness & Disability

ache **il dolore**
alive **vivo**
I am ill/sick **sto [-are] male, sono [essere] malato**
I am sick/vomit **vomito [-are]**
he amputates **amputa [-are]**
amputee **l'amputato** *(m)*
amputation **l'amputazione** *(f)*
arthritis **l'artrite** *(f)*
asthma **l'asma** *(f)*
I bleed **perdo [-ere] sangue**
blind **cieco, non vedente**
blood **il sangue**
breath **il fiato, l'alito** *(m)*, **il respiro**
I breathe **respiro [-are]**
breathless **senza fiato/respiro**
broken **rotto**
it burns **brucia [-are]**
cancer **il cancro**
catarrh **il catarro**
I catch cold **prendo [-ere] un raffreddore**
cold **il raffreddore**
constipated **stitico**
constipation **la stitichezza**
convalescence **la convalescenza**
I am convalescing **sono [essere] in convalescenza**
cough **la tosse**
I cough **tossisco [-ire]**
I cry **piango [-ere]**
dead **morto**
deaf **sordo, non udente**
deafness **la sordità**

death **la morte**
depressed **depresso**
depression **la depressione**
diarrhea **la diarrea**
I die **muoio [morire]**
diet **la dieta**
disabled **invalido, disabile**
disease **la malattia**
dizziness **lo stordimento**
dizzy **stordito**
drugs/medication **i medicinali, le droghe, gli stupefacenti**
drugged **drogato, narcotizzato**
dumb **muto, non parlante**
earache **mal di orecchio**
I fall **cado [-ere]**
I feel dizzy **mi gira [-are] la testa**
I feel ill/unwell **mi sento [-ire] male, sto [-are] male**
fever **la febbre**
feverish **febbrile**
flu **l'influenza** *(f)*
I got better **mi sono rimesso [rimettere]**
I had an operation **sono stato [-are] operato**
I have a cold **ho [avere] un raffreddore, sono [essere] raffreddato**
I have a temperature **ho [avere] la febbre**
headache **il mal di testa**
heart attack **l'attacco** *(m)* **cardiaco**

—I don't feel at all well!

—Have you checked your temperature?

—I am aching all over. I feel a sharp pain right here.

—**Non mi sento molto bene!**

—**Ti sei misurata la febbre?**

—**Mi fa male dappertutto! Sento un dolore acuto proprio qui.**

high blood pressure **l'ipertensione** *(f)*
hurt **ferito**
it hurts **mi fa [fare] male**
ill / sick **malato, ammalato**
illness **la malattia**
jaundice **l'itterizia** *(f)*
I live **vivo [-ere]**
I look (ill) **sembro [-are] (malato)**
mental illness **la malattia mentale**
mentally sick **malato mentale**
migraine **l'emicrania** *(f)*
mute **muto, non parlante**
pain **il dolore**
painful **doloroso**
pale **pallido**
paralysis **la paralisi**
paralyzed **paralizzato**
pneumonia **la polmonite**
I recover / get well **mi rimetto [-ere]**
recovery **la ripresa**
rheumatism **il reumatismo**
sick / ill **malato**
I sneeze **starnutisco [-ire]**
sore throat **il mal di gola**
sting **la puntura**
it stings **punge [-ere], pizzica [-are]**
stomach **lo stomaco**
stomachache **il mal di stomaco**
stomach upset **il mal di pancia**
I sweat **sudo [-are]**
symptom **il sintomo**
I take drugs **prendo [-ere] medicine**

temperature **la febbre, la temperatura**
tonsillitis **la tonsillite**
toothache **il mal di denti**
ulcer **l'ulcera** *(f)*
visually handicapped **minorato della vista**
I vomit **vomito [-are]**
What's wrong? **Che c'é? Cosa hai?**

Medicines & first aid

analgesic **un analgesico**
aspirin **l'aspirina** *(f)*
(elastic) bandage **la benda (elastica)**
Bandaid® / sticking plaster **il cerotto adesivo**
cotton wool **il cotone idrofilo**
cough mixture **lo sciroppo per la tosse**
disinfectant **il disinfettante**
eye drops **le gocce per gli occhi**
gauze **la garza**
iodine **la tintura di iodio**
laxative **il lassativo**
mouthwash **il gargarismo**
sleeping pills **i sonniferi**
tablets **le pastiglie**
throat lozenges **le pasticche per la gola**
tranquillizers **i tranquillanti**
vitamin pills **le vitamine**

—It's probably just flu. There is no need to call the doctor. You need to rest and drink lots of fluids. I'll check if we have aspirins in the medicine cabinet.

—**Probabilmente è solo influenza. Non c'è bisogno di chiamare il medico. Devi riposare e bere molto. Ora vedo se abbiamo dell'aspirina nell'armadietto dei medicinali.**

▶ PARTS OF THE BODY App. 5b; PHYSICAL STATE 11d

11c Medical Treatment

application form **il modulo**
appointment **l'appuntamento** *(m)*
bandage **la benda, la fascia**
blood pressure **la pressione del sangue**
blood test **l'esame** *(m)* **del sangue**
blood transfusion **la trasfusione di sangue**
capsule **la capsula**
chemotherapy **la chemioterapia**
cosmetic surgery **la chirurgia estetica**
critical **critico**
cure **la cura**
danger to life **il pericolo mortale**
dangerous **pericoloso**
death **la morte**
I diet **sono [essere] a dieta**
doctor (Dr.) **il dottor (Dott.), la dottoressa**
drug **la medicina, il medicinale**
I examine **esamino [-are]**
examination **la visita medica, l'esame** *(f)*

I fill **riempio [-ire]**
four times a day **quattro volte al giorno**
hospital **l'ospedale** *(m)*
I improve **miglioro [-are]**
injection **l'iniezione** *(f)*
insurance certificate **il certificato d'assicurazione**
I look after **accudisco [-ire]**
medical **medico**
medicine **la medicina**
midwife **l'ostetrica** *(f)*
nurse **l'infermiere** *(m)*
I nurse **assisto [-ere], curo [-are]**
I operate **opero [-are]**
operation **l'operazione** *(f)*
pap smear **il test di pap**
pastille **la pastiglia**
patient **il / la paziente**
physiotherapy **la fisioterapia**
physiotherapist **il / la fisioterapista**
pill **la pillola**
plaster (of Paris) **il gesso**
  in plaster **ingessato**

I have a bad cold. I can't breathe very well.

Ho un gran raffreddore. Non posso respirare bene.

I think I have broken my left arm. It hurts a lot.

Penso di essermi rotto il braccio sinistro. Fa molto male.

I feel dizzy when I stand up. I don't usually faint!

Ho il capogiro quando mi alzo. Normalmente non svengo!

I have been sick several times. However, the dizziness is wearing off.

Ho vomitato parecchie volte. Pero il capogiro mi sta passando.

I don't know what is wrong with him. Does he suffer from high blood pressure?

Non so che cosa abbia. Soffre di ipertensione?

Remember that he is allergic to penicillin.

Ricordati che è allergico alla penicillina.

I prescribe **prescrivo [-ere]**
prescription **la ricetta, il ticket**
radiotherapy **la radioterapia**
receptionist **il / la receptionist**
service **il servizio**
I set *(bone)* **messo [mettere] a posto**
spa resort **la stazione termale**
specialist **lo / la specialista**
stitch **il punto**
surgery **la chirurgia**
surgery hours **l'orario** *(m)* **di consultazione medica**
symptom **il sintomo**
syringe **la siringa**
tablet **la pillola**
therapeutic **terapeutico**
therapy la **terapia**
therapist **il / la terapeuta**
thermometer **il termometro**
I treat **curo [-are]**
treatment **la cura, il trattamento**
ward **il padiglione, il reparto**
wound **la ferita**

he x-rays **radiografa [-are]**
X rays **i raggi**

Dentist & optician

abscess **l'ascesso** *(m)*
anesthetic **l'anestesia** *(f)*
I check / test **controllo [-are]**
contact lens **la lente a contatto**
dentist **il dentista**
denture **la dentiera**
extraction **l'estrazione** *(f)*
eyeglass / spectacle case **l'astuccio** *(m)* **per occhiali**
eyesight **la vista**
eyestrain **la fatica oculare**
farsighted / longsighted **presbite**
filling **l'otturazione** *(f)*
frame **la montatura**
glasses / spectacles **gli occhiali**
lens **la lente**
nearsighted / shortsighted **miope**
optician **l'ottico** *(m)*
tooth **il dente**
I have a toothache **ho [avere] mal di denti**

I have a sore throat, and I have a migraine coming on. But I am not ill very often.	**Ho mal di gola. E mi sta venendo l'emicrania. Ma non mi ammalo spesso.**
She has fully recovered from cancer.	**È guarita completamente dal cancro.**
Is he a good doctor? Can he diagnose the symptoms and prescribe a cure?	**È un bravo medico? Può fare una diagnosi dei sintomi e prescrivere una cura?**
He does not like injections.	**Non gli piacciono le iniezioni.**
I have lost my tablets.	**Ho perso le (mie) pillole.**
Will I need an operation? I have my medical insurance.	**Dovrò essere operato? Ho l'assicurazione medica.**
He had an operation recently. He seems to be recovering.	**È stato operato recentemente. Sembra che si stia rimettendo.**

➤ HOSPITAL DEPARTMENTS App. 11c

11d Health & Hygiene

Physical state

aching	**dolorante**
asleep	**addormentato**
awake	**sveglio**
blister	**la vescica**
boil	**il foruncolo**
bruise	**la contusione**
comfort	**il ristoro**
comfortable	**senza dolore**
dehydrated	**disidratato**
discomfort	**il fastidio**
dizziness	**lo stordimento, il capogiro**
dizzy	**stordito**
drowsiness	**la sonnolenza**
drowsy	**assonnato**
drunk	**ubriaco, sbronzo** *(fam)*
I exercise	**faccio [fare] del moto**
exercise bike	**la bicicletta da camera**
faint	**debole, pallido, che sta per svenire**
I faint	**svengo [svenire]**
I feel	**mi sento [-ire]**
fit	**in forma**
fitness	**la buona salute / forma**
health	**la salute**
healthy	**in buona salute, sano**
I am hot / cold	**ho [avere] caldo / freddo**
hunger	**la fame**
hungry	**affamato**
I'm hungry	**ho [avere] fame**
ill / sick	**malato**
I lie down	**mi sdraio [-are], mi stendo [-ere]**

I look well	**ho [avere] buon aspetto**
graze	**l'escoriazione** *(f)*
queasy	**nauseato**
I relax	**mi rilasso [-are]**
I rest / have a rest	**mi riposo [-are]**
seasick	**il mal di mare**
sick	**malato**
I sleep	**dormo [-ire]**
sleepy	**assonnato**
stable	**stabile**
stamina	**la resistenza, il vigore**
thirst	**la sete**
I'm thirsty	**ho [avere] sete**
tired	**stanco**
tiredness	**la fatica**
uncomfortable	**scomodo**
under the weather	**sentirsi [-ire] giù**
unfit	**malandato**
unwell	**indisposto**
I wake up	**mi sveglio [-are]**
well	**bene**
well-being	**il benessere**

Beauty & hygiene

bath	**il bagno**
beauty	**la bellezza**
beauty contest	**il concorso di bellezza**
beauty salon / parlor	**l'istituto** *(m)* **di bellezza**
beauty queen	**la reginetta di bellezza**

I need a shower.	**Devo fare una doccia.**
I'd like a haircut, please. Don't cut it too short.	**Vorrei il taglio dei capelli, per favore. Non li tagli troppo corti.**

beauty treatment **la cura di bellezza**
body odor / odour **l'odore** (m) **del corpo**
I burp / belch **erutto [-are]**
I brush **mi spazzolo [-are]**
brush **la spazzola**
I clean **pulisco [-ire]**
clean **pulito**
I clean my teeth **mi lavo [-are] i denti**
comb **il pettine**
I comb my hair **mi pettino [-are]**
I have a good complexion **ho [avere] un bel colorito**
condom **il preservativo**
contraceptive **il contraccettivo**
contraception **la contraccezione**
I cut **taglio [-are]**
dandruff **la forfora**
I defecate **defeco [-are]**
dirty **sporco**
diet (usual food) **l'alimentazione** (f)
I am on a diet **sono [essere] a dieta**
electric razor **il rasoio elettrico**
facial mask / face-pack **la maschera di bellezza**
flannel **la flanella, la pezzuola**
flea **la pulce**
hairbrush **la spazzola per capelli**
haircut **il taglio di capelli**
I get my haircut **mi taglio [-are] i capelli**
healthy diet **la dieta** (f) **sana**
hygiene **l'igiene** (f)
hygienic / sanitary **igienico**

laundry (establishment) **la lavanderia automatica**
laundry (linen) **la biancheria**
lotion **la lozione**
louse / nit **il pidocchio**
I'm losing my hair **perdo [-ere] i capelli**
manicure **la manicure**
I menstruate **mestruo [-are]**
menstruation **le mestruazioni** (f)
nailbrush **lo spazzolino per le unghie**
period **le mestruazioni**
period pains **i dolori mestruali**
razor **il rasoio**
sanitary napkin / towel **l'assorbente** (f)
sauna **la sauna**
scissors **le forbici**
shampoo **lo sciampo**
I shave **mi faccio la barba**
shower **la doccia**
smell (odor) **l'odore** (m)
I smell (have an odor) **puzzo [-are]**
soap **il sapone**
spotty **foruncoloso**
sweat **il sudore**
I sweat **sudo [-are]**
I take a bath **faccio [fare] il bagno**
I take a shower **faccio [fare] la doccia**
tampon **il tampone**
toothbrush **lo spazzolino da denti**
toothpaste **il dentifricio**
towel **l'asciugamano** (m)
I wash **(mi) lavo [-are]**

A little more off the back and sides please. | **Ancora un po' dietro e ai lati.**

Please trim my mustache. | **Per favore, mi spunti i baffi.**

> AT THE HAIRDRESSER App. 11d; DESCRIBING PEOPLE 5a

Social Issues

12a Society

abnormal **anormale**
alternative **l'alternativa** *(m)*
amenities **le amenità**
anonymous **anonimo**
attitude **l'atteggiamento**
available **disponibile**
basic **di fondo, basilare**
basis **la base, il fondamento**
burden **il carico, il peso**
campaign **la campagna**
care **la cura**
cause **la causa**
change **il cambiamento**
circumstance **la circostanza**
community **la comunità**
compulsory **obbligatorio**
contribution **il contributo**
it costs **costa [-are]**
I counsel **consiglio [-are],
raccomando [-are]**
counseling **il servizio di
consulenza**
criterion **il criterio**
dependence **la dipendenza**
dependent **dipendente**
deprived **indigente, bisognoso**
difficulty **la difficoltà**
effect **l'effetto** *(m)*
effective **efficace, valido**
finance **la finanza**
financial **finanziario**
frustrated **frustrato, insoddisfatto**
frustration **la frustrazione**
guidance **la guida, l'orientamento**
increase **l'aumento** *(m)*
infrastructure **l'infrastruttura** *(f)*
insecurity **l'insicurezza** *(f)*
institution **l'istituzione** *(f)*
instability **l'instabilità** *(f)*

loneliness **la solitudine**
lonely **solo**
long-term **a lungo termine**
measure **la misura**
negative **negativo**
normal **normale**
policy **la politica, la tattica**
positive **positivo**
power **il potere**
prestige **il prestigio**
privilege **il privilegio**
problem **il problema**
protest movement **il movimento di
contestazione / protesta**
I provide (with) **fornisco [-ire],
doto [-are], procuro [-are]**
provision **il provvedimento, la
misura**
psychological **psicologico**
quality of life **la qualità della vita**
question / issue **la questione**
rate **il tasso**
responsibility **la responsabilità**
responsible **responsabile**
result **il risultato**
right **giusto, esatto**
role **il ruolo**
rural **campestre, rurale**
scarcity **la scarsezza, la carenza**
scheme **il piano, il progetto**
secure (in-) **(in)sicuro**
security **la sicurezza**
self-esteem **la stima di sé**
short-term **a breve termine**
situation **la situazione**
social **sociale**
society **la società**
stable (un-) **(in)stabile**
stability **la stabilità**

statistics **le statistiche**
status **lo stato, la posizione**
stigma **lo stigma**
stress **la tensione, lo stress**
stressful **stressante**
structure **la struttura**
superfluous **superfluo**
support **il sostegno, l'appoggio**
(m)
I support **reggo [-ere], sostengo**
[-ere], appoggio [-are]
urban **urbano, cittadino**
value **il valore, il pregio**

Some useful verbs

I adapt **mi adatto [-are]**
it affects **tocca [-are], influisce**
[-ire]
I afford **posso [potere]**
permettermi
I am alienated **sono [essere]**
alienato
I break down **fallisco [-ire], vado**
[andare] a pezzi
I campaign **partecipo [-are] a una**
campagna
I care for . . . **. . . è importante per**
me, mi piace [piacere] . . .
I cause **causo [-are], sono**
[essere] responsabile (di)
it changes **cambia [-are]**

I contribute **contribuisco [-ire] a**
I cope **faccio [fare] fronte a**
I depend on **dipendo [-ere] da**
I deprive **privo [-are]**
I discourage **scoraggio [-are],**
dissuado [-ere]
I dominate **domino [-are]**
I encourage **incoraggio [-are]**
I help **aiuto [-are]**
I increase **aumento [-are]**
I lack **manco [-are] di**
I look after **mi prendo [-ere]**
cura di
I need **ho bisogno [-are] di**
I neglect **trascuro [-are]**
I owe **devo [-ere]**
I protest **protesto [-are]**
I provide for **provvedo [-ere] a**
I put up with **sopporto [-are],**
reggo [-ere]
I rely on **conto [-are] su**
I respect **rispetto [-are]**
I share **condivido [-ere]**
I solve **risolvo [-ere]**
I suffer from **soffro [-ire], patisco**
[-ire] di
I support **sostengo [-ere]**
I tackle **affronto, esamino [-are]**
I value **valorizzo [-are]**

In most major cities there are
immense social problems.

**In quasi tutte le grandi città ci
sono problemi sociali immensi.**

The community can no longer
support all those who need help.

**La comunità non può più
reggere tutti coloro che hanno
bisogno di aiuto.**

Despite campaigns to help the
homeless and unemployed, the
situation remains serious.

**Nonostante le campagne a
sostegno dei senzatetto e dei
disoccupati, la situazione
permane grave.**

SOCIAL ISSUES

12b Poverty & Social Services

Social services

aid   **l'aiuto** *(m)*, **il sostegno**
agency   **l'agenzia** *(f)*
authority   **l'autorità** *(f)*
benefit   **l'idennità** *(f)*
I benefit   **beneficio [-are] (di)**
charity   **la beneficienza**
child maintenance   **gli alimenti**
claim   **la richiesta**
I claim   **reclamo [-are], richiedo [-ere]**
disabled   **disabile**
dole   **il sussidio di disoccupazione**
I am eligible for   **sono [essere] idoneo a, ho [avere] diritto a**
family allowance   **gli assegni familiari**
frail   **delicato, fragile**
frailty   **la fragilità, la delicatezza**
grant   **la borsa (di studio), il sussidio**
handicap   **l'handicap** *(m)*, **lo svantaggio**
handicapped   **l'handicappato, lo svantaggiato**
ill health   **la malattia**
income support   **gli assegni familiari**
loan   **il prestito**
maintenance   **il mantenimento**
official   **il funzionario**

reception center / centre   **il centro di accoglienza**
Red Cross   **la Croce Rossa**
refuge   **il rifugio**
refugee   **il profugo**
I register   **registro [-are]**
registration   **la registrazione**
Salvation Army   **l'Esercito della Salvezza**
service   **il servizio**
social security   **l'assistenza** *(f)* **sociale**
social worker   **l'assistente** *(m / f)* **sociale**
support   **il sostegno, l'assistenza** *(f)*
I support   **sostengo [-tenere]**
welfare   **l'assistenza** *(f)*
welfare state   **lo stato assistenziale**

Wealth & poverty

affluence   **la ricchezza**
I beg   **elemosino [-are]**
beggar   **il / la mendicante**
broke   **senza un soldo**
debt   **il debito, l'obbligo** *(m)*
I am in debt   **ho [avere] debiti**
deprivation   **la privazione**
destitute   **bisognoso, indigente**
living standards   **il tenore di vita**
millionaire   **il milionario**
need   **il bisogno**
nutrition   **l'alimentazione** *(f)*

—There is a reception center / centre for immigrants coming from countries other than Europe and for political refugees.
—What do the centers / centres provide?
—Mainly food, temporary accommodation, legal advice, and language training.

—**C'è un centro d'accoglienza per gli extracomunitari e per i profughi politici.**
—**Che cosa provvedono i centri?**
—**Principalmente pasti, sistemazione temporanea, assistenza legale e corsi di lingua.**

---

pension   **la pensione**
pensioner   **il pensionato**
poor   **povero**
poverty   **la miseria, la povertà**
   I live in poverty   **vivo [-ere] in miseria**
subsistence   **i mezzi di sussistenza**
tramp / vagrant   **il vagabondo, il nomade**
vulnerability   **la vulnerabilità**
vulnerable   **vulnerabile**
wealth   **i beni, la ricchezza**
wealthy / rich   **ricco**
I am well-off   **sono [essere] benestante**

Unemployment
_____

I cut back *(on jobs)*   **taglio [-are] la manodopera**
I dismiss   **licenzio [-are]**
dole   **il sussidio di disoccupazione**
employment   **l'impiego, il lavoro, l'occupazione** *(f)*
full time   **a tempo pieno**
I give notice   **do [dare] le dimissioni**
job   **il lavoro, l'impiego** *(m)*, **il posto**
job center / centre   **l'ufficio** *(m)* **di collocamento**

job creation scheme   **il progetto per la creazione di posti di lavoro**
job sharing   **il lavoro diviso**
long-term unemployed   **disoccupazione a lungo termine**
I have lost my job   **ho perso [-ere] il posto**
occupation / job   **l'occupazione** *(f)*
part time   **il lavoro a tempo parziale**
qualification   **le qualifiche**
qualified   **qualificato**
redundancy   **il licenziamento (per ridurre il personale)**
redundant   **licenziato**
   I am made redundant   **sono licenziato**
retraining   **la riqualificazione**
   I am retrained   **sono riqualificato**
short-time work   **il lavoro a breve termine**
staff cutback   **i tagli al personale**
trade union   **il sindacato**
training program / scheme   **il programma di formazione**
unemployed   **disoccupato**
unemployment   **il sussidio di disoccupazione**
unemployment figure   **le cifre della disoccupazione**
unemployment rate   **il tasso di disoccupazione**
unskilled   **l'operaio** *(m)* **non qualificato**
vacancy   **il posto vacante**

_____

— Is the level of unemployment in Italy very high?
— In some areas it is about fifteen percent.
— Are training schemes available?
— Yes, but not in all sectors.

— **Il tasso di disoccupazione in Italia è molto alto?**
— **In alcune zone è del quindici percento.**
— **Ci sono programmi di riqualificazione?**
— **Sì, ma non in tutti i settori.**

▶ WORK 14; JOB APPLICATION 14C

SOCIAL ISSUES

12c Housing & Homelessness

accommodation **l'alloggio** *(m)*, **l'abitazione** *(f)*

apartment / flat **l'appartamento** *(m)*
  apartment house / block of flats **il palazzo, il condominio**

I build **costruisco [-ire]**

building **l'edificio** *(m)*

comfortable / homely **confortevole**

commune **la comunità**

I commute **faccio [fare] il pendolare**

commuter **il pendolare**

dilapidated **cadente, in rovina**

it deteriorates **peggiora [-are]**

drab **grigio, incolore**

furnished **ammobiliato**

furnished rooms / digs **le stanze ammobiliate**

house **la casa**
  detached house **la casa unifamiliare**
  council house **la casa comunale**
  semi-detached house **la casa bifamiliare**

terraced house **la villetta con terrazzo**

housing **l'alloggiamento** *(m)*
  housing policy **la politica della casa**

landlord **il locatario, il proprietario**

I let / rent **affitto [-are]**

living conditions **le condizioni di vita**

I maintain **faccio [fare] la manutenzione**

I modernize **rimoderno [-are]**

mortgage **il mutuo**
  mortgage rate **il tasso di mutuo**

I move (house) **trasloco, cambio casa**

I occupy **occupo [-are]**

own **proprio**

owner-occupied house **la casa occupata dal proprietario**

planning **la pianificazione**

property *(land)* **il terreno**

— Is the city / council planning to renovate the old market?

— Il comune sta progettando il rinnovo del vecchio mercato?

— Yes, the whole structure will be pulled down.

— Sì, demoliranno tutta la struttura.

— Are you hoping to buy your own home soon?

— Speri di comprarti la casa presto?

— Yes, we are trying to get a mortgage. We have found an older property that we will modernize.

— Sì, stiamo cercando di ottenere un mutuo. Abbiamo trovato una vecchia proprietà che rinnoveremo.

public housing / social housing / council housing **gli edifici comunali**

real estate / estate agent **l'agente** *(m / f)* **immobiliare**

I renovate **rinnovo [-are]**

I rent **affitto [-are]**

rent **l'affitto** *(m)*, **la locazione**

I repair **riparo [-are]**

repairs **le riparazioni**

residential area **la zona residenziale**

speculator **lo speculatore**

squalid **squallido**

suburb **la periferia**

tenant **l'inquilino** *(m)*

town planning **l'urbanistica** *(f)*

town planner **l'urbanista** *(m / f)*

urban development **lo sviluppo urbanistico**

unfurnished **senza mobili**

wasteland **il terreno incolto**

Housing shortage

camp **il campeggio, il campo**

commune **la comunità, il comune**

I demolish **demolisco [-ire]**

demolition **la demolizione**

I evict **sfratto [-are] un inquilino**

eviction order **l'ordine** *(m)* **di sfratto**

it falls down **cade [-ere] a pezzi**

homeless **senzatetto**

housing problem **il problema della casa / dell'alloggio**

housing shortage **la crisi dell'alloggio**

hostel **l'ostello** *(m)*

overcrowded **sovraffollato**

overcrowding **il sovraffollamento** *(m)*

I pull down **demolisco [-ire]**

shanty town **la bidonville, la tendopoli**

shelter **il rifugio**

I sleep outdoors / rough **dormo [-ire] per le strade**

slum **i quartieri poveri**

slum clearance **il risanamento dei quartieri poveri**

I squat **occupo [-are] abusivamente**

squatter **chi occupa abusivamente**

squatting **l'occupazione** *(f)* **abusiva**

it stands empty **rimane vuoto**

Living conditions in those apartment buildings / blocks of flats are poor. They are overcrowded, and the landlords no longer repair them.

Le condizione di vita in quei palazzi sono scadenti. C'è sovraffollamento e i proprietari non eseguono più le riparazioni.

My sister lives in a new section in the suburbs. She has a long trip every day into work.

Mia sorella abita in un nuovo quartiere in periferia. Ha un lungo percorso da fare ogni giorno per recarsi al lavoro.

12d Addiction & Violence

abuse	l'abuso (m)	fear	la paura
I abuse	abuso [-are]	I fear	ho [avere] paura
act of violence	l'atto (m) di violenza	force	la forza
aggression	l'agressione (f)	gang	la banda
aggressive	aggressivo	I harass	molesto [-are], tormento [-are]
alcohol	l'alcol	hoodlum / hooligan	il / la teppista
alcoholic	l'alcolizzato (m)	hostile	ostile
alcoholism	l'alcolismo (m)	hostility	l'ostilità (f)
anger	la rabbia	insult	l'insulto (m), l'offesa (f)
angry	arrabbiato, rabbioso	I insult	insulto [-are]
I attack	aggredisco [-ire]	intoxication	l'ebbrezza (f), l'ubriachezza (f)
attack	l'aggressione (f)	legal (il-)	(il)legale
I beat up	picchio [-are]	I mug	aggredisco [-ire] per rapina
I bully	intimidisco [-ire]	mugger	il rapinatore, l'aggressore (m)
bully	il prepotente, il bullo	nervous	nervoso
child abuse	la violenza ai minori	nervousness	il nervosismo
consumption	il consumismo	pimp	il protettore
dangerous	pericoloso	pornographic	pornografico
domestic violence	la violenza domestica	pornography	la pornografia
I drink	bevo [bere]	prostitute	la prostituta
I get drunk	mi ubriaco [-are]	prostitution	la prostituzione
drunk	ubriaco, ebbro	rape	lo stupro
drunken driving	la guida in stato d'ebbrezza	rapist	lo stupratore
effect	l'effetto (m)	rehabilitation	la riabilitazione
fatal	fatale, mortale		

Gangs sometimes mug tourists or terrorize passersby.	A volte gruppi di teppisti aggrediscono i turisti o terrorizzano i passanti.
I do not want to live in a society where older people and women are afraid to go out alone.	Non voglio vivere in una società dove gli anziani e le donne hanno paura di uscire da soli.
Some young people have a drug problem.	Alcuni giovani hanno un problema di droga.
Generally, they start by sniffing solvents, or by taking soft drugs.	Generalmente cominciano ad annusare solventi o prendere droghe leggere.

sexual harassment **le molestie sessuali**
I terrorize **terrorizzo [-are]**
I threaten **minaccio [-are]**
thug **il teppista**
vandal **il vandalo**
vandalism **il vandalismo**
victim **la vittima**
victimization **la vittimizzazione**
victim support **l'assistenza** *(f)* **alle vittime**
violent **violento**

Drugs

addict **il / la tossicodipendente**
addiction **la dipendenza**
addictive **che crea dipendenza**
addicted to drugs **tossicomane**
AIDS **l'AIDS**
cocaine **la cocaina**
crack **il crack**
I deal **traffico [-are]**
dealer **il trafficante di droga**
drug **la droga**
drug scene **l'ambiente** *(m)* **della droga**
drug traffic **lo spaccio della droga**
I dry out **faccio [fare] una cura disintossicante**
I get infected **sono [essere] infetto**

glue **la colla**
hard drugs **la droga pesante**
hash **l'hashish** *(m)*
I have a fix **prendo [-ere] la droga**
heroin **l'eroina** *(f)*
HIV positive **HIV positivo**
I inject **inietto [-are]**
junkie **un tossicodipendente**
I kick *(the habit)* **smetto [-ere] di prendere**
I legalize **legalizzo [-are]**
LSD **LSD**
marijuana / cannabis **la canapa indiana**
narcotic **il narcotico**
narcotics squad **la squadra narcotici**
pusher **lo spacciatore**
I smoke **fumo [-are]**
I sniff **fiuto [-are], annuso [-are]**
soft drugs **la droga leggera**
solvent **il solvente**
stimulant **lo stimolante**
stimulation **lo stimolo**
syringe **la siringa**
I take drugs / a fix **prendo [-ere] la droga, mi drogo [-are]**
tranquilizer **il tranquillante**
withdrawal symptoms **i sintomi di astinenza**

The longing for a quick fix becomes more and more urgent. Withdrawal symptoms are very unpleasant.

Il desiderio di bucarsi diventa sempre più impellente. Le crisi di astinenza sono molto sgradevoli.

Some people think soft drugs should be legal.

Alcuni pensano che le droghe leggere dovrebbero essere legalizzate.

Most people are now aware of the connection between drugs and AIDS.

La maggioranza delle persone è ormai consapevole del rapporto che esiste fra la droga e l'AIDS.

▶ SMOKING App. 10d

SOCIAL ISSUES

12e Prejudice

asylum seeker **il profugo**
citizenship **la cittadinanza**
country of origin **il paese d'origine**
cultural **culturale**
culture **la cultura**
I discriminate **discrimino [-are]**
discrimination **la discriminazione**
dual nationality **la doppia nazionalità**
emigrant **l'emigrante** *(m/f)*
emigration **l'emigrazione** *(f)*
equal **uguale, pari**
equal opportunities **le pari opportunità**
equal pay **la parità salariale**
equal rights **i pari diritti**
equality (in-) **l'(in)eguaglianza**
ethnic **etnico**
far right **della estrema destra**
fascism **il fascismo**
fascist **il fascista**
foreign **straniero**
foreign workers **i lavoratori stranieri**
freedom **la libertà**
freedom of movement **la**

libertà di movimento
freedom of speech **la libertà di parola**
ghetto **il ghetto**
I immigrate **immigro [-are]**
immigration **l'immigrazione**
I integrate **mi integro [-are]**
integration **l'integrazione** *(f)*
intolerance **l'intolleranza** *(f)*
intolerant **intollerante**
majority **la maggioranza**
minority **la minoranza**
mother tongue **la madrelingua**
I persecute **perseguito [-are]**
persecution **la persecuzione**
politically correct **politicamente corretto**
prejudice **il pregiudizio**
prejudiced **prevenuto**
rabid **fanatico**
refugee **il profugo**
I repatriate **rimpatrio [-are]**
residence permit **il permesso di residenza**
right **il diritto**
right to asylum **il diritto d'asilo**

—Is racism a serious problem all over Europe?
—Yes, many religious and ethnic minorities suffer from discrimination.

—Il razzismo è un problema grave in tutta l'Europa?
—Sì, molti gruppi religiosi ed etnici minoritari sono vittime di discriminazione.

Immigration has contributed to the creation of a multicultural society.

L'immigrazione ha contribuito a creare una società multiculturale.

▶ POLITICS 25; RELIGION 13

right to residence   **il diritto di residenza**
second language   **la seconda lingua**
stereotype   **lo stereotipo**
tolerance   **la tolleranza**
tolerant   **tollerante**
I tolerate   **tollero [-are]**
unequal   **ineguale**
work permit   **il permesso di lavoro**

male   **il maschio**
  male *(adj)*   **maschile**
sexual   **sessuale**
sexuality   **la sessualità**
women's liberation movement   **il movimento per la liberazione della donna**
women's rights   **i diritti della donna**

Sexuality

female   **la femmina**
  female *(adj)*   **femminile**
feminism   **il femminismo**
feminist   **il / la femminista**
gay   **l'omosessuale** *(m/f)*
heterosexual   **l'eterosessuale** *(m/f)*
  heterosexual *(adj)*
  eterosessuale
homosexual   **l'omosessuale** *(m/f)*
  homosexual *(adj)*
  omosessuale
homosexuality   **l'omosessualità** *(f)*
lesbian   **la lesbica**
  lesbian *(adj)*   **lesbica**

What positive measures have been taken to prevent inequality? The laws against discrimination must be strengthened.

Quali misure sono state prese per prevenire l'ineguaglianza? Le leggi contro la discriminazione devono essere rinforzate.

The law still discriminates against homosexuals, although society is getting more tolerant.

La legge discrimina ancora contro gli omosessuali, sebbene la società stia diventando più tollerante.

Gay people have become more open about their sexuality.

Gli omosessuali sono diventati più aperti nel dichiarare la propria sessualità.

Religion

13a Ideas & Doctrines

agnostic **agnostico**
anglican **anglicano**
apostle **l'apostolo** *(m)*
atheism **l'ateismo** *(m)*
atheist **ateo**
atheistic **ateistico**
authority **l'autorità** *(f)*
belief **la fede**
I believe (in) **credo [-ere] in**
believer **il / la credente**
Bible **la Bibbia**
biblical **biblico**
blessed **santo, sacro**
Buddha **Budda**
Buddhism **il buddismo**
Buddhist **buddista**
calvinist **calvinista**
he canonizes **canonizza [-are]**
cantor **il cantore**
catholic **cattolico**
charismatic **carismatico**
charity **la carità**
Christ **(il) Cristo**
Christian **cristiano**
Christianity **la religione cristiana**
church **la chiesa**
commentary **il commento del Vangelo**
conscience **la coscienza**
conversion **la conversione**

convert **il convertito**
Counter-Reformation **la controriforma**
covenant **il patto presbiteriano**
disciple **il discepolo**
divine **divino**
duty **il dovere**
ecumenism **l'ecumenismo** *(m)*
ethical **etico, morale**
evil **malvagio, maligno**
faith **la fede**
faithful **fedele**
follower **il / la seguace**
I forgive **perdono [-are]**
forgiveness **il perdono**
free will **il libero arbitrio**
fundamentalism **il fondamentalismo**
fundamentalist **fondamentalista**
God **Dio**
goddess **dea**
Gospel **il Vangelo**
grace **la grazia**
heaven **il cielo, il paradiso**
Hebrew **ebreo, israelita**
hell **l'inferno** *(m)*
heretical **eretico**
Hindu **induista**
Hinduism **l'induismo** *(m)*
holiness **la santità**

There is considerable disagreement about the ordination of women to the priesthood.

C'è considerevole controversia sull'ordinazione delle donne al sacerdozio.

John Wesley said, "The world is my parish."

John Wesley disse: "Il mondo è la mia parrocchia."

holy **santo, sacro**
Holy Spirit **lo Spirito Santo**
hope **la speranza**
human **umano**
human being **l'essere** *(m)* **umano**
humanism **l'umanesimo** *(m)*
humanity **l'umanità** *(f)*
infallibility **l'infallibilità** *(f)*
infallible **infallibile**
Islam **l'Islam** *(m)*, **l'islamismo** *(m)*
Islamic **islamico**
Jesus **Gesù**
Jew **un ebreo**
Jewish **ebreo, ebraico**
Judaic **giudaico**
Judaism **il giudaismo**
Koran / Q'uran **il Corano**
Lord **il Signore, Dio**
merciful **pietoso, misericordioso**
mercy **la pietà, la misericordia**
Messiah **il Messia**
Mohammed **Maometto**
moral **morale, etico**
morality **la moralità**
Muslim **il mussulmano**
   Muslim *(adj)* **maomettano, mussulmano**
mysticism **il misticismo**
mystical **mistico**
myth **il mito**
New Testament **il Nuovo testamento**
nirvana **il nirvana**
Old Testament **il Vecchio testamento**
orthodox **ortodosso**
pagan **pagano**

parish **la parrocchia**
Pentateuch **il Pentateuco**
prophet **il profeta**
protestant **protestante**
Protestantism **il protestantesimo**
Quaker **il quacchero**
redemption **la redenzione**
reincarnation **la reincarnazione**
religion **la religione**
sacred **sacro, consacrato**
saint **santo**
Saint Peter **San Pietro**
he sanctifies **santifica [-are]**
Satan **Satana**
he saves **salva [-are]**
scripture **il Vangelo, le Sacre Scritture**
service **il servizio, la messa**
Sikhism **il sikhismo**
sin **il peccato**
sinful **peccaminoso**
sinner **il peccatore**
soul **l'anima** *(f)*
spirit **lo spirito**
spiritual **spirituale**
spirituality **la spiritualità**
Talmud **il talmud**
Taoism **il taoismo**
theological **teologico**
theology **la teologia**
traditional **tradizionale**
transcendental **trascendentale**
Trinity **la Trinità**
true **vero**
truth **la verità**
vision **la visione**
vocation **la vocazione**

The five pillars of Islam are belief in the One True God and His Prophet, prayer, fasting, giving alms, and pilgrimage to Mecca.

I cinque pilastri dell'Islam sono la fede nell'Unico Dio e nel Suo Profeta, la preghiera, il digiuno, fare la carità e il pellegrinaggio alla Mecca.

RELIGION

archbishop l'arcivescovo *(m)*
baptism il battesimo
bar mitzvah il bar mitzva
I bear witness to   do [dare]
   testimonianza a
bishop il vescovo
burial la sepoltura
cathedral la cattedrale, il duomo
chapel la cappella
christening il battesimo
clergy il clero
clergyman il sacerdote,
   l'ecclesiastico *(m)*
communion la comunione
   Holy Communion la Santa
   Comunione
community la comunità
I confess (faith) professo [-are]
   (la fede)
I confess *(sins)* confesso [-are] a
confession la confessione

confirmation la cresima
congregation (of cardinals) la
   congregazione (cardinalizia)
convent il convento
I convert *(others)* converto [-ire]
I convert *(self)* mi converto [-ire]
Eucharist l'eucaristia *(f)*
evangelical evangelico
evangelist l'evangelista *(m/f)*
I give alms dono [-are] / faccio
   [fare] benficenza
I give thanks ringrazio [-are]
imam l'imano *(m)*
intercession l'intercessione
laity i laici *(m)*, il laicato
lay laico
layperson un laico
the Lord's Supper l'ultima cena *(f)*
mass la messa
I meditate medito [-are]

Bishops in the Church of England are not afraid to speak about social problems.

I vescovi della chiesa anglicana non esitano a parlare dei problemi sociali.

The sacrament of Holy Communion will be celebrated on Sunday at nine o'clock.

Il sacramento della santa comunione sarà celebrato domenica alle ore nove.

The Parish Council meets regularly.

Il consiglio parrocchiale si riunisce regolarmente.

A few Muslim schoolgirls in France have come into conflict with the authorities because they chose to wear a veil to school.

Alcune alunne mussulmane in Francia sono entrate in conflitto con le autorità perchè hanno scelto di indossare il velo a scuola.

Every Muslim is called to prayer five times a day.

Ogni Mussulmano è tenuto a pregare cinque volte al giorno.

meditation **la meditazione**
minister **il ministro**
I minister to the parish **provvedo [-ere] ai bisogni della parrocchia**
ministry **il ministero, il sacerdozio**
mission **la missione**
missionary **il missionario**
monastery **il monastero**
monk **il monaco**
Mormon **mormone**
mosque **la moschea**
mullah **il mullah**
nun **la suora, la monaca**
parish **la parrocchia**
parishioner **il parrocchiano**
pastor **il pastore**
Pope **il papa**
I praise **lodo [-are]**
I pray (for) **prego [-are] per**
prayer **la preghiera**
prayerful **devoto, pio, religioso**
priest **il prete, il sacerdote**

rabbi **il rabbino**
Reformation **la riforma**
I repent **mi pento [-ire]**
repentance **il pentimento**
repentant **il pentito**
I revere **onoro [-are], venero [-are]**
reverence **la venerazione**
reverent **riverente**
rite **il rito**
ritual **il rituale**
sacrament **il sacramento**
see / bishopric **la diocesi**
synagogue **la sinagoga**
synod **il sinodo**
temple **il tempio**
vow **il voto**
wedding **lo sposalizio**
witness **il / la testimone**
I witness **sono testimone di**
worship **l'adorazione** *(f)*, **il culto**
I worship **onoro [-are], venero [-are]**

During the holy month of Ramadan, Muslims fast from dawn to dusk. The month ends with the celebration of the festival of Eid.

Durante il mese santo di Ramadan, i Mussulmani digiunano dall' alba al tramonto. Il mese si conclude con le celebrazioni del festival di Eid.

Those who are called to the ministry must demonstrate their vocation before being accepted to theological colleges.

Coloro che sono chiamati al ministero devono dimostrare la loro vocazione prima di venire accettati nei seminari.

The Baptist tradition is very strong in the American South.

La tradizione battista è molto forte nel sud degli Stati Uniti.

Religious fundamentalism can lead to fanaticism and intolerance in any religion.

Il fondamentalismo religioso può portare all'intolleranza e al fanatismo in ogni religione.

Business & Economics

14a The Economics of Business

I administer **amministro [-are]**
agreement **l'accordo** *(m)*
bureaucracy **la burocrazia**
business **gli affari**
  a business **l'impresa** *(f)*, **la società, l'azienda** *(f)*
capacity *(industrial)* **la capacità produttiva**
commerce **il commercio**
commercial **commerciale**
company **l'impresa** *(f)*, **l'azienda** *(f)*, **la società**
deal **un affare**
I deliver **consegno [-are]**
demand **la richiesta**
the product is in demand **il prodotto è richiesto**
development **lo sviluppo**
I earn (a living) **guadagno [-are] (da vivere)**
I employ **assumo [-ere]**
employment **l'impiego** *(m)*, **il lavoro, l'occupazione** *(f)*
executive **esecutivo**
I export **esporto [-are]**
exports **le esportazioni**
fall **il calo, il declino, la caduta**
goods **la merce**
it grows **cresce [-ere], aumenta [-are]**
I import **importo [-are]**
I increase **aumento [-are]**
increase **l'aumento** *(m)*, **la crescita**
industrial output **il rendimento, la produzione industriale**
industry **l'industria** *(f)*
I invest **investo [-ire]**
investment **l'investimento** *(m)*
layoffs **i licenziamenti**

living standards **il tenore di vita**
I manage **gestisco [-ire]**
management **la gestione**
multinational **multinazionale**
I negotiate **negozio [-are], tratto [-are]**
negotiations **i negoziati**
  one-to-one **faccia a faccia**
priority **la priorità**
I produce **produco [produrre]**
producer **il produttore**
production line **la catena di produzione**
productivity **la produttività, il rendimento**
quality **la qualità**
I raise (prices) **aumento [-are] (i prezzi)**
reliability **l'affidabilità** *(f)*
rise **l'aumento** *(m)*
  wages rise **l'aumento** *(m)* **delle retribuzioni**
semi-skilled **parzialmente qualificato**
services **i servizi**
I set (priorities) **stabilisco [-ire] (le priorità)**
sick leave **il permesso per malattia**
I sign *(contracts)* **firmo [-are] i contratti**
skilled labor / labour **la manodopera qualificata**
social welfare **l'assistenzialismo** *(m)* **sociale**
I strengthen **rinforzo [-are], rafforzo [-are]**
supplier **il fornitore**
supply **la fornitura**
tax **l'imposta** *(f)*, **la tassa**
I tax **tasso [-are]**

unemployment **la disoccupazione**

unemployment benefit **il sussidio di disoccupazione**

unskilled labor / labour **la manodopera non specializzata**

work ethic **l'etica** (f) **del lavoro**

workforce **la manodopera**

working week **la settimana lavorativa**

Labor / Industrial dispute

I am on strike **faccio [fare] sciopero**

blackleg / scab **il crumiro**

I boycott **boicotto [-are]**

I cross the picket line **attraverso i picchetti**

demonstration **la manifestazione**

industrial relations **le relazioni industriali**

labor / industrial dispute **la vertenza sindacale**

I lockout **attuo [-are] una serrata contro gli operai**

lockout **la serrata**

minimum wage **il salario minimo**

I picket **faccio [fare] picchettaggio**

picket **il picchettaggio**

productivity bonus **il premio di produzione**

I resume work **riprendo [-ere] il lavoro**

scab / strikebreaker **il crumiro**

settlement **un accordo**

stoppage **un arresto (di lavoro)**

strike **lo sciopero**

unofficial strike **lo sciopero selvaggio**

I strike / go on strike **faccio [fare] sciopero**

striker **lo scioperante**

strike ballot **la votazione**

trade union **il sindacato**

trade unionist **il / la sindacalista**

unfair dismissal **il licenziamento ingiustificato**

unionized labor / labour **la manodopera sindacalizzata**

wage demand **la rivendicazione salariale**

work slowdown / work to rule **lo sciopero bianco**

workers' unrest **le agitazioni operaie**

The chamber of commerce hopes these measures will enhance the country's competitiveness. The unions fear they will facilitate job losses.

La camera di commercio spera che queste misure aumenteranno la competitività del paese. I sindacati temono che faciliteranno la perdita di posti di lavoro.

Strikers blocked the port of Bari and all main roads to Rome.

Gli scioperanti hanno bloccato il porto di Bari e tutte le maggiori strade dirette a Roma.

The unions called for a reduction in the average weekly work hours per employee.

I sindacati hanno richiesto una riduzione dell'orario medio settimanale di lavoro per tutti i dipendenti.

➤ AT WORK 14b; PAY & CONDITIONS 14c; FINANCE 14d; BANKING 14e

BUSINESS & ECONOMICS

14b At Work

agenda **l'ordine** *(m)* **del giorno**
on the agenda **all'ordine del giorno**
I am away on business **sono [essere] via per affari**
business trip **il viaggio d'affari**
I buy **compro [-are]**
canteen **la mensa**
career **la carriera**
I chair a meeting **presiedo [-ere] una riunione**
I delegate **delego [-are]**
disciplinary proceedings **le procedure disciplinari**
grant **la concessione**
I grant permission to **concedo [-ere] il permesso di**
job **il lavoro, l'impiego** *(m)*
manager **il direttore, il dirigente**
management functions **le funzioni direttive**
I market **lancio [-are] sul mercato**
misconduct **la cattiva amministrazione**
occupation **l'occupazione** *(f)*
I'm off work **sono [essere] in ferie, non lavoro [-are]**
post **l'impiego** *(m)*, **il posto**
profession **la professione**
professional *(adj)* **professionale**
publicity **la pubblicità**
I qualify **sono qualificato, prendo la qualifica**
I report to . . . **il mio superiore è ...**

I am responsible for **sono [essere] responsabile (per)**
research **la ricerca**
I sell **vendo [-ere]**
I teach **insegno [-are], istruisco [-ire]**
I toil **lavoro [-are] duramente**
training **la formazione**
training course **il corso di formazione / aggiornamento**
I transfer **trasferisco [-ire]**
vacation / holiday **le ferie** *(pl)*
vocation **il mestiere, la professione**
wage earner **il salariato**
warning *(verbal)* **l'avvertimento** *(m)*, **la diffida**
written warning **la lettera di diffida**
I work **lavoro [-are]**
work **il lavoro, l'impiego** *(m)*
worker **il lavoratore, l'operaio** *(m)*

In the office

business lunch **il pranzo d'affari**
business meeting **la riunione (d'affari)**
computer **il computer, l'ordinatore** *(m)*
conference **il congresso, la conferenza**
conference room **la sala congressi / conferenze**

Employment patterns are shifting from traditional models of regular permanent jobs with one employer only to a wide range of freelance professional services delivered to various employers.

I modelli di occupazione stanno passando dai modelli tradizionali di impiego regolare e permanente per un datore di lavoro unico a una miriade di prestazioni professionali come collaboratori esterni per vari datori di lavoro.

desk **la scrivania**
I dictate **detto [-are]**
dictating machine **il dittafono**
electronic mail **la posta elettronica**
extension **l'interno** *(m)*
fax **il facsimile**
fax machine **il fax**
I fax **mando [-are] un fax**
file **lo schedario**
I file **archivio [-are]**
filing cabinet **il casellario, lo schedario**
intercom **il citofono**
open plan **a piano aperto**
photocopier **la fotocopiatrice**
photocopy **la fotocopia**
I photocopy **fotocopio [-are]**
pigeonhole **la casella**
reception **la ricezione**
receptionist **il / la ricezionista**
shorthand **la stenografia**
swivel chair **la poltroncina girevole**
I take down in shorthand **stenografo [-fare]**
telephone **il telefono**
typing pool **la sala delle dattilografe**
wastebasket **il cestino**
word processor **l'elaboratore** *(m)* **di testi**

In the factory & on site

automation **l'automazione** *(f)*
blue-collar worker **l'operaio** *(m)*
bulldozer **il bulldozer**

car / automobile industry **l'industria** *(f)* **dell'automobile**
component **il componente**
concrete **il calcestruzzo**
construction industry **l'industria** *(f)* **edilizia**
crane **la gru**
forklift truck **il carrello elevatore**
I forge **forgio [-are]**
industry **l'industria** *(f)*
heavy / light industry **l'industria** *(f)* **pesante / leggera**
I manufacture **fabbrico [-are]**
manufacturing **la fabbricazione**
mass production **la produzione di massa**
mining **la miniera**
power industry **l'industria** *(f)* **energetica**
precision tool **lo strumento di precisione**
prefabricated **prefabbricato**
process **il processo**
I process **tratto [-are]**
product **il prodotto**
on the production line **alla linea di montaggio**
raw materials **le materie prime**
robot **il robot, l'automa** *(m)*
scaffolding **l'impalcatura** *(f)*
shipbuilding **l'industria navale**
shipyard **il cantiere navale**
steamroller **il compressore a vapore**
steel smelting **la fonderia**
textile industry **l'industria tessile**

While my wife works for a bank, my son works in a toy factory on the production line, and my daughter works in an office all day, I work as a writer.

Mentre mia moglie lavora in banca, mio figlio lavora alla linea di produzione in una fabbrica di giocattoli e mia figlia lavora in un ufficio tutto il giorno, io lavoro come scrittore.

▶ STATIONERY App. 22b; COMPUTERS 15d; FARM 24c

BUSINESS & ECONOMICS

14c Pay & Conditions

apprentice **l'apprendista** *(m/f)*
bonus **l'indennità** *(f)*, **il premio**
I clock in/out **timbro [-are] il cartellino all'entrata/all'uscita**
commission **la provvigione**
I am on commission **vendo [-ere] a provvigione**
company car **l'automobile** *(f)* **aziendale**
contract **il contratto**
I am employed by **sono [essere] alle dipendenze di**
expenses **le spese**
expense account **il conto spese**
flextime/flexi-time **l'orario** *(m)* **di lavoro flessibile**
freelance **indipendente**
I work freelance **lavoro [-are] indipendentemente**
full time **a tempo pieno**
income **il reddito**
overtime **lo straordinario**

overworked **oberato di lavoro**
part time **a tempo parziale**
payday **il giorno di paga**
pay raise/payrise **l'aumento** *(m)* **di stipendio**
payroll **il libro paga**
payslip **il foglio paga**
pension **la pensione**
perk **l'extra** *(m)*
permanent **permanente**
I retire **vado [andare] in pensione**
retirement **il pensionamento**
salary **lo stipendio**
self-employed **lavoratore autonomo**
shift **il turno**
day shift **il turno di giorno**
night shift **il turno di notte**
temporary **temporaneo, provvisorio**
trial period **un periodo di prova**

—The conditions in this office are not satisfactory for your personnel, Mr. Carraro.

—What do you mean?

—The place is cold, badly lit, and poorly ventilated. And you have far too many electrical appliances plugged into one socket. Unless you make substantial changes within three months, I shall be forced to close down the office.

—**Le condizioni in questo ufficio non sono soddisfacenti per il suo personale, Signor Carraro.**

—**Che cosa intende dire?**

—**L'ufficio non è riscaldato, è male illuminato ed è insufficientemente ventilato. E ha troppi apparecchi elettrici inseriti in una sola presa. Se Lei non apporterà cambiamenti sostanziali entro tre mesi, sarò costretto a chiudere l'ufficio.**

working hours **l'orario** *(m)* **di lavoro**
wages **il salario, la paga**

Job application

I advertise for a secretary **metto [-ere] un annuncio per un posto di segretaria**
advertisement **l'annuncio** *(m)*
I have been laid off **sono [essere] stato licenziato**
I apply for a job **faccio [fare] una domanda di lavoro**
classified ad **un annuncio economico**
curriculum vitae / résumé **il curriculum vitae**
discrimination **la discriminazione**
racial discrimination **la discriminazione razziale**
sexual discrimination **la discriminazione sessuale**
job center / centre **l'ufficio** *(m)* **di collocamento**
job description **le mansioni**

job openings / situations vacant **le offerte di lavoro**
I find a job **trovo [-are] un lavoro**
interesting **interessante**
interview **il colloquio**
I interview **intervisto [-are]**
job application **la domanda di lavoro**
I look for **cerco [-are]**
I promote *(someone)* **promuovo [-ere]**
I am promoted **ho avuto [avere] una promozione**
opening *(vacancy)* **il posto disponibile / vacante**
promotion **la promozione**
qualification **la qualifica**
qualified **qualificato**
I start work (for) **incomincio [-are] a lavorare per**
I take on *(employee)* **assumo [-ere]**
vacancy **il posto libero / vacante**
work experience **l'esperienza** *(f)* **di lavoro, il tirocinio**

—Hello. Could I speak to the personnel manager, please.

—Buon giorno. Vorrei parlare con il direttore del personale, per cortesia.

—Speaking. What can I do for you?

—Sono io. In che cosa posso esserLe utile?

—I saw your ad in the paper for the post of sales agent. Could you send me the job description and application forms?

—Ho visto il Suo annuncio nel giornale per il posto di rappresentante. Può mandarmi dettagli sulle mansioni e un modulo di domanda?

—Certainly.
—How many references are you asking for?

—Certamente.
—Quante referenze sono richieste?

—Two, including your present employer.

—Due, compresa quella del Suo attuale datore di lavoro.

➤ UNEMPLOYMENT 12c

BUSINESS & ECONOMICS

account   **il conto**
advance   **l'anticipo** *(m)*
I advertise   **faccio [fare] pubblicità**
advertisement   **l'annuncio** *(m)*, **lo spot pubblicitario (TV)**
advertising   **la pubblicità**
advertising agency   **l'agenzia** *(m)* **pubblicitaria**
advice note   **la lettera d'avviso**
audit   **la verifica dei conti**
bill   **la fattura**
board   **il consiglio**
bond   **il titolo, l'obbligazione** *(f)*
branch *(of company)*   **la filiale**
budget   **il bilancio, il budget**
capital   **il capitale**
capital expenditure   **l'investimento** *(m)* **dei capitali**
chamber of commerce   **la camera di commercio**
collateral   **la garanzia**
company   **l'azienda** *(f)*, **l'impresa** *(f)*, **la società**
I consume *(resources)*   **consumo [-are]**
consumer goods   **i beni di consumo**
consumer spending   **le spese** *(f)* **di consumo**
cost of living   **il costo della vita**
costing   **la determinazione dei costi (di produzione)**

costs   **le spese, i costi**
credit   **il credito**
debit   **il debito**
deflation   **la deflazione**
economic   **economico**
economy   **l'economia** *(f)*
funds   **i fondi**
government spending   **le spese pubbliche**
income   **il reddito**
income tax   **l'imposta** *(f)* **sul reddito**
installment / instalment   **la rata**
interest rate   **il tasso d'interesse**
I invest in   **investo [-ire] in**
investment   **l'investimento** *(m)*
invoice   **la fattura**
labor / labour costs   **i costi di manodopera**
liability   **la responsabilità, il debito**
manufacturing industry   **l'industria** *(f)* **manifatturiera**
market   **il mercato**
market economy   **l'economia** *(f)* **di mercato**
marketing   **il marketing**
merchandise   **la merce**
national debt   **il debito nazionale**
I nationalize   **nazionalizzo [-are]**
output   **la produzione, il rendimento**

Moretti SpA announced its takeover bid for the Lodi supermarket chain.

La Moretti SpA ha annunciato l'offerta di rilevamento della catena di supermercati Lodi.

The company informed shareholders that this year's operating profits will not match the level seen last year.

L'azienda ha informato gli azionisti che le operazioni dell'anno in corso non raggiungeranno gli stessi livelli dell'anno scorso.

pay   **la paga, lo stipendio**
price   **il prezzo**
pricing market   **l'allineamento** *(m)* **dei prezzi**
private sector   **il settore privato**
I privatize   **privatizzo [-are]**
product   **il prodotto**
production   **la produzione**
public sector   **il settore pubblico**
quota   **la quota**
real estate / realty   **i beni immobili**
retail sales   **le vendite al dettaglio**
retail trade   **il commercio al dettaglio**
salaries   **la retribuzione, il salario**
sales tax   **l'imposta** *(f)* **sull'entrata**
service sector   **il (settore) terziario**
share   **l'azione** *(f)*
share fluctuations   **la fluttuazione delle azioni**
share index   **l'indice** *(m)* **finanziario**
statistics   **le statistiche**
stock exchange   **la Borsa**
I subsidize   **sovvenziono [-are]**
subsidy   **la sovvenzione, il sussidio**
supply and demand   **l'offerta** *(f)* **e la domanda**
supply costs   **le spese d'approvvigionamento**
I tax   **impongo (imporre) una tassa**

tax   **la tassa, l'imposta** *(f)*
tax increase   **l'aumento** *(m)* **fiscale**
taxation   **la tassazione, il fisco**
taxation level   **il livello fiscale**
turnover   **il volume d'affari**
VAT / sales tax   **l'IVA (Imposta sul Valore Aggiunto)**
viable   **solvibile**
wages   **la paga, le retribuzioni**

Financial personnel

accountant   **il ragioniere, la ragioniera, il / la contabile**
actuary   **l'attuario** *(m)*
auditor   **il revisore dei conti**
bank employee   **il bancario**
banker   **il banchiere**
   merchant banker   **il banchiere d'affari**
bank manager   **il direttore di banca**
broker   **il mediatore**
   insurance broker   **l'agente** *(m/f)* **d'assicurazione**
consumer   **il consumatore**
investor   **l'investitore** *(m)*
speculator   **lo speculatore**
stockbroker   **l'agente** *(m/f)* **di cambio**
trader *(Wall St.)*   **l'agente** *(m/f)* **di cambio**

The government promised to fight inflation by reducing interest rates.

Il governo ha promesso di combattere l'inflazione mediante la riduzione dei tassi d'interesse.

News of the budget deficit caused panic in the stock exchange today.

La notizia del disavanzo nel bilancio ha provocato il panico oggi in Borsa.

BUSINESS & ECONOMICS

14e Banking & the Economy

Banking & personal finance

account   **il conto**

automatic teller / cashpoint   **lo sportello automatico, il bancomat**

bank   **la banca**

bank loan   **il prestito bancario**

I bank (money)   **deposito [-are] in banca**

I'm in the black / in credit   **il mio conto è [essere] in credito**

cash   **i contanti**

I cash a check / cheque   **incasso [-are] un assegno bancario**

cashcard   **la carta bancaria**

I change   **cambio [-are]**

check / cheque   **l'assegno** (m)

credit card   **la carta di credito**

currency   **la valuta**

I deposit (in a bank)   **deposito [-are] (in banca)**

deposit (returnable)   **il deposito, la caparra**

down payment / deposit   **l'acconto** (m), **la caparra, il versamento della prima rata**

eurocheque   **l'eurocheque** (m)

exchange rate   **il tasso di cambio**

installment plan / hire purchase   **la vendita a rate**

I lend   **presto [-are]**

loan   **il prestito**

mortgage   **il mutuo ipotecario**

I mortgage   **ipoteco [-are]**

I open an account   **apro [-ire] un conto corrente**

overdraft   **lo scoperto, le eccedenze** (m)

I'm in the red / in deficit   **il mio conto è [essere] in debito**

repayment   **il rimborso**

I save   **rispiarmio [-are]**

savings   **i risparmi**

savings and loan association / building society   **la società finanziaria**

— I'd like to open an account here.

— Certainly sir. What sort of account do you need?

— Just a normal running account. I'm here for three years, working at the university.

— Could you fill in this form with all your details?

— Certainly. What overdraft privileges are available for post-graduate students?

— I need to check that for you. In any case, you are welcome to discuss it with the manager when you need to.

— **Vorrei aprire un conto qui.**

— **Certamente. Che tipo di conto vuole?**

— **Un normale conto corrente. Sono qui per tre anni e lavoro all'università.**

— **Può compilare questo modulo con tutti i dettagli?**

— **Sì, certo. Che facilitazioni di eccedenze ci sono per studenti ricercatori?**

— **Questo glielo devo verificare. In ogni caso, Lei potrà senz'altro discutere la cosa con il direttore quando ne avrà bisogno.**

teller / cashdesk **la cassa, lo sportello**
traveler's check / cheque **l'assegno (m) turistico**
I withdraw **ritiro [-are], incasso [-are]**

Growth

amalgamation **la fusione**
appreciation **l'aumento (m), l'apprezzamento (m)**
assets **i beni, il capitale**
assurance **l'assicurazione (f)**
auction **la vendita all'asta**
boom **il boom**
competition **la concorrenza**
economic miracle **il miracolo economico**
efficiency **l'efficienza (f)**
material growth **la crescita dei beni**
merger **l'incorporazione (f)**
profit **il profitto**
profitable **lucrativo, redditizio**
progress **il progresso**
prosperity **la prosperità**
prosperous **prospero, fiorente**
recovery **la ripresa (economica)**

takeover **il rilevamento**
takeover bid **l'offerta (f) di rilevamento**

Decline

bankrupt **il fallimento, la bancarotta**
credit squeeze **la restrizione del credito**
debt **il debito**
it is declining **è in declino**
deficit **il deficit**
depreciation **il deprezzamento**
I dump **svendo [-ere], vendo [-ere] sottocosto**
inflation **l'inflazione (f)**
inflation rate **il tasso d'inflazione**
loss **la perdita**
no-growth economy **l'economia (f) a crescita zero**
recession **la recessione**
slowdown **il rallentamento**
slump **la recessione, la crisi**
spending cuts **la riduzione delle spese**
stagnant **stagnante**
stagnation **la stagnazione**

—Did you hear about Bertini & Sons?
—No, what about them?
—Unfortunately, they went bankrupt. They borrowed too heavily in order to introduce a new line that just didn't sell!

—And what was it?
—A range of battery powered toys that clearly couldn't compete with the videogames market!

—Hai sentito l'ultima sulla Bertini & Figli?
—No, cosa è successo?
—Sfortunatamente sono andati in fallimento. Hanno fatto debiti molto importanti allo scopo di introdurre una nuova linea che non ha affatto venduto!
—E che cosa era?
—Una gamma di giocattoli a batteria che chiaramente non potevano competere con il mercato dei videogiochi!

15 Communicating with Others

15a Social Discourse

Meetings

I accept the invitation **accetto [-are] l'invito**

appointment **l'appuntamento** (m)

ball **il ballo, la danza**

banquet **il banchetto**

I'm busy **sono [essere] (già) impegnato**

I celebrate **festeggio [-are]**

club **il club, l'associazione** (f)

member **il socio**

date **la data**

datebook / diary **il diario, l'agenda** (f)

I drop in on **faccio [fare] un salto da**

I expect **aspetto [-are]**

I have fun **mi diverto [-ire]**

function **la funzione**

we gather **ci raduniamo [-are]**

gathering **la riunione**

guest **l'ospite** (m/f)

I invite **invito [-are]**

invitation **l'invito** (m)

I join **mi associo [-are]**

I meet (by chance) **incontro [-are] (per caso)**

meeting **l'incontro** (m)

party **la festa**

people **la gente**

present (gift) **il regalo**

reception **il ricevimento**

I see **vedo [-ere]**

I shake hands with **stringo [-ere] la mano a**

I spend (time) **passo [-are]**

social life **la vita di relazione**

I take part in **prendo [-ere] parte a**

I talk **parlo [-are], chiacchero [-are]**

I visit **visito [-are]**

visit **la visita**

Greetings & congratulations

I bow / curtsey **faccio [fare] un inchino**

bow / curtsey **l'inchino** (m)

Cheers! **Salute! Salve!**

Come in! **Entra! Entrate!**

I congratulate **congratulo [-are]**

Congratulations! **Congratulazioni!**

Excuse me **Mi scusi [-are]**

Good morning / afternoon **Buon giorno**

Good evening **Buona sera**

Good night **Buonanotte**

I greet **accolgo [accogliere], saluto [-are]**

greeting **il saluto**

Happy Easter **Buona Pasqua**

Happy New Year **Felice Anno Nuovo**

Hello / Hallo **Ciao, Salve**

Here's to . . . **Brindiamo [-are] a ...**

Hi! **Ciao, Salve**

Merry / Happy Christmas **Buon Natale**

I toast **brindo [-are] a**

toast **il brindisi**

Well done! **Bene! Bravo!**

Your (very good) health! **Alla salute!**

Introductions

Bill, meet Jane **Bill, ti presento Jane**

How do you do? **Piacere, Molto lieto**

I introduce myself **mi presento [-are]**

I introduce **presento [-are]**

introduction **la presentazione**

Ladies and gentlemen **Signore e signori**

Madam **Signora**

May I introduce . . . ? **Posso presentare ...?**

Miss X **la Signorina X**

Mr. Y **il Signore Y**

Mrs. Z **la Signora Z**

I'd like you to meet . . . **Vorrei presentarLe ...**

Pleased to meet you **Lieto di / Piacere da conoscerLa**

sir **signore**

This is . . . **Questo è ...**

I welcome **do [-are] il benvenuto a**

Welcome to **Benvenuti a**

Pleasantries

Best regards from **I migliori saluti da**

Bless you! / Gesundheit! **Salute!**

How are you (doing)? **Come stai / sta [-are]?**

I hope you get well soon **Spero che guarisca presto**

I'm fine, thank you **Sto bene, grazie**

I'm so-so, thank you **Non c'è male, grazie**

My regards to **I miei saluti a**

Much better, thank you **Molto meglio, grazie**

I say "tu" **do del «tu»**

I say "lei" **do del «lei»**

so-so **così, così**

Very well, thank you **Molto bene grazie**

Thanking

I'm very grateful to you for **Ti / Le sono molto riconoscente per**

Welcome / It's a pleasure **Prego**

Many thanks **Mille grazie**

Nice / good of you to . . . **È stato molto gentile da parte tua / Sua ...**

No, thank you! **No grazie!**

Not at all! **Non c'è di che!**

I thank **ringrazio [-are]**

Thanks! **Grazie!**

Thank you so much **Grazie infinite**

Apologizing

I'm afraid I can't **Mi dispiace [-ere], ma non posso**

apology **la scusa**

I apologize **chiedo [-ere] scusa**

I beg your pardon **Scusi?**

I do apologize **Chiedo [-ere] scusa**

Excuse me, please **Mi scusi, per favore**

excuse **la scusa**

I excuse **perdono [-are], scuso [-are]**

Forget it! **Non ti preoccupare!**

I forgive **perdono [-are]**

It doesn't matter (at all / a bit) **Non fa niente, non ha importanza**

not at all **non c'è di che, non affatto**

I refuse **rifiuto [-are] di**

I'm sorry / so very sorry (that . . .) **Mi dispiace (che ...)**

Unfortunately, I can't! **Sfortunatamente non posso**

Farewells

All the best! **Tante belle cose! I migliori auguri!**

Bye! **Ciao, ci vediamo!**

Cheerio! **Ciao, ciao!**

Good luck! **Buona fortuna!**

Good-bye **Arrivederci!**

I say goodbye **saluto [-are]**

Have a good time! **Divertiti!**

Have a safe journey home! **Buon viaggio!**

parting **la partenza**

See you later! / So long! **Ci vediamo più tardi!**

See you soon **A presto**

I will see you tomorrow **Ci vediamo domani**

Sweet dreams! **Sogni d'oro!**

COMMUNICATING WITH OTHERS

15b Comments & Exclamations

Approval

Is this all right?　**Va bene così?**
That's all right!　**Sì, va bene**
Excellent　**Eccellente! Ottimo!**
You should(n't) have . . .　**Ma, non dovevi / doveva ...**

Permission & obligation

That's (quite) all right.　**Va (anche) bene (così)**
Absolutely not!　**Assolutamente no!**
allowed　**permesso**
I allow　**permetto [-ere]**
I am allowed to . . .　**ho [avere] il permesso di ...**
it is not allowed / permitted　**(non) è permesso ...**
Can I . . . ?　**Posso ...?**
Can / may I have . . . , please?　**posso / potrei avere ..., per favore?**
I can (not)　**(non) posso [potere]**
you cannot (can't)　**(non) puoi / può**
May I . . . ?　**Posso ...?**
I may (not)　**non posso [potere]**
I must (not)　**non devo [dovere]**
No　**No**
not now / here / tonight　**non adesso / qui / stasera**
it is permitted　**è permesso**
Please do!　**Prego! Senza complimenti!**
I'm supposed / not supposed　**(non) dovrei**
Have you got time to . . . ?　**Hai / ha tempo per / di ...?**

Surprise

Good God!　**Dio mio! Oddio!**
Just as I expected　**Proprio come me l'aspettavo**
Oh, really!　**Veramente? Davvero?**
So what?　**E allora? E con questo?**
surprise　**la sorpresa**
I surprise　**sorprendo [-ere], stupisco [-ire]**
surprising　**sorprendente**
Does that surprise you?　**Ti sorprende? Non te l'aspettavi?**
Well?　**E allora?**
What a surprise!　**Che sorpresa!**

Hesitating

Just a minute / moment!　**Un attimo per favore**
What's his / her name?　**Come si chiama?**
How shall I put it?　**Come posso dirlo?**
or rather . . .　**o piuttosto / ovvero ...**
that is to say . . .　**cioè ...**
That's not what I meant to say　**Non intendevo dire questo**
thingamajig　**l'affare** (m), **il coso**
thingamajig (person)　**il tizio**
Now let me think　**Fammi pensare un attimo**

Listening & (dis)agreeing

I (quite) agree **Sono d'accordo**
I don't agree **Non sono d'accordo**
agreed **d'accordo**
I believe so / not **ci credo / non ci credo**
but **ma, però, tuttavia**
Certainly (not)! **(No) certamente**
correct **esatto**
Definitely **Di sicuro, Senza dubbio**
Don't you agree (that) . . . ? **Non sei d'accordo (che) ...?**
Exactly! **Esattamente!**
I find that **trovo [-are] che**
Indeed! **Certo! Senz'altro!**
Just so! **Proprio così!**
Never! **Mai!**
No! **No!**
Of course! **Certamente! Certo!**
Of course (not)! **Chiaro (che no)!**
Oh! **Oh!**
Quiet! **Silenzio! Zitto!**
Really? **Veramente? Davvero?**
right **giusto / esatto**
Rubbish! **Che sciocchezza!**
sh! **sssstt!**
That's not so **Non è cosi**
That's (not) right / correct **(Non) è giusto**
That's (not) true **(Non) è vero**
That's wrong! **È sbagliato**
true **vero**
Uh-huh! **Ah-hah!**
wrong **falso, sbagliato**
Yes! **Sì**
Yes, it is **Sì, lo è**
Yes, please **Sì, per favore**
You're wrong **Hai torto, Sbagli**

Clarification & meaning

a kind / sort of . . . **un tipo / genere di ...**
you know . . . **conosci ... , sai ...**
I mean **voglio dire**
Do you mean to say . . . ? **Intendi dire ...?**
Do you mean . . . ? **Vuoi dire ...?**
What do you mean? **Cosa intendi? Cosa stai dicendo?**
What do you mean by . . . ? **Cosa intendi per ...?**
Could you repeat that, please? **Può ripeterlo per favore?**
The same to you (polite) **Altrettanto, grazie**
I say **dico [dire]**
Could you say that again? **Può ripetere per favore?**
Did you say . . . ? **Ha detto ...?**
What did you say? **Cos'ha detto?**
Come ha / hai detto?
I said that . . . **Ho detto che ...**
What I said was . . . **Ciò che dicevo era ...**
slowly **lentamente**
something like . . . **qualcosa come ...**
I speak **parlo [-are]**
Can you speak more slowly, please? **Può parlare più lentamente, per favore?**
I spell **scrivo [-ere]**
Could you spell that, please? **Mi può dire come si scrive per favore?**
How do you spell that, please? **Come si scrive, per favore?**
It is spelled / you spell it . . . **Si scrive con ...**
I understand **Capisco / intendo**

COMMUNICATING WITH OTHERS

15c Mail / Post & Telephone

The mail / post

abroad **all'estero**
addressee **il destinatario**
airmail letter **la lettera per via aerea**
answer **la risposta**
Any news? **Ci sono notizie?**
collection **la levata della posta**
I correspond with **scrivo a [-ere], corrispondo [-ere] con**
correspondence **la corrispondenza**
correspondent **il / la corrispondente**
counter **lo sportello**
customs declaration **la dichiarazione doganale**
envelope **la busta**
express delivery **la consegna per espresso**
freepost **a carico del destinatario**
general delivery / post restante **il fermoposta**
I hand in **consegno [-are]**
letter **la lettera**
letter rate **la tariffa postale**
mail **la posta**
I mail / post **spedisco [-ire]**
mailbox / letter-box **la cassetta postale, la buca da lettere**

mailman / postman **il postino, il portalettere**
money order / postal order **il vaglia postale**
news **la notizia**
no postage necessary if mailed in the U.S. / freepost **a carico del destinatario**
package **il pacco**
parcel **il pacco**
parcel rate **la tariffa pacchi**
pen pal / pen-friend **l'amico / l'amica per corrispondenza, il / la corrispondente**
post / mail **la posta**
post office **l'ufficio** (m) **postale**
postage **l'affrancatura** (f)
postcard **la cartolina (postale / illustrata)**
I receive **ricevo [-ere]**
recorded delivery **la raccomandata**
registered mail **la posta raccomandata**
reply **la risposta**
sealed **sigillato**
I send **mando [-are], invio [-are]**
sender **il / la mittente**
stamp **il francobollo**

When does the mail arrive?	**Quando arriva la posta?**
I haven't heard from her in ages.	**Non ho sue notizie da un secolo**
Dear Sir, I am writing on behalf of my father, concerning . . .	**Egregio Signore** **Le scrivo per conto di mio padre a riguardo di ...**
I look forward to hearing from you,	**In attesa di una Sua cortese risposta,**
Yours sincerely,	**Distinti saluti.**

I write   **scrivo a [-ere]**
zip code / postcode   **il codice
(d'avviamento) postale (CAP)**

*Telephone &
telecommunications*

answering machine   **la segreteria
telefonica**
booth   **la cabina telefonica**
busy / engaged *(phone)*   **occupato**
button   **il bottone, il pulsante**
conversation   **la conversazione**
I dial   **compongo [-porre] il numero**
electronic mail (e-mail)   **la posta
elettronica**
extension   **l'interno** *(m)*
extension number   **il numero interno**
fax   **il fax**
I fax   **mando [-are] un fax a**
local call   **una telefonata urbana**
long distance call   **una telefonata
interurbana**
modem   **il modulatore, il modem**
operator   **il / la centralinista**
out of order   **fuori uso**
portable / cellular phone   **il
telefonino, il telefono portatile,
il cellulare**
receiver   **il ricevitore, la cornetta**
reverse charge call   **la chiamata
addebitata al ricevente**
sender   **il / la mittente**
slot   **l'apertura** *(f)*, **la fessura**

subscriber   **l'abbonato** *(m)*
switchboard   **il centralino**
telecommunication links   **i
collegamenti di
telecomunicazione**
telecommunications   **le
telecomunicazioni**
telegraph   **il telegrafo**
telephone / phone   **il telefono**
telephone directory   **l'elenco** *(m)*
telefonico
telephone booth / kiosk   **la
cabina telefonica**
text message   **il messaggio di testo**
unlisted / ex-directory   **non (è) in
elenco**
wrong number   **il numero sbagliato**
zero / nought   **lo zero**

Telephoning

I call   **chiamo [-are]**
I connect   **mi collego con [-are]**
I dial   **compongo [-porre]
il numero**
I fax   **mando [-are] un fax a**
I hang up   **riattacco [-are]**
I hold   **attendo [-ere]**
I pick up   **sollevo [-are]**
I press   **premo [-ere]**
I put . . . through (to)   **(le) ... passo
[-are] ...**
I speak to   **parlo [-are] con**
I telephone   **telefono [-are] a**

Could you fax it to me?

Me lo puoi mandare via fax?

Can I dial direct?

Si può fare il numero diretto?

It's Pietro.
This is Gianni Marconi (speaking).
Could you put me through to Mirella?

Sono Pietro.
Parla Gianni Marconi.
Può passarmi Mirella?

Are you still there?
I will call back later.

È ancora in linea?
Richiamerò più tardi.

Sorry, wrong number.

Scusi, ho sbagliato numero.

15d Computers

Computer applications

adventure game **il videogioco**
application **l'applicazione** *(f)*
artificial intelligence **l'intelligenza artificiale** *(f)*
bar code **il codice a barra**
bar code reader **il lettore di codice a barra**
browser **il browser**
calculator **la calcolatrice**
computer science / studies **l'informatica** *(f)*
computerized **computerizzato**
desktop publishing / DTP **il trattamento dei testi, il DTP**
email **la posta elettronica**
grammar checker **il controllo grammaticale dei testi**
information **l'informazione** *(f)*
information technology **l'informatica** *(f)*
internet **Internet**
network **la rete**
optical reader **il lettore ottico**

password **il codice di identificazione**
simulation **la simulazione**
simulator **il simulatore**
spell check **il controllo ortografico dei testi**
synthesizer **il sintetizzatore**
text system **il sistema dei testi**
thesaurus **il dizionario dei sinonimi e contrari**
website **il sitio Web**
word processor **l'elaboratore** *(m)* **dei testi**

Word processing & operating

I abort **interrompo [-ere]**
I access **accedo [-ere] a**
I append **aggiungo [-ere]**
I apply boldface **metto [-ere] in grassetto**
I back up **faccio [fare] una copia di riserva**
I block (text) **aggruppo [-are]**
I browse **scorro [-ere]**

Which disk drive are you using?	**Quale unità usi?**
How do you turn down the brightness of the screen display?	**Come si fa a diminuire l'intensità della luce della videata?**
I like surfing the Internet.	**Mi piace navigare su Internet.**
Is it possible to replace the function keys?	**È possibile sostituire i tasti funzionali?**
These computers are on a local area network.	**Questi elaboratori fanno parte di una rete regionale.**
The printer needs servicing.	**Occorre fare la manutenzione alla stampante.**
Information technology is constantly evolving.	**L'informatica è in continua evoluzione.**

I cancel   **annullo [-are]**
I clear the screen   **ripristino [-are] lo schermo**
I click on   **scatto [-are]**
I communicate   **comunico [-are]**
I copy   **copio [-are]**
I count   **conto [-are]**
I create   **creo [-are]**
I cut and paste   **taglio [-are] e inserisco [-ire]**
I delete   **cancello [-are]**
I emulate   **emulo [-are]**
I enter   **introduco [-ere]**
I erase   **cancello [-are], annullo [-are]**
I exit   **esco [uscire]**
I export   **esporto [-are]**
I file   **archivio [-are]**
I format   **formatto [-are]**
I forward   **inoltro [-are]**
I handle (text)   **tratto [-are] (il testo)**
I import   **importo [-are]**
I input   **immetto [-ere]**
I install   **colloco [-are]**
I list   **elenco [-are]**
I load   **carico [-are]**
I log on / off   **entro [-are] / esco [uscire]**

I log   **registro [-are]**
I merge   **fondo [-ere]**
I move   **muovo [-ere]**
I open (a file)   **apro [-ire]**
I print (out)   **stampo [-are]**
I (word) process   **tratto [-are] i testi**
I program(me)   **programmo [-are]**
I read   **leggo [-ere]**
I receive   **ricevo [-ere]**
I record   **registro [-are]**
I remove   **rimuovo [-ere]**
I replace   **sostituisco [-ire]**
I reply   **rispondo [-ere]**
I retrieve   **ritrovo [-are]**
I run   **faccio [fare] scorrere**
I save   **salvo [-are]**
I search   **cerco [-are]**
I send   **invio [-are]**
I shift   **muovo [-ere], modifico [-are]**
I sort   **categorizzo [-are]**
I store   **memorizzo [-are]**
I switch on / off   **accendo [-ere], spengo [-ere]**
I tabulate   **tabulo [-are]**
I underline   **sottolineo [-are]**
I update   **aggiorno [-are]**

This database management system is no longer reliable.	**Questo sistema di gestione dati non è più affidabile.**
Which operating system do you use?	**Quale sistema usi?**
Don't show me your password!	**Non mostrarmi il tuo codice di identificazione!**
I don't like the software package with this PC.	**Non mi piace il pacchetto software di questo elaboratore.**
Is this spreadsheet easy to use?	**È facile da usare questo foglio elettronico?**
It has wiped out my file!	**Ha cancellato il mio archivio / la mia fila!**
Have you checked for a virus?	**Hai verificato se c'è un virus?**

16 Leisure & Sport

16a Leisure

activity **l'attività** *(f)*

alone **solo**

I am free **sono libero / disponibile**

I begin **comincio [-are], inizio [-are]**

book **il libro**

boring **noioso**

camera **la macchina fotografica**

I can **posso [potere]**

card **la carta**

card game **il gioco di carte**

card table **il tavolino da gioco**

carpentry **lavorare con il legno, la falegnameria**

casino **il casinò (i casinò)**

chess **gli scacchi**

closed **chiuso**

club **l'associazione** *(f)*

I collect **colleziono [-are]**

coin **la moneta**

crosswords **le parole (in)crociate**

collection **la collezione**

collectors' fair **la fiera del collezionista**

I decide **decido [-ere]**

discotheque **la discoteca**

do-it-yourself / DIY **il fai-da-te**

energetic **vigoroso, energico**

energy **l'energia** *(f)*

enthusiasm **l'entusiasmo** *(m)*

entrance **l'entrata** *(f)*, **l'ingresso** *(m)*

entry fee **la tariffa d'entrata**

excitement **l'eccitazione** *(f)*

exciting **eccitante, stimolante**

excursion **l'escursione** *(f)*

excursionist **l'escursionista** *(m / f)*

exit **l'uscita** *(f)*

fair **la fiera**

fascinating **affascinante**

I fish **pesco [-are], vado [andare] a pesca**

free time **il tempo libero**

fun **il divertimento**

I gamble **gioco [-are] d'azzardo**

I go out **esco [uscire]**

guide **la guida**

—What is your favorite / favourite pastime?

—Well, I used to go for a drive in the country every Sunday, but I have no time for pastimes or hobbies nowadays. Besides, many of them are very expensive.

—Are there special rates for students?

—Yes, on Friday night only.

—Qual'è il suo passatempo preferito?

—Ebbene, solevo andare in campagna in automobile ogni domenica ma ora non ho tempo per passatempi. Inoltre molti sono molto cari.

—Ci sono tariffe ridotte per studenti?

—Sì, ma solo il venerdì sera.

➤ LEISURE WEAR & EQUIPMENT 16c; PHOTOGRAPHY App. 16c

guided tour **la visita accompagnata**

hobby / pastime **il passatempo, lo svago**

interest **l'interesse** *(m)*

interesting **interessante**

I join **mi associo [-are]**

leisure **il tempo libero**

line / queue **la coda**

I get in line / queue **faccio [fare] la coda**

I listen to **ascolto [-are]**

I look **guardo [-are]**

market **il mercato**

antiques market **il mercato dell' antiquariato**

flea market **il mercato delle pulci**

I meet **incontro [-are]**

meeting place **il luogo d'incontro**

member **il socio**

membership **l'associazione** *(f)*

movie theater / cinema **il cinema**

nightclub **il locale notturno**

open **aperto**

organization **l'organizzazione** *(f)*

I organize **organizzo [-are]**

photograph **la fotografia**

picnic **la scampagnata**

place **il luogo, il posto**

I play **gioco [-are]**

pleasure **il piacere**

I prefer **preferisco [-ire]**

private **privato**

public **pubblico**

queue / line **la coda**

I read **leggo [-ere]**

season **la stagione**

secluded **isolato**

I sew **cucio [-ire], faccio [fare] cucito**

sold out **esaurito**

spectator **lo spettatore**

I start (doing) **comincio a (fare)**

I stop (doing) **smetto [-ere] di (fare)**

I stroll **passeggio [-are]**

subscription **l'abbonamento** *(m)*

I take photos **faccio [fare] fotografie**

television **la televisione**

theater / theatre **il teatro**

ticket **il biglietto**

time **il tempo**

tour **la visita, il giro, il viaggio**

vacation / holiday **la vacanza**

I visit **visito [-are]**

visit **la visita**

I walk **cammino [-are]**

I watch **guardo [-are], osservo [-are]**

youth club **l'associazione** *(f)* **giovanile**

zoo **lo zoo, il giardino zoologico**

—What do you like doing on a rainy day?

—Perhaps playing cards but not with my brother: he cheats!

—Shall we take the children to the zoo?

—Good idea. If we take Eve's children and their school friends as well, we can get a reduced rate.

—Cosa ti piace fare in una giornata di pioggia?

—Forse giocare a carte ma non con mio fratello: lui bara!

—Portiamo i bambini allo zoo?

—Buona idea. Se portiamo anche i bambini di Eva e i loro compagni di scuola possiamo ottenere una riduzione.

➤ HOBBIES App. 16a; SPORTS 16b; TOURIST SIGHTS App. 20a

LEISURE & SPORT

16b Sporting Activity

against   **contro**
athlete   **l'atleta** *(m/f)*
athletic   **atletico**
attack/offense   **l'attacco** *(m)*
ball   **la palla, il pallone**
bathtowel   **l'asciugamano** *(m)*
bet   **la scommessa**
boat   **la barca**
boxer   **il pugile**
I bowl   **lancio [-are], servo [-ire]**
captain   **il capitano**
I catch   **afferro [-are]**
champion   **il campione**
championship   **il campionato**
I climb   **mi arrampico [-are],
   faccio [fare] roccia**
climber   **rocciatore**
club   **l'associazione** *(f)*, **il club**
coach   **l'allenatore** *(m)*
crew   **l'equipaggio** *(m)*, **la squadra**
cup *(trophy)*   **la coppa**
cycle   **la bicicletta**
I cycle   **vado [andare]
   in bicicletta**
defeat   **la sconfitta**
I dive   **faccio [fare] immersione**
I do (sport)   **faccio [fare] sport**
I draw *(tie)*   **pareggio [-are]**
defense/defence   **la difesa**
draw   **il pareggio**
effort   **lo sforzo**
endurance   **la resistenza**
equipment   **l'attrezzatura** *(f)*
I exercise   **mi alleno [-are]**

I fall   **cado [-ere]**
fall   **la caduta**
field   **il campo**
finals   **le finali**
fit   **in forma**
fitness   **la forma**
game   **il gioco, la partita**
I get fit   **mi metto [-ere] in forma**
goal   **il gol, la rete**
ground/stadium   **il campo, il
   terreno da gioco**
gym(nasium)   **la palestra**
I hit   **colpisco [-ire]**
hit   **il colpo**
horse race   **la corsa di cavalli**
I ice skate   **pattino [-are] su
   ghiaccio**
ice rink   **la pista di ghiaccio**
injury   **la ferita, la lesione**
instructor   **l'istruttore** *(m)*
I jog   **pratico [-are] il jogging**
jogger   **chi pratica il jogging**
I jump   **salto [-are]**
jump   **il salto**
lawn   **il campo erboso**
league   **la lega**
locker/changing room   **lo
   spogliatoio**
I lose   **perdo [-ere]**
marathon   **la maratona**
match/game   **la partita**
medal   **la medaglia**
   bronze medal   **la medaglia di
   bronzo**

It is a remarkable achievement for the national team, who has played extremely well.
The team has been training in very trying weather conditions, and each athlete was ready to give his best.

È un risultato notevole per la squadra nazionale, che ha giocato estremamente bene.
La squadra si è allenata in condizioni metereologiche molto difficili e ogni atleta era pronto a dare il meglio di sé.

gold medal **la medaglia d'oro**
silver medal **la medaglia d'argento**
muscle **il muscolo**
Olympic games (winter) **le olimpiadi (invernali)**
pedal **il pedale**
physical *(adj)* **fisico**
pitch / field **il campo sportivo**
I pitch / throw **lancio [-are]**
pitcher **il lanciatore** *(m)*
I play **gioco [-are]**
player **il giocatore**
point **il punto, il punteggio**
professional **il / la professionista**
professional *(adj)* **professionale**
I race **gareggio [-are]**
race **la corsa, la gara**
referee **l'arbitro** *(m)*
rest **il riposo**
result **il risultato**
I ride **faccio [fare] equitazione**
riding school **la scuola di equitazione, il maneggio**
I row **remo [-are]**
I run **corro [-ere]**
run **la corsa**
runner **il corridore, il podista**
sailing school **la scuola di vela**
I sail **faccio [fare] vela**
sail **la vela**
I score (a goal) **faccio [fare] gol**
score **il punteggio**

show jumping **le corse a ostacoli**
show **jumping**
I ski **scio [-are]**
skier **lo sciatore**
ski lift **la sciovi**
sponsor **lo sponsor, il finanziatore**
sponsorship **la sponsorizzazione**
sport **lo sport**
sports field **il campo sportivo**
sprint **lo scatto, la volata**
stadium **lo stadio**
stamina **la resistenza**
strength **la forza**
supporter **il tifoso**
I swim **nuoto [-are]**
team **la squadra**
I throw **lancio [-are]**
tournament **il torneo**
track **la pista**
I train **mi alleno [-are]**
trainer **l'allenatore** *(m)*
training **l'allenamento** *(m)*
triumph **il trionfo**
trophy **il trofeo**
I am unfit **non sono [essere] allenato / in forma**
victory **la vittoria**
I win **vinco [-ere]**
workout **l'allenamento** *(m)*
world championship **il campionato mondiale**
world cup *(football / soccer)* **la coppa del mondo**

Unfortunately, a member of the team was seriously injured during the last race and is now in the hospital.

Sfortunatamente, un giocatore della squadra ha sostenuto gravi lesioni durante l'ultima gara ed è ora in ospedale.

LEISURE & SPORT

16c Sports & Equipment

Sports

athletics **l'atletica** *(f)*
badminton **il gioco del volano**
baseball **il baseball, la pallabase**
basketball **il pallacanestro**
boxing **il pugilato**
climbing **l'arrampicata** *(f)*
  free climbing **l'arrampicata libera**
  rock climbing **l'arrampicata di roccia**
cricket **il cricket**
cycling **il ciclismo**
decathlon **il decathlon**
deep water diving **l'immersione in profondità**
diving **l'immersione** *(f)*
football / soccer **il calcio**
handball **la pallamano**
hockey **l'hockey** *(m)*
horseback riding **l'equitazione**
ice hockey **l'hockey su ghiaccio**
ice skating **il pattinaggio su ghiaccio**
jogging **il jogging**
parapenting **il parapendio**
pentathlon **il pentathlon**
polo **il polo**

racing **la gara (di corsa)**
riding **l'equitazione** *(f)*
roller skating **il pattinaggio a rotelle**
rugby **il gioco di palla ovale**
sailing **fare vela**
skating **il pattinaggio**
  roller skating **il pattinaggio a rotelle**
skiing **lo sci**
  alpine skiing **lo sci alpino**
  cross-country skiing **lo sci di fondo**
  downhill skiing **lo sci di discesa**
snooker **il biliardo**
soccer **il calcio**
swimming **il nuoto**
table tennis **il tennis da tavolo**
team **la squadra**
tennis **il tennis**
volleyball **la pallavolo**
water polo **la pallanuoto**
weight training **l'allenamento con i pesi**
windsurfing **il windsurf**

—Did you watch the game / match?
—No, I had to leave before the end. Who won?
—We lost 3 to 1. I still cannot understand how such a capable team could lose so disastrously after a brilliant season.

—**Hai guardato la partita?**
—**No, ho dovuto andarmene prima della fine. Chi ha vinto?**
—**Abbiamo perso 3 a 1. Non riesco ancora a capire come una squadra così capace possa perdere in modo così disastroso dopo una stagione di successi.**

Leisure wear & sport clothes

anorak **la giacca a vento**
bathing suit **il costume da bagno**
boots **gli scarponi, gli stivali**
cycling shorts **i calzoncini da ciclismo**
dancing shoes **le ballerine**
gardening gloves **i guanti da giardinaggio**
leotard **la calzamaglia**
parka **la giacca a vento**
salopette / overalls **la (tuta) salopette**
swimsuit / bathing suit **il costume da bagno**
swimming trunks **il costume da bagno**
rugby shirt **la maglia da rugby**
track suit **la tuta da jogging**
trainers **le scarpe da jogging**
walking boots **gli scarponi**
waterproof jacket **la giacca a vento**
Wellington boots/galoshes **gli stivali di gomma**
wet suit **la tuta da immersione**

Leisure & sport equipment

ball **la palla, il pallone**
bat **il bastone, la racchetta**
binoculars **il binocolo**
boxing gloves **i guantini da boxe**
camera **la macchina fotografica**

crash helmet **l'elmetto** *(m)*
exercise bike **la bicicletta da camera**
fishing rod **la canna da pesca**
headphone **la cuffia**
hi-fi **l'alta fedeltà** *(f)*
knapsack **lo zaino**
knitting needles **gli aghi da maglia**
javelin **il giavellotto**
mountain bike **la bicicletta fuoristrada**
net **la rete**
outrigger **il fuoriscalmo**
puck **il disco di gomma**
racket / raquet **la racchetta**
roller skates **i pattini a rotelle**
rowing machine **il vogatore**
rowing boat **la barca a remi**
rucksack **lo zaino**
sailboat **la barca a vela**
sewing kit **la scatola del cucito**
secateurs **le cesoie da giardino**
skate **il pattino da ghiaccio**
skis **gli sci**
ski boots **gli scarponi da sci**
ski poles / sticks **i bastoncini**
sled / sledge **la slitta**
spinning wheel **il filatoio**
sports bag **la sacca sportiva**
surf board **la tavola da surf**
weights **i pesi**
yacht **il panfilo**
zoom lens **le lenti zoom**

All sports commentators agree that they were particularly unlucky when the referee insisted on the penalty kick.

Tutti i commentatori sportivi sono d'accordo che sono stati particolarmente sfortunati quando l'arbitro ha insistito sul calcio di rigore.

—Do you develop your own photos?
—I would like to, but I do not have a dark room.

—Sviluppi tu stesso le fotografie?
—Mi piacerebbe, ma non ho una camera oscura.

▶ GARDENING 24c; TOOLS App. 8b; PHOTOGRAPHY App. 16c

17 The Arts

17a Appreciation & Criticism

abstract **astratto**
abstruse **astruso**
action **l'azione** *(f)*
aesthete **l'esteta** *(m/f)*
aesthetics **l'estetica** *(f)*
I appreciate **apprezzo [-are]**
appreciation **l'apprezzamento** *(f)*
art **l'arte** *(f)*
artist **l'artista** *(m/f)*
artistic **artistico**
atmosphere **l'atmosfera** *(f)*
author **l'autore** *(m)*, **l'autrice** *(f)*
award **il premio**
I analyze **analizzo [-are]**
avant-garde **l'avanguardia** *(f)*
believable **credibile**
character **il personaggio**
characterization **la caratterizzazione**
characteristic **caratteristico**
climax **l'apice** *(m)*
comic **comico**
commentary **il commento**
conflict **il conflitto**
contemporary **contemporaneo**
contrast **il contrasto**
it creates **crea [-are]**
creativity **la creatività**
credible **credibile**
critic **il critico**
criticism **la recensione, la critica**
cultivated **colto, istruito**
culture **la cultura**
it deals with **tratta di [-are]**
it describes **descrive [-ere]**
it develops **sviluppa [-are]**
development **lo sviluppo**
device **lo stratagemma**
dialogue / dialog **il dialogo**
disturbing **inquietante**

empathy **l'empatia** *(f)*
ending **la fine, il finale**
endless **senza fine**
it ends **finisce [finire], si conclude [-ere]**
entertaining **divertente**
entertainment **l'intrattenimento** *(m)*, **il divertimento**
epic **l'epica** *(f)*
event **l'avvenimento** *(m)*
eventful **ricco di eventi**
example **l'esempio** *(m)*
exciting **eccitante**
I explain **spiego [-are]**
explanation **la spiegazione**
it explores **esplora [-are]**
it expresses **esprime [-ere]**
extravagant **stravagante**
fake *(adj)* **falso**
fantastic **fantastico**
fantasy **la fantasia**
figure **la figura**
flamboyant **fiammeggiante** *(Gothic style)*, **sgargiante**
funny **buffo, divertente**
image **l'immagine** *(f)*
imaginary **imaginario**
imagination **l'immaginazione** *(f)*, **l'immaginario** *(m)*
inspiration **l'ispirazione** *(f)*
inspired by **ispirato da**
intense **intenso**
intensity **l'intensità** *(f)*
interpreter **l'interprete** *(m/f)*
invention **l'invenzione** *(f)*
inventive **inventivo**
ironic **ironico**
irony **l'ironia** *(f)*
issue **il problema, la questione**
long-winded **prolisso**

lyrical **lirico, poetico**
modern **moderno**
mood **l'umore** *(m)*, **l'atmosfera** *(f)*
moral **la morale, l'etica** *(f)*
  moral *(adj)* **morale**
morality **la moralità**
moving **commovente**
mystery **il mistero**
mysterious **misterioso**
mystical **mistico**
mysticism **il misticismo**
nature **la natura**
obscure **oscuro**
obscene **osceno**
obscenity **l'oscenità** *(f)*
opinion **l'opinione** *(f)*
optimism **l'ottimismo** *(m)*
optimistic **ottimista**
parody **la parodia**
passion **la passione**
passionate **appassionato**
pessimistic **pessimista**
pessimism **il pessimismo**
poetic **poetico**
it portrays **dipinge [-ere]**
portrayal **il ritratto**
protagonist **il / la protagonista**
realism **il realismo**

realistic **realistico**
reference **il riferimento**
I reflect **rifletto [-ere], medito [-are]**
reflection **la riflessione**
relationship **il rapporto**
review **la recensione**
sad **triste**
satire **la satira**
it satirizes **satireggia [-are]**
satirical **satirico**
structuralist **strutturalista**
style **lo stile**
  in the style of . . . **nello stile di ...**
stylish **elegante**
subject **il soggetto**
technique **la tecnica**
tension **la tensione**
theme **il tema**
tone **il tono**
tragedy **la tragedia**
tragic **tragico**
true-to-life **autentico**
vivid **vivido**
viewpoint **il punto di vista**
witty **arguto, spiritoso**
work of art **l'opera** *(f)* **d'arte**

Artistic styles & periods

art nouveau **lo stile liberty**
baroque **barocco**
Bronze Age **l'età** *(f)* **del bronzo**
classical period **il periodo classico**
Enlightenment **l'illuminismo**
expressionism **l'espressionismo** *(m)*
Flemish **fiammingo**
Florentine **fiorentino**
futurist **futurista**
Georgian **georgiano**
Gothic **gotico**
Greek **greco**
Moorish **moresco**

Middle Ages **il medioevo**
naturalistic **naturalistico**
Neolithic Age **l'età** *(f)* **neolitica**
Norman **normanno**
post modernist **post-modernista**
Renaissance **il Rinascimento**
rococo **rococò**
Roman Empire **l'impero** *(m)* **romano**
Romanesque **romanico**
romanticism **il romanticismo**
surrealism **il surrealismo**
symbolism **il simbolismo**
Venetian **veneziano**

THE ARTS

antique **antico**
antiquity **l'antichità** *(f)*
architect **l'architetto** *(m/f)*
art **l'arte** *(f)*
artifact **l'artefatto** *(m)*
artist **l'artista** *(m/f)*
art student **lo studente di belle arti**
auction sale **la vendita all'asta**
auctioneer **il banditore**
balance **l'equilibrio** *(m)*, **l'armonia** *(f)*
beam **la trave**
bronze **il bronzo**
brush **il pennello**
I build **costruisco [-ire]**
building **la costruzione, l'edificio** *(m)*
bust **il busto**
caricature **la caricatura**
I carve **incido [-ere], intaglio [-are], scolpisco [-ire]**
I cast **fondo [-ere]**
ceramics **le ceramiche**
charcoal **il carboncino**
chisel **il cesello**
chiseled **cesellato**
classical **classico**
clay **l'argilla** *(f)*
collage **la composizione di ritagli**
creative **creativo**
creativity **la creatività**
decorated **decorato**

decoration **la decorazione**
decorative arts **le arti decorative**
I design **faccio [fare] un progetto**
design **il progetto, il disegno**
dimension **la dimensione**
I draw **disegno [-are]**
drawing **il disegno**
easel **il cavalletto**
elevation **l'elevazione** *(f)*
enamel **lo smalto**
I engrave **incido [-ere]**
engraving **l'incisione** *(f)*
I etch **incido [-ere]**
etching **l'acquaforte** *(f)*
exhibition **la mostra**
figure **la figura**
figurine **la figurina**
fine arts **le belle arti**
flamboyant **fiammeggiante**
form **la forma**
freehand **a mano libera**
fresco **l'affresco** *(m)*
frieze **il fregio**
genre **il genere**
graphic arts **le arti grafiche**
holograph **l'ologramma** *(m)*
interior **l'interno** *(m)*
intricate **intricato**
ironwork **il ferro battuto**
landscape **il paesaggio**
landscape architect **l'architetto** *(m/f)* **paesaggista**

We have a very good view of the cupola from this terrace. Look, in the foreground you can see the monastery, which dates back to 1679 and that is such a good example of religious architecture. In the background the medieval towers are still visible.

Abbiamo una bella veduta della cupola da questa terrazza. Guarda, in primo piano puoi vedere il monastero, che risale al 1679 e che è un tale buon esempio di architettura religiosa. Nello sfondo sono ancora visibili le torri medioevali.

landscape painter **il pittore di paesaggi**

large-scale work **l'opera** (f) **su gran scala**

later works **le opere ultime**

light **la luce**

light (adj) **leggero, chiaro**

lithography **la litografia**

luminosity **la luminosità**

luminous **luminoso**

masterpiece **il capolavoro**

metal **il metallo**

miniature **la miniatura**

model **il modello**

mosaic **il mosaico**

museum **il museo**

oil painting **la pittura a olio**

open **aperto**

oval **ovale**

I paint **dipingo [-ere]**

paint **la pittura**

painting **la pittura, il dipinto, il quadro**

pastel **il pastello**

portrait **il ritratto**

potter **il / la ceramista**

pottery **le ceramiche**

it represents **rappresenta [-are]**

representation **la rappresentazione**

reproduction **la riproduzione**

restoration **il restauro**

I restore **restauro [-are]**

restored **restaurato**

restorer **il restauratore**

roman **romano**

roughcast **l'abbozzo** (m)

school **la scuola**

I sculpt **scolpisco [-ire]**

sculptor **lo scultore**

sculpture **la scultura**

seascape **il paesaggio marino**

shadow **l'ombra** (f)

shape **la forma**

I shape **plasmo [-are]**

sketch **lo schizzo, l'abbozzo** (m)

I sketch **schizzo [-are], abbozzo [-are]**

sketching **schizzare, abbozzare**

stained glass **il vetro colorato**

statuary **statuario**

statue **la statua**

still life **la natura morta**

studio **l'atelier** (m), **il laboratorio**

style **lo stile**

tapestry **gli arazzi**

town planning **l'urbanistica** (f)

traditional **tradizionale**

translucent **traslucido**

transparent **trasparente**

visual arts **le arti visive**

watercolor / colour **l'aquarello** (m)

weathering **l'inclinazione** (f)

wood **il legno**

wood carving **l'intagliatore** (m) **in legno**

woodcut **l'incisione** (f) **su legno**

I have just been to the exhibition at the Royal Academy that has already attracted thousands of visitors. There is the most wonderful collection of drawings and sculptures of the Italian artist. Two of the paintings have been very skillfully restored.

Ho appena visitato la mostra all'Accademia Reale, che ha già attirato migliaia di visitatori. C'è la più bella collezione di disegni e di sculture dell'artista italiano.

Due dei dipinti sono stati restaurati con grande perizia.

THE ARTS

autograph **l'autografo** *(m)*
book **il libro**
bookshop **la libreria**
bookseller **il libraio**
character **il personaggio**
comic **comico**
dialogue / dialog **il dialogo**
fictional **romanzesco**
hardback **il libro rilegato**
I imagine **immagino [-are]**
imagination **l'immaginazione** *(f)*
inspiration **l'ispirazione** *(f)*
inspired by **ispirato [-are] da**
it introduces **introduce [-durre]**
introduction **l'introduzione** *(f)*
I leaf through **sfoglio [-are]**
librarian **il bibliotecario**
library **la biblioteca**
  public library **la biblioteca pubblica**
  reference library **per consultazione**
literal **letterale**
literally **letteralmente**
map **la carta geografica**
myth **il mito**
mythology **la mitologia**
it narrates **narra [-are]**
narrative **la narrativa**
narrator **il narratore**
note **la nota**
page **la pagina**
poem **il poema**
poetic **poetico**
poetry **la poesia**
preface **la prefazione**
punctuation **la punteggiatura**
quote **la citazione**
I quote **cito [-are]**
I read **leggo [-ere]**
reader **il lettore**
I recount **racconto [-are]**
review **la recensione**
rhyme **la rima**

it is set in **ha [avere] luogo in, si svolge [-ere] in**
subtitle **il sottotitolo**
text **il testo**
title **il titolo**
verse **il verso**

Types of book

adventure story **il romanzo d'avventura**
atlas **l'atlante** *(m)*
autobiography **l'autobiografia** *(f)*
biography **la biografia**
children's literature **la letteratura infantile**
comic novel **il romanzo comico**
cookbook / cookery book **il manuale di gastronomia**
crime novel **il romanzo poliziesco, il giallo**
dictionary **il dizionario**
  bilingual **bilingue**
  monolingual **monolingue**
diary **il diario**
encyclopedia **l'enciclopedia** *(f)*
epic poem **il poema epico**
essay **il saggio**
fable **la favola**
fairy tale **il racconto delle fate**
feminist novel **il romanzo femminista**
fiction **la narrativa**
greek tragedy **la tragedia greca**
horror story **il racconto dell'orrore**
letters **le lettere, l'epistolario** *(m)*
manual **il manuale**
memoirs **le memorie**
modern play **la commedia moderna**
nonfiction **la saggistica**
novel **il romanzo**
mystery play **la rappresentazione sacra**

paperback **il libro tascabile**
picaresque **picaresco**
poetry **la poesia**
reference book **il libro di consultazione**
roman à clef **il romanzo a chiave**
satirical poem **il poema satirico**
science fiction **la fantascienza**
short story **il racconto**
spy story **il racconto di spionaggio**
teenage fiction **la narrativa per i giovani**
travel book **il libro di viaggio**
war novel **il romanzo di guerra**

Publishing

abridged version **la versione ridotta**
acknowledgments **il ringraziamento**
appendix **l'appendice** *(f)*
artwork **il disegno, l'illustrazione** *(f)*
author **l'autore** *(m)*, **l'autrice** *(f)*
bestseller **il libro più venduto**
bibliography **la bibliografia**
book fair **la fiera del libro**
catalogue **il catalogo**

chapter **il capitolo**
contents **l'indice** *(m)*
contract **il contratto**
copy **la copia**
copyright **i diritti d'autore**
cover (of book) **la copertina**
deadline **la scadenza**
dedicated to **dedicato a**
edition **l'edizione** *(f)*
editor **l'editore** *(m)*, **l'editrice** *(f)*
  desk editor **il curatore tecnico**
footnotes **le note in calce**
illustrations **le illustrazioni**
manuscript **il manoscritto**
preface **la prefazione**
proofreading **la correzione delle bozze**
publication date **la data di pubblicazione**
publisher **il direttore / propretario di giornale**
publishing house **la casa editrice**
quote **la citazione**
review **la recensione**
reviewer **il recensore, il critico**
translation **la traduzione**
version **la versione**
with a foreword by **con una prefazione di**

We have a collection of modern foreign fiction.

Abbiamo una collezione di narrativa straniera moderna.

My novel deals with changes in nineteenth century Italian rural society.

Il mio romanzo tratta dei cambiamenti nella società rurale italiana nel diciannovesimo secolo.

It opens with a lyrical description of the valley and ends with the last entry in the hero's diary.

Inizia con una poetica descrizione della valle e termina con l'ultima annotazione nel diario dell'eroe.

THE ARTS

acoustics l'acustica (f)
agent l'agente (m/f)
album l'albo (m)
amplifier l'amplificatore (m)
audience il pubblico
audition l'audizione (f)
auditorium l'auditorio (m)
ballet il balletto
band leader il direttore del complesso
baton la bacchetta
brass band la banda a ottoni
cassette tape il nastro cassetta
cassette deck la musicassetta
chamber music la musica da camera
chart/hit parade la classifica (dei successi)
choir il coro
choral corale
chorally in coro
choreography la coreografia
chorus il coro
compact disc (CD) il CD
competition il concorso
I compose compongo [-porre]
composer il compositore
composition la composizione
concert il concerto
concert hall la sala da concerto
I conduct dirigo [-ere]
dance la danza

I dance danzo [-are], faccio [fare] danza
dancer il ballerino
dance music la musica da ballo
discothèque la discoteca
disc jockey il digei, l'animatore (m) musicale
ensemble l'ensemble (m)
euphony l'eufonia (f)
folk music la musica popolare
gig la giga
group il gruppo
harmonic armonico
harmony l'armonia (f)
hit (song) la canzone di successo
hit parade la classifica dei successi
I hum canticchio [-are]
instrument lo strumento
instrumental music la musica strumentale
I interpret interpreto [-are]
interpretation l'interpretazione (f)
jazz il jazz
judge/adjudicator il giudice di concorso
juke box il juke-box
key la chiave
lesson la lezione
I listen to ascolto [-are]
listening l'ascolto (m)

—Do you play an instrument?
—I play the viola.
—I never learned to play an instrument.

—There is a concert at the students' union.
—What is the name of the band?
—I don't know. Their lyrics are quite good but the music is awful.

—Lei suona uno strumento?
—Suono la viola.
—Non ho mai imparato a suonare uno strumento.

—C'è un concerto all'unione studentesca.
—Come si chiama il gruppo?
—Non lo so. Le parole non sono male ma la musica è tremenda.

---

microphone **il microfono**
music **la musica**
musically **musicalmente**
musician **il musicista**
musicologist **il musicologo**
note **la nota musicale**
oboe player **il suonatore di oboe**
orchestra **l'orchestra** *(f)*
orchestration **l'orchestrazione** *(f)*
it is performed **è eseguito [-ire]**
performance **l'esecuzione** *(f)*
performed by **eseguita da**
performer **l'esecutore** *(m)*
piece **il pezzo**
I play **suono [-are]**
player **il suonatore**
portable **portabile**
I practice / practise **mi esercito [-are]**
promotional video **il video promozionale**
I put on a record **metto [-ere] un disco**
recital **lo spettacolo musicale**
record **il disco**
I record **registro [-are]**
recording **la registrazione**
recording studio **lo studio di registrazione**
reed **l'ancia** *(f)*
refrain **il ritornello**
rehearsal **la prova**
I rehearse **provo [-are]**

resin **la resina, la colofonia**
rhythm **il ritmo**
rhythmic **ritmico**
rhythmically **ritmicamente**
rock **il rock**
show **lo spettacolo**
I sing **canto [-are]**
singer **il / la cantante**
solo **l'assolo** *(m)*
soloist **il / la solista**
song **la canzone**
songwriter **il / la canzonettista**
string **l'arco** *(m)*
string orchestra **l'orchestra** *(f)* **d'archi**
tape **il nastro**
tour **la tournée**
on tour **in tournée**
trombonist **il suonatore di trombone**
tune **il tono**
in tune **intonato**
out of tune **stonato**
I tune **accordo [-are]**
tuner (of instruments) **l'accordatore** *(m)*
violin maker **il liutaio**
vocal music **la musica vocale**
voice **la voce**
I whistle **fischio [-are]**
whistling **fischiare**
wind instruments **gli strumenti a fiato**

The conductor was greeted by a standing ovation.	Il direttore d'orchestra fu accolto con un applauso scrosciante.
Rehearsals will be held in the cathedral on Friday evening.	Le prove si terranno venerdì sera nella cattedrale.
Where is my violin case?	Dov'è la mia custodia del violino?

THE ARTS

act   la recita
I act   recito [-are]
acting school   la scuola di
  recitazione
actor   l'attore (m)
actress   l'attrice (f)
I applaud   applaudo [-ire]
applause   l'applauso (m)
assistant director   l'assistente alla
  regia (m/f)
audience   il pubblico, gli
  spettatori
auditorium   l'auditorio (m)
I book   prenoto [-are]
box   il palco
box office   la biglietteria
cabaret   lo spettacolo di varietà
camera   la cinepresa, la
  macchina da presa
camera crew   gli operatori
cameraman   l'operatore (m)
cartoons   l'animazione (f), i
  cartoni animati
choreographer   il coreografo
circle   la galleria
circus   il circo
I clap   applaudo [-ire]
clapping   l'applauso (m)
cloakroom   il guardaroba
comedian   l'attore (m) comico
contract   il contratto

curtain   la tela
I design   disegno [-are]
designer   il/la progettista
I direct   dirigo [-ere]
director   il/la regista
drama   il dramma, il lavoro
  teatrale, il teatro
dress rehearsal   la prova generale
dubbed   doppiato
dubbing   il doppiaggio
effects   gli effetti
exciting   eccitante,
  emozionante
expectation   l'aspettativa (f)
farce   la farsa
farcical   farsesco
film / movie   il film
film / movie maker   il cineasta
film / movie star   la stella del
  cinema
film / movie producer   il produttore
first night   la prima
floor show   lo spettacolo di
  varietà
flop   il fiasco
intermission / interval   l'intervallo
  (m)
lights   le luci, i riflettori
limelights   le luci della ribalta
lobby   il ridotto
location work   gli esterni

All the critics will attend the opening night.	**Tutti i critici saranno presenti alla prima.**
The director has been nominated for the Oscar.	**Il regista è stato nominato per l'Oscar.**
Sci-fi films were popular in the sixties.	**I film di fantascienza erano molto diffusi negli anni sessanta.**

I make a movie/film **faccio [fare] un film**

masterpiece **l'opera** (f) **d'arte**

matinée **lo spettacolo pomeridiano**

melodrama **il melodramma**

mime **il mimo**

movie **il film**

movies/cinema **il cinema** (m), **la cinematografia** (f)

movie/cinema buff **il cinefilo**

music hall **il teatro di varietà**

offstage **dietro le quinte**

opening night **la prima**

ovation **l'ovazione** (f)

pantomime **la pantomima**

performance **l'esecuzione** (f), **lo spettacolo**

photography **la fotografia**

play **la recita**

I play **recito [-are]**

playwright **il commediografo**

premiere **la prima**

I produce **produco [-durre]**

producer **il produttore**

production **la produzione**

public **il pubblico**

retrospective **la retrospettiva**

review **la recensione**

role **il ruolo**

row **la fila**

scene **la scena**

scenery **lo scenario**

screen **lo schermo**

screen test **il provino**

screening **la proiezione**

shoot (film/movie) **giro [-are]**

script **il copione, la sceneggiatura**

scriptwriter **lo sceneggiatore**

seat **il posto**

sequel **la continuazione**

sequence **la sequenza**

I show (film/movie) **mostro [-are]**

it is shown at **è [essere] in visione a**

sold out **esaurito**

soundtrack **il sonoro**

I add the soundtrack **sonorizzo [-are]**

special effects **gli effetti speciali**

stage (theater/theatre) **il palcoscenico, la scena**

stage (movies/cinema) **il teatro di posa**

stage directions **le didascalie**

stage effects **gli effetti scenici**

stage fright **la paura del pubblico, il trac**

stalls **le poltrone**

stunt person **il cascatore, la controfigura**

trailer **la presentazione di nuovi film**

understudy (theater/theatre) **il sostituto**

understudy (movies/cinema) **la controfigura, il sostituto**

usherette **la mascherina**

walk-on part **la particina**

I zoom **zumo [-are]**

The matinée is sold out.	**Lo spettacolo pomeridiano è esaurito.**
Does this theater/theatre have disabled access?	**Questo teatro ha un accesso per i disabili?**
Foreign films are usually dubbed, but some movie/cinema clubs show them in the original language.	**Di solito i film stranieri sono doppiati, ma alcuni cineclub li proiettano in lingua originale.**

The Media

18a General Terms

admission **l'ammissione** *(f)*	educational **istruttivo, didattico**
I admit **ammetto [-ere]**	I entertain **intrattengo [-ere]**
I analyze **analizzo [-are]**	ethical **etico**
analysis **l'analisi** *(f)*	event **l'avvenimento** *(m)* , **l'evento**
I appeal to **mi appello [-are] a**	*(m)*
I argue **discuto [-ere]**	example **l'esempio** *(m)*
argument **la discussione**	expectations **le aspettative**
attitude **l'atteggiamento** *(m)*	I exploit **sfrutto [-are]**
biased **di parte**	fallacious **ingannevole**
campaign **la campagna**	fallacy **la malafede, l'argomento**
censorship **la censura**	*(m)* **falso**
cogent **convincente, valido**	freedom **la libertà**
comment **il commento**	full **dettagliato**
conspiracy **la cospirazione**	gullible **credulone**
criticism **la critica**	hidden **nascosto**
critique **la recensione**	homophobic **omofobo**
cultural **culturale**	ignorance **l'ignoranza** *(f)*
culture **la cultura**	I ignore **ignoro [-are], trascuro**
cultured **colto**	**[-are]**
current events **l'attualità** *(f)*	influential **influente**
declaration **la dichiarazione**	information **l'informazione** *(f)*
it declares **dichiara [-are]**	informative **informativo**
detailed **dettagliato**	interview **l'intervista** *(f)*
it discriminates **discrimina [-are]**	it intrudes **si intromette [-ere]**
disaster **il disastro**	intrusion **l'intrusione** *(f)*,
disinformation **la disinformazione**	**l'invasione** *(f)*

During the recent elections it was difficult to find an example of unbiased reporting.

In recent years many war correspondents have lost their lives or have been taken as hostages while reporting from the front.

Durante le ultime elezioni era difficile trovare un esempio di servizio imparziale.

Negli ultimi anni molti corrispondenti di guerra hanno perso la vita o sono stati presi in ostaggio mentre facevano servizi al fronte.

intrusive **invadente**
issue *(problem)* **il problema, la questione**
I keep up with the news **mi tengo [tenere] al corrente**
libel **la diffamazione**
libelous **diffamatorio**
likely **probabile**
local interest news **la cronaca cittadina**
material **il materiale**
materialism **il materialismo**
meddling **intrigante**
news **le notizie**
news item **la notizia**
partisan *(adj)* **di parte**
persuasion **la persuasione**
persuasive **persuasivo**
prejudice **il pregiudizio**
political **politico**
politician **l'uomo** *(m)* **politico, la donna politico**
politics **la politica**
press **la stampa**
privacy **la dimensione strettamente personale**
privacy law **la legge sulla vita privata**
probable **probabile, verosimile**
it is probable **è probabile**
problem **il problema**
racism **il razzismo**
racist **il / la razzista**

report **il resoconto**
review **la rivista, la recensione, il riesame**
I review **recensisco [-ire], riesamino [-are]**
it comes under review **viene [venire] preso in esame**
scoop **il colpo giornalistico**
sensational **sensazionale**
sensationalism **il sensazionalismo**
sexism **il sessismo**
sexist **sessista**
shrewd **scaltro, perspicace**
silence **il silenzio**
silent **silenzioso**
social **sociale**
society **la società**
specious **specioso**
summary **il sommario**
summary *(adj)* **sommario**
it takes place **ha [avere] luogo**
trust **la fiducia**
I trust **ho [avere] fiducia in**
trustworthy **affidabile**
truth **la verità**
truthful **sincero, veritiero**
unbiased **imparziale**
untrustworthy **inaffidabile**
up-to-date **aggiornato**
violence **la violenza**
violent **violento**
weekly *(adj)* **settimanale**

I am a freelance journalist specializing in investigative journalism.

Sono giornalista indipendente. Mi specializzo in indagini giornalistiche.

European current affairs are not always reported in the British press, though all quality papers have foreign correspondents in all the European capitals.

L'attualità europea non è sempre riportata nella stampa britannica benché tutti i maggiori giornali abbiano corrispondenti esteri in tutte le capitali europee.

advice column / agony aunt **la curatrice della rubrica di consigli ai lettori**
article **l'articolo** *(m)*
back page **l'ultima pagina** *(f)*
barons **i baroni**
broadsheet **il quotidiano**
cartoon **il fumetto**
circulation **la circolazione, la diffusione**
color / colour supplement **il supplemento a colori**
column **la colonna**
comics **il giornale a fumetti**
correspondent **l'inviato** *(m / f)*, **il / la corrispondente**
foreign / sports / war **estero / sportivo / di guerra**
crosswords **le parole (in)crociate**
daily newspaper **il quotidiano**
I edit **dirigo [-ere] il giornale**
edition **l'edizione** *(f)*
editor **il direttore**
editor in chief **il caporedattore**
editorial **l'articolo di fondo** *(m)*

electronic mail (e-mail) **la comunicazione elettronica**
front page **la prima pagina**
glossy magazine **la rivista illustrata**
gossip column **la cronaca mondana**
headline **il titolo, la testata**
heading **l'intestazione** *(f)*
illustration **l'illustrazione** *(f)*
it is published **è pubblicato**
journalist **il / la giornalista**
layout **l'impaginazione** *(f)*
leader **l'articolo** *(m)* **di spalla**
local paper **il giornale regionale**
magazine **la rivista**
monthly **il mensile**
national newspaper **il quotidiano nazionale**
newsagent **l'edicolante** *(m / f)*, **il giornalaio**
newspaper **il quotidiano**
newsstand **l'edicola** *(f)*
page **la pagina**
pamphlet **il pamphlet, lo scritto polemico**

The tabloid press has a surprisingly high readership.	**La stampa scandalistica ha un numero sorprendentemente alto di lettori.**
Media barons have dominated the press in many western countries.	**I baroni dei mass media hanno dominato la stampa in molti paesi occidentali.**
The Sunday edition has so many supplements that I can't find the personal ads.	**L'edizione della domenica ha un tal numero di supplementi che non riesco a trovare gli annunci personali.**
The leader in the Examiner this morning breaks the sensational news.	**L'articolo di spalla dell'Examiner di questa mattina annuncia la sensazionale notizia.**

periodical **il periodico**
power **il potere**
powerful **potente**
press agency **l'agenzia** (f) **stampa**
press conference **la conferenza stampa**
I print **stampo [-are]**
print **la stampa**
print room **la sala stampa**
I publish **pubblico [-are]**
publisher **l'editore** (m), **l'editrice** (f)
publishing company **la casa editrice**
quality press **la stampa di qualità**
reader **il lettore** (m), **la lettrice** (f)

I report **faccio [fare] la cronaca**
reportage **il servizio giornalistico**
reporter **il / la cronista**
short news item **il breve articolo di cronaca**
small ad **l'annuncio** (m)
special issue **l'edizione** (f) **speciale**
I subscribe to **mi abbono [-are] a**
subscription **l'abbonamento** (m)
tabloid **giornale a formato ridotto**
tabloid / scandal sheet / gutter press **i giornali scandalistici**
type(face) **il carattere**
weekly **il settimanale**

Newspaper sections

announcements **gli annunci**
arts **la cultura**
economy **l'economia** (f)
editorial **l'articolo** (m) **di fondo**
entertainment **gli spettacoli**
finance **la finanza**
food and drink **la gastronomia**
games **i giochi**
horoscope **l'oroscopo** (m)
international news **la cronaca estera**

national news **la cronaca nazionale**
obituary **la necrologia**
problems page **la pagina dei lettori**
real estate / property **la proprietà immobiliare**
sport **la cronaca sportiva**
travel **i viaggi**
women's page **la pagina della donna**

—What is the frequency and the circulation of the magazine?
—It is published monthly, is aimed at motorbike enthusiasts, and has over 30,000 subscribers worldwide.

When is the color / colour supplement published?

I guess the circulation of the paper has increased significantly in the last two weeks.

—**Qual è la frequenza e la diffusione della rivista?**
—**È pubblicata mensilmente ed è mirata ai patiti della motocicletta. Ha più di 30.000 abbonati in tutto il mondo.**

Quando viene pubblicato il supplemento a colori?

Immagino che la circolazione del giornale sia aumentata in modo significativo nelle ultime due settimane.

➤ PUBLISHING 17c

18c Television & Radio

aerial **l'antenna** *(f)*
anchorman **il conduttore**
anchorwoman **la conduttrice**
announcer **il presentatore, la**
   presentatrice, il mezzobusto
audience **il pubblico**
boob tube / goggle box **la tivù**
I broadcast **emetto [-ere]**
broadcasting station **la stazione**
   emittente
cable TV **la televisione via cavo**
cameraman **il cameraman**
channel **il canale**
commercial **la pubblicità**
   commercial *(adj)* **commerciale**
couch potato **il / la**
   videodipendente
current affairs program(me) **il**
   programma di attualità
documentary **il documentario**
dubbed **doppiato**
DVD player **il lettore DVD**
earphones **la cuffia**
episode **l'episodio** *(m)*
high frequency **l'alta frequenza** *(f)*
interactive **interattivo**
listener **l'ascoltatore** *(m)*

live broadcast **la trasmissione in**
   diretta
live coverage **il servizio in diretta**
low frequency **la bassa frequenza**
microphone **il microfono**
newscast **il notiziario**
newsreader **l'annunciatore** *(m)*
personal stereo **il mangianastri**
   tascabile con cuffia
program(me) **il programma**
radio **la radio**
   on radio **alla radio**
I record **registro [-are]**
recording **la registrazione**
remote control **il telecomando**
I repeat **ripeto [-ere], ritrasmetto**
   [-ere]
production studio **lo studio di regia**
repeat **la ritrasmissione**
satellite dish **l'antenna** *(f)*
   parabolica
satellite TV **la televisione satellite**
school broadcasting **i programmi**
   per le scuole
screen **lo schermo**
I show **trasmetto [-ere]**

—What! Still glued to the set? You
have been watching the box all
evening! You have become a real
couch potato!

—Ma sei ancora appiccicato al
televisore? Hai guardato la
televisione tutta la sera! Sei
veramente diventato
teledipendente.

—What's on television tonight?
—There's a good quiz show on this
channel at 9.
—Where is the remote control?

—Cosa c'è alla tivù questa sera?
—C'è un buon spettacolo quiz
alle 21 su questo canale.
—Dov'è il telecomando?

signal **il segnale**
loudspeaker **l'altoparlante**
station **la stazione, il programma**
subtitles **i sottotitoli**
I switch off **spengo [spegnere]**
I switch on **accendo [-ere]**
teletext **il televideo, il servizio informazioni interattivo**
television **la televisione**
  on TV **alla televisione, alla tivù**

I transmit **trasmetto [-ere]**
TV movie / film **il film realizzato per TV**
TV set **il televisore**
TV studio **lo studio televisivo**
video clip **l'inserto** *(m)* **filmato**
videogame **il videogioco**
video library **la videoteca**
video recorder **il videoregistratore**
viewer **il telespettatore**
I watch **guardo [-are]**

TV & radio program(me)s

cartoons **i cartoni animati**
children's program(me) **il programma per bambini**
comedy **la commedia, lo spettacolo comico**
current affairs **il programma d'attualità**
drama **lo spettacolo teatrale**
documentaries **i documentari**
education program(me)s **i programmi per le scuole**
feature films / movies **i lungometraggi**
light entertainment **gli spettacoli di varietà**
news **il notiziario**
quiz program(me)s **i programmi quiz**
regional news **il notiziario regionale**
soaps **gli sceneggiati, i teleromanzi**
science program(me)s **i programmi di scienza**
sports program(me)s **i programmi sportivi**
weather forecast **il bollettino meteorologico**

During the summer the traffic bulletin is broadcast every hour in four languages for the benefit of foreign visitors.

In estate il notiziario del traffico viene trasmesso ogni ora in quattro lingue per i turisti stranieri.

Was the Pink Floyd concert broadcast live from Venice?

Il concerto dei Pink Floyd è stato trasmesso in diretta da Venezia?

There should be a program(me) on student grants on this channel but perhaps the children would prefer watching the cartoons. Where are the TV listings?

Dovrebbe esserci un programma sulle borse di studio per gli studenti su questo canale, ma forse i bambini preferirebbero guardare i cartoni animati. Dov'è il radiocorriere?

➤ MOVIE / FILM GENRES App. 17e

THE MEDIA

18d Advertising

I advertise **faccio [fare] pubblicità**
advertisement **l'inserzione** *(f)*
advertising **la pubblicità**
advertising industry **l'industria** *(f)*
pubblicitaria
appeal l'appello *(m)*
it appeals to **piace [-ere] a**
billboard **il cartellone pubblicitario**
brand **la marca**
brand awareness **la notorietà**
della marca
brochure **l'opuscolo** *(m)*
campaign **la campagna**
catalog(ue) **il catalogo**
it catches the eye **attira [-are]**
l'attenzione
commercial **il comunicato**
pubblicitario, lo spot
commercial *(adj)* **pubblicitario**
competition *(rival)* **la concorrenza**
competition *(game)* **la**
competizione, la gara
consumer **il consumatore**
consumer society **la società dei**
consumi

copywriter **il creativo**
I covet **desidero [-are]**
ardentemente
it creates a need **crea [-are] un**
bisogno
demand **la richiesta**
direct mail **la vendita per**
posta
ethical (un-) **(non) etico**
goods **le merci**
hidden persuasion **la persuasione**
occulta
image **l'immagine** *(f)*
I launch **lancio [-are]**
lifestyle **lo stile di vita**
market **il mercato, la piazza**
marketing **il marketing**
market research / survey **la ricera di**
mercato
materialism **il materialismo**
model **il modello, la modella**
I motivate **motivo [-are]**
need **il bisogno, il desiderio**
persuasion **la persuasione**
poster **il manifesto**

Special offer! For one week only!
Buy two and get one free! Plus 20%
discount on your next purchase!

Offerta speciale! Solo per una
settimana! Compratene due e
uno è gratis. In più, il 20% di
sconto sul prossimo acquisto!

— Do you think that television
advertisements are more effective
than ads in newspapers?
— National TV reaches many more
potential consumers but is
extremely expensive.

— Credi che la pubblicità
televisiva sia più efficace di
quella nei giornali?
— La TV nazionale raggiunge un
maggior numero di consumatori
ma è costosissima.

Our market survey shows that
customers tend to buy items at
checkouts on impulse.

La nostra ricerca di mercato
dimostra che i clienti tendono
ad acquistare articoli esposti
alle casse impulsivamente.

product **il prodotto**
I promote **promuovo [-ere]**
promotion **la promozione (delle vendite)**
publicity **la pubblicità**
I publicize **propagando [-are]**
publicity campaign **la campagna pubblicitaria, la propaganda**
public relations **le pubbliche relazioni**
purchasing power **il potere d'acquisto**
radio advertisements **la pubblicità radiofonica**

slogan **lo slogan, il motto pubblicitario**
status symbol **lo status symbol, il simbolo della condizione sociale**
stunt **la montatura pubblicitaria**
I target **miro [-are]**
target group **il pubblico mirato**
I tempt **tento [-are]**
trend **la tendenza**
trendy **alla moda**
truthful **veritiero**
TV advertisements **la pubblicità televisiva**

Small ads

accommodation **affitti, vendite, proprietà immobiliari**
appointments **lavoro**
births **nascite**
courses and conferences **corsi e conferenze**
deaths **decessi**
engagements **fidanzamenti**
exchange **scambio**
exhibitions **mostre**

for sale **vendo, in vendita**
health **salute**
lonely hearts **cuori solitari**
marriages **matrimoni**
personal services **servizi per i lettori**
real estate / property **immobili**
travel **viaggi**
vacations / holidays **vacanze**
wanted **cerco**

This has been his least successful campaign: next time we will use another agency or perhaps a freelance copywriter.

Questa è stata la sua campagna pubblicitaria meno felice: la prossima volta useremo un'altra agenzia o forse un creativo esterno.

The buildings are covered with ugly publicity billboards.

Gli edifici sono ricoperti di brutti cartelloni pubblicitari.

This publicity can be offensive to some ethnic groups.

Questa pubblicità può offendere alcuni gruppi etnici.

Until recently, most television spots portrayed women in exclusively traditional roles.

Sino a tempi recenti gli spot pubblicitari presentavano le donne in ruoli esclusivamente tradizionali.

➤ THE PRESS 18b; TELEVISION & RADIO 18c

Travel

19a General Terms

I accelerate / speed up   **accelero [-are]**
accident   **l'incidente** *(m)*
adult   **l'adulto** *(m)*
announcement   **l'annuncio** *(m)*
arrival   **l'arrivo** *(m)*
I arrive at   **arrivo [-are] a**
assistance   **l'assistenza** *(f)*
I ask for assistance   **chiedo [-ere] assistenza**
bag   **la borsa**
baggage   **il bagaglio**
baggage checkroom / left-luggage office   **il deposito bagagli**
I book   **prenoto [-are]**
booking office   **l'ufficio** *(m)* **prenotazioni**
briefcase   **la borsa, la cartella**
business trip   **il viaggio d'affari**
I buy a ticket   **compro [-are] un biglietto**
I call at   **passo [-are] da**
I cancel   **disdico [-ire]**
I carry   **porto [-are]**
I catch   **prendo [-ere]**
I check *(tickets)*   **verifico [-are]**
child   **il bambino, la bambina**
class   **la classe**
I confirm   **confermo [-are]**
connection *(air)*   **il collegamento**
connection *(train)*   **la coincidenza**
I cross   **attraverso [-are]**
delay   **il ritardo**
delayed   **trattenuto**
I depart   **parto [-ire]**
departure   **la partenza**
destination   **la destinazione**
direct   **diretto**
direction   **la direzione**
disabled   **disabile**

distance   **la distanza**
documents   **i documenti**
driver *(car)*   **l'automobilista** *(m/f)*
   driver *(bus, taxi, coach)*   **l'autista** *(m/f)*
   driver *(train)*   **il macchinista** *(m)*
early   **di buon'ora, in anticipo**
emergency   **l'emergenza** *(f)*
emergency call   **la chiamata d'emergenza**
emergency stop   **la fermata d'emergenza**
en route   **in viaggio, per strada**
entrance   **l'entrata** *(f)*
exit   **l'uscita** *(f)*
extra charge   **il supplemento**
fare   **la tariffa**
   fare reduction   **la riduzione tariffaria**
   reduced fare   **la tariffa ridotta**
fast   **rapido, veloce**
I fill out a form   **compilo [-are] un modulo**
free   **libero**
from   **da**
information   **l'informazione** *(f)*
information office   **l'ufficio** *(m)* **informazioni**
inquire   **chiedo [-ere] informazioni**
inquiry   **la richiesta d'informazioni**
insurance   **l'assicurazione** *(f)*
help   **l'aiuto** *(m)*, **il soccorso**
helpful   **servizievole**
late   **tardi, in ritardo**
I leave *(place)*   **parto [-ire] da**
I leave *(person / object)*   **lascio [-are]**
I leave at   **parto [-ire] alle**

lost **smarrito**
lost property / lost and found office
  l'ufficio *(m)* **oggetti smarriti**
loudspeaker **l'altoparlante** *(m)*
luggage / baggage **il bagaglio**
message **il messaggio**
I miss **perdo [-ere]**
motion sickness *(car)* **il mal d'auto,**
  (air) **il mal d'aria,** *(sea)* **il mal di**
  mare
nonsmoker **non-fumatore**
notice **l'avviso** *(m)*
nuisance **la seccatura**
occupied **occupato**
on board **a bordo**
on time **puntuale**
one-way / single ticket **il biglietto di**
  sola andata
I pack **preparo [-are] le valige**
passenger **il passeggero** *(m)*, **la**
  passeggera *(f)*
porter *(hotel)* **il portiere**
  porter *(station)* **il facchino**
perfect timing **in perfetto orario**
reduction **la riduzione**
rescue **il soccorso**
reservation **la prenotazione**
I reserve **prenoto [-are]**
I return **ritorno [-are]**
return **il ritorno**
round-trip **il giro completo**
round-trip / return ticket **il biglietto**
  di andata e ritorno
safe **sicuro**
safety **la sicurezza**
seat **il sedile**
seatbelt **la cintura di sicurezza**
I set off **parto [-ire]**
signal **il segnale**
slow **lento**
I slow down **rallento [-are]**
small change **il resto**
smoking **il fumo**
  smoking car **la carrozza fumatori**
  smoking room **la sala per**
  fumatori

speed **la velocità**
I speed up **accelero [-are]**
staff **il personale**
I start from **parto [-ire] da**
stop **la fermata**
I stop **mi fermo [-are]**
on strike **in sciopero**
I take *(the bus, train)* **prendo [-ere]**
ticket **il biglietto**
ticket office / desk **la biglietteria**
timetable **l'orario** *(m)*
toilet **il gabinetto**
through **attraverso**
I travel **viaggio [-are]**
travel **il viaggio**
travel agent **l'agente** *(m / f)* **di**
  viaggio
travel agency **l'agenzia** *(f)* **di**
  viaggio
travel documents **i documenti di**
  viaggio
travel information **le informazioni**
  di viaggio
travel pass **la tessera**
traveler **il viaggiatore** *(m)*, **la**
  viaggiatrice *(f)*
tunnel **la galleria**
turn **la svolta**
I turn **giro [-are], svolto [-are]**
unhelpful **di nessun aiuto**
I unpack **disfo [-fare]**
  le valige
valid **valido**
visitor **il visitatore** *(m)*, **la**
  visitatrice *(f)*
warning **l'avvertimento** *(m)*
way in **l'ingresso** *(m)*
way out **l'uscita** *(f)*
weekdays **i giorni feriali**
weekend **il finesettimana**
window **la finestra**
window seat **il posto accanto**
  al finestrino

19b Going Abroad & Travel by Boat

Going abroad

Channel Tunnel   **il Tunnel sotto la Manica**

I cross the English Channel   **attraverso [-are] la Manica**

currency   **la valuta**

currency exchange office   **l'ufficio** *(m)* **cambio**

customs   **la dogana, gli uffici doganali**

customs control   **i controlli di dogana**

customs officer   **il doganiere**

customs regulations   **il regolamento doganale**

declaration   **la dichiarazione**

I declare   **dichiaro [-are]**

duty   **il dazio**

duty-free goods   **le merci non soggette a dazio doganale**

duty-free shop   **il negozio duty-free**

embarkation documents   **i documenti d'imbarco**

exchange rate   **il tasso di cambio**

foreign currency   **la valuta straniera**

frontier   **la frontiera**

I go through passport check   **passo [-are] il controllo passaporti**

immigration office   **l'ufficio** *(m)* **immigrazione**

immigration rules   **il regolamento per l'immigrazione**

passport   **il passaporto**

I pay duty on   **pago [-are] il dazio su**

smuggler   **il contrabbandiere**

smuggling   **il contrabbando**

visa   **il visto**

Travel by boat

bridge   **il ponte**

cabin   **la cabina**

captain   **il capitano**

coast   **la costa**

crew   **l'equipaggio** *(m)*

crossing   **la traversata**

cruise   **la crociera**

deck   **il ponte**

   lower deck   **il ponte inferiore**

   upper deck   **il ponte superiore**

deck chair   **la sedia a sdraio**

I disembark   **sbarco [-are]**

disembarkation   **lo sbarco**

dock   **la darsena**

I embark   **m'imbarco [-are]**

embarkation card   **la carta d'imbarco**

I go on board   **salgo [-ire] a bordo**

— Here are my documents. My final destination is Palermo.
— Thank you. Have a nice trip!

— I am not sure about the exact time of his arrival.
— Have you checked the timetable?
— No, but the bus is expected to arrive shortly.

— Ecco i miei documenti. La mia destinazione ultima è Palermo.
— Grazie. Buon viaggio!

— Non so con certezza l'ora esatta dell'arrivo.
— Hai verificato l'orario?
— No, ma l'arrivo dell'autobus è previsto fra poco.

harbor **il porto**	calm **in bonaccia, calmo**
lifeboat **la scialuppa di salvataggio**	choppy **rotto, mosso**
lifejacket **il giubbotto di salvataggio**	heavy **agitato**
	stormy **in burrasca**
lounge **il salone**	seaman **il marinaio**
luggage **i bagagli**	seasickness **il mal di mare**
ocean **l'oceano** *(m)*	shipping forecast **il bollettino dei mari**
officer **l'ufficiale** *(m)*	
offshore **in mare aperto**	shipyard **il cantiere navale**
on board **a bordo**	smooth **calmo**
overboard **in mare**	storm **la tempesta**
port **il porto**	tide **la marea**
purser **il commissario di bordo**	waves **le onde**
quay **la banchina**	wind **il vento**
reclining seat **la poltrona inclinabile**	windy **ventoso**
	yachting **la navigazione da diporto**
sea **il mare**	

Boats & ships

aircraft carrier **la portaerei**	ocean liner **il transatlantico**
canoe **la canoa**	petrol tank **la petroliera**
cargo boat **la nave da carico**	rowing boat **la barca a remi**
dinghy **la barca a vela**	sailboat **la barca a vela**
ferry **la nave traghetto**	ship / boat **la nave**
hovercraft **l'hovercraft** *(m)*	speedboat **il motoscafo**
hydrofoil **l'aliscafo** *(m)*	submarine **il sottomarino**
lifeboat **la scialuppa di salvataggio**	towboat **il rimorchiatore**
	warship **la nave da guerra**
merchant ship **la nave mercantile**	yacht **il panfilo**

—Have you got any remedy against seasickness?	—**Hai qualche rimedio contro il mal di mare?**
—Yes, I have some pills in my cabin. Meet me on C deck in ten minutes.	—**Sì, ho alcune pillole in cabina. Incontriamoci sul ponte C in dieci minuti.**
—I don't think I'll survive that long!	—**Non credo di farcela!**
Is passport check done on board?	**I passaporti si controllano a bordo?**
From which quay does the ship leave?	**Da quale banchina parte la nave?**

➤ COUNTRIES App. 20a; CURRENCIES App. 9a

TRAVEL

access l'accesso (m)
I allow lascio [-are], permetto [ere]
articulated truck / lorry l'auto-
    articolato (m), l'autotreno (m)
I back up / reverse faccio [fare]
    retromarcia
bike / bicycle la bicicletta
bottleneck l'ingorgo (m)
breathalyzer il palloncino per
    alcoltest
breathalyzing test l'alcoltest (m)
break down il guasto
breakdown service il soccorso
    stradale
I breakdown ho [-ere] un guasto
broken guasto, rotto
bus l'autobus (m), il bus
bus fare la tariffa
bus stop la fermata d'autobus
car l'automobile, la macchina,
    l'autovettura (f)
car park il parcheggio
car parts i pezzi di ricambio
car rental / hire il noleggio auto
car wash il lavaggio auto
caravan la roulotte
caution la prudenza
    caution (legal) l'ammonizione
    (f)
I change gear cambio [-are] marcia
chauffeur l'autista (m / f)
check la verifica
I collide mi scontro [-are]
collision lo scontro
company car l'auto (m) della ditta
competent competente
conductor/conductress (bus) il / la
    conducente
I cross attraverso [-are]
dangerous pericoloso
detour la deviazione
diesel (fuel) il diesel
I do 30 mph faccio [fare] 30
    miglia all'ora
I drive guido [-are]

drive la gita in automobile
driver il / la conducente (m / f)
driving la guida
    instructor l'istruttore (m / f) di
    guida
    lesson la lezione di guida
    license la patente di guida
    school la scuola di guida
    test l'esame (m) di guida
drunken driving la guida in stato
    di ebbrezza
engine trouble il guasto al motore
expressway / motorway
    l'autostrada (f)
    services l'area di servizio (f),
    l'autogrill (m)
eyewitness il / la testimone (m / f)
    oculare
I fasten the seatbelt allaccio [-are]
    la cintura di sicurezza
fatality l'incidente (m) mortale
I fill up faccio [fare] il pieno
filling station la stazione di
    servizio
fine l'ammenda (f), la multa
I fix riparo [-are]
flat / puncture la foratura
forbidden proibito
for hire a nolo
garage l'autorimessa (f)
gas / petrol la benzina
    leaded con piombo
    premium/four star super
    regular/two star normale
    unleaded senza piombo,
    verde
gear la marcia
    in gear in marcia
    in first gear in prima
    in neutral in folle
    in reverse in retromarcia
I get in the car salgo [salire] in
    auto
I get in lane mi immetto [-ere] in
    corsia

I get out   **scendo [-ere] dall'auto**
highway code   **il codice autostradale**
highway police   **la polizia stradale**
I hitchhike   **faccio [fare] l'autostop**
hitchhiker   **l'autostoppista** *(m/f)*
I honk/beep   **suono [-are] il claxon**
I am innocent   **sono [essere] innocente**
I am insured   **sono [essere] assicurato**
insurance   **l'assicurazione** *(f)*
insurance policy   **la polizza d'assicurazione**
it is jammed   **è bloccato**
I keep my distance   **mantengo [-tenere] la distanza**
keys   **le chiavi**
key ring   **il portachiave**
kilometer   **il chilometro**
limit   **il limite**
line of cars   **la fila di auto**
liter/litre   **il litro**
logbook   **i documenti dell'auto**
main   **principale**
make of car   **la marca dell'auto**
maximum speed   **la velocità massima**
mechanic   **il meccanico**
   mechanic *(adj)*   **meccanico**
motel   **l'albergo** *(m)* **su autostrada, il motel**
motor caravan   **la roulotte**
motor show   **il salone dell'auto**
one way only   **il senso unico**
I overtake   **sorpasso [-are]**
overtaking   **il sorpasso**
I park   **posteggio [-are]**
parking   **il posteggio, il parcheggio**
parking ban   **il divieto di parcheggio**
parking ticket   **la multa per parcheggio vietato**
I pass   **passo [-are]**
passage   **il passaggio**
passenger   **il passeggero**

pedestrian   **il pedone**
picnic area   **la piazzola di sosta**
police   **la polizia**
policeman/-woman   **l'agente di polizia** *(m/f)*, **il poliziotto, la poliziotta**
police station   **il commissariato**
position   **la posizione**
private car   **l'auto** *(m)* **privata**
public transport   **i trasporti pubblici**
I put on my seat belt   **allaccio [-are] la cintura di sicurezza**
ramp   **la rampa**
registration papers   **il libretto di circolazione**
I rent/hire   **noleggio [-are]**
rented/hired car   **l'auto** *(m)* **a noleggio**
rent charge   **la tariffa noleggio**
repair   **la riparazione**
I repair   **riparo [-are]**
residents only   **riservato ai residenti**
I reverse   **faccio [fare] la retromarcia**
(in) reverse   **in retromarcia**
right of way   **la precedenza**
road   **la strada, la via**
   road accident   **l'incidente** *(m)* **stradale**
   road block   **il blocco stradale**
   road hog   **il criminale della strada**
   road map   **la carta stradale**
   road sign   **il cartello stradale**
   roadworks   **i lavori stradali**
route   **l'itinerario** *(m)*
I run over   **investo [-ire]**
rush hour   **l'ora** *(f)* **di punta**
self-service   **il self-service, il distributore automatico**
service   **il servizio**
I set off   **parto [-ire]**
signal   **il segnale**
signpost   **il cartello stradale**
slippery   **sdrucciolevole**

TRAVEL

slow **lento**
I slow down **rallento [-are]**
I sound the horn / honk **suono
[sonare] il claxon**
speed **la velocità**
speed limit **il limite di velocità**
I speed up **accelero [-are]**
spot fine **l'ammenda** *(f)*
I start (engine) **avvio [-are] il
motore**
student / learner driver
il / la principante
I switch off **spengo [spegnere]**
I switch on **accendo [-ere]**
taxi **il taxi, il tassì**
taxi driver **il tassista**
taxi stand / rank **il posteggio taxi**
I test **provo [-are]**
toll **il pedaggio**
I tow away **rimorchio [-are]**
town plan **la pianta della città**
town traffic **la circolazione
urbana**
traffic **la circolazione, il traffico**
traffic jam **l'ingorgo** *(m)* **stradale**
traffic light **il semaforo**
traffic offense **la trasgressione
alle norme del codice stradale**

traffic news **il bollettino del
traffico, 'l'Onda Verde'**
traffic police **la polizia stradale**
traffic-free zone **la zona pedonale**
trip **il viaggio**
truck / lorry **il camion**
truck driver / lorry **il camionista**
turn **la svolta**
I turn left **giro [-are] a sinistra**
I turn right **giro [-are] a destra**
I turn off at **giro [-are] a**
I turn off the engine **spengo
[spegnere] il motore**
underground garage **il parcheggio
sotterraneo**
used / second hand car **la vettura
d'occasione**
U-turn **la svolta a U**
vehicle **il veicolo**
vehicle inspection / MOT **la
verifica**
I wait **aspetto [-are]**
warning **l'avvertimento** *(m)*
warning triangle **il triangolo
rosso / d'emergenza**
witness **il testimone**
I yield / give way **do [dare] la
precedenza**

Fill it up, please.

Il pieno, per cortesia.

I have a flat / puncture. Could you
have a look at the clutch?

**Ho una gomma a terra. Può dare
un'occhiata alla frizione?**

Here is my driver's license as you
can see it is still perfectly valid.

**Ecco la mia patente di guida;
come vede è ancora
perfettamente valida.**

I wonder how much the toll is for
this expressway / motorway
section?

**Chissà quanto costerà il
pedaggio per questa sezione
dell'autostrada?**

Your new car has very low
gas / petrol consumption.

**La tua nuova auto consuma
pochissima benzina.**

Roads

access ramp / slip road **la corsia d'accesso**
alley **il vicolo**
avenue **la via, il corso**
bend / curve **la curva**
bridge **il ponte**
built-up area **la zona abitata**
bump **l'urto** *(m)*, **lo scontro**
bypass **la tangenziale**
central lane **la corsia centrale**
closed road **la strada sbarrata**
corner **l'angolo** *(m)*
crossing **l'attraversamento** *(m)*
crossroad **l'incrocio** *(m)*
cul-de-sac **la strada senza uscita**
expressway / motorway **l'autostrada** *(f)*
entry **la corsia d'entrata**
exit **la corsia d'uscita**
junction **lo svincolo**
hard shoulder **la corsia d'emergenza**
inside lane **la corsia interna**
intersection **l'incrocio** *(m)* **stradale**

junction **il raccordo stradale**
lane **la corsia**
level crossing **il passaggio a livello**
main street **la via principale**
one-way street **la strada a senso unico**
outside lane **la corsia esterna**
pedestrian crossing **il passaggio pedonale**
pedestrian island **lo spartitraffico**
pedestrian zone **la zona pedonale**
rest area / lay-by **la piazzola di sosta**
ring road **la tangenziale**
road **la strada**
roundabout **la giratoria, la rotonda**
service area **l'area** *(f)* **di servizio**
side street **la strada laterale**
sidewalk / pavement **il marciapiede**
square **la piazza**
street **la strada, la via**
underground passage **il passaggio sotterraneo**
yellow / white line **la linea gialla / bianca**

There has been a serious accident on the A1 expressway / motorway between junction 7 and 8. A truck traveling towards Rome has crashed against the divider. Three vehicles are involved and one of the drivers is seriously injured. I have put on the hazard lights. Send an ambulance immediately.

C'è stato un grave incidente sull'autostrada A1 fra gli svincoli 7 e 8. Un camion, in direzione Roma, ha sfondato la barriera spartitraffico. Tre vetture sono coinvolte e uno dei conducenti è gravemente ferito. Io ho messo le luci d'emergenza. Mandate un'ambulanza urgentemente.

Delays are expected at the next junction.

Si prevedono ritardi al prossimo raccordo.

The lights are not working. There is a risk of collision.

Le luci non funzionano. C'è il rischio di scontrarsi.

➤ PARTS OF THE CAR, ROAD SIGNS App. 19c; ACCIDENTS 11a

aircraft **il velivolo**
airline **la compagnia aerea**
airline desk **il banco della compagnia aerea**
airplane / aeroplane **l'aeroplano** *(m)*
airport **l'aeroporto** *(m)*
air travel **il viaggio aereo**
I am airsick **ho [avere] il mal d'aria**
baggage **il bagaglio**
I board a plane **salgo [salire] a bordo**
boarding pass / card **la carta d'imbarco**
body search **la perquisizione**
business class **la classe 'executive'**
by air **in aereo**
cabin **la cabina**
canceled **annullato**
canceled flight **il volo annullato**
carousel **il carosello**
charter flight **il volo charter**
I check in **faccio [fare] le operazioni d'imbarco**

check-in operations **le operazioni d'imbarco**
control tower **la torre di controllo**
copilot **il co-pilota**
crew **l'equipaggio** *(m)* **di bordo**
desk **il banco**
direct flight **il volo diretto**
domestic flights **i voli nazionali**
during the flight **durante il volo**
duty-free goods **le merci duty free**
economy class **la classe economica**
emergency exit **l'uscita** *(f)* **d'emergenza**
emergency landing **l'atterraggio** *(m)* **d'emergenza**
excess baggage **l'eccesso** *(m)* **bagagli**
I fasten **allaccio [-are]**
flight **il volo**
flight attendant **l'assistente** *(m / f)* **di volo**

Can I make a connection to Cagliari? Do I have to change flights?

C'è un collegamento con Cagliari? Devo cambiare volo?

— I have some excess baggage / luggage.
— Have you packed your baggage / luggage yourself?

— Il mio bagaglio supera un po' il peso.
— Ha fatto le valigie Lei stesso?

How long is the delay.

Quant'è il ritardo?

There is some turbulence over the Alps.
The expected landing time is at 11:40, local time.

C'è un po' di turbolenza sulle Alpi.
Si prevede l'atterraggio alle 11.40, ora locale.

My baggage has not yet been unloaded.

Il mio bagaglio non è ancora stato scaricato.

I fly   **volo [-are]**
I fly at a height of   **volo [-are] a
un'altezza di**
flying   **il volo**
fuselage   **la carlinga**
gate   **il cancello**
instructions   **le istruzioni**
hand luggage   **il bagaglio a mano**
headphones   **le cuffie**
highjacker   **il pirata dell'aria**
immigrant   **l'immigrante** *(m / f)*
immigration   **l'immigrazione** *(f)*
immigration rules   **le leggi
sull'immigrazione**
I land   **atterro [-are]**
landing   **l'atterraggio** *(m)*
landing lights   **le luci d'atterraggio**
no-smoking sign   **il segnale 'non
fumare'**
nonstop   **diretto**
on board   **a bordo**
parachute   **il paracadute**
passenger   **il passeggero, la
passeggera**
passengers lounge   **la sala**
d'attesa
passport check / control   **il controllo
passaporti**
pilot   **il / la pilota**
plane   **l'aeroplano** *(m)*
refreshments   **i rinfreschi**
runway   **la pista**
safety jacket   **il giubbotto di
salvataggio**
security measures   **le misure di
sicurezza**
security staff   **il personale di
sicurezza**
steward   **l'assistente** *(m)* **di volo**
stewardess   **l'assistente** *(f)* **di volo**
I take off   **decollo [-are]**
take off   **il decollo**
terminal   **il terminale**
tray   **il vassoio**
turbulence   **la turbolenza**
view   **la vista**
window   **il finestrino**
window seat   **il sedile vicino al
finestrino**

— Will Mr./Ms. Smith traveling on
flight AZ131 to Naples please
come to the information desk
immediately.

— Where do I check in for flight AZ
131?

This is the last call for passengers
traveling on flght BZ881 to Olbia.

What is the flight number?

For your comfort and safety,
please fasten your seatbelts.

— **I signori Smith in viaggio con
il volo AZ131 per Napoli sono
pregati di presentarsi al banco
informazioni.**

— **Dove faccio le operazioni
d'imbarco per il volo AZ131?**

**Ultima chiamata per i
passeggeri diretti a Olbia con il
volo BZ881.**

Qual è il numero del volo?

**Per il vostro benessere e
sicurezza, preghiamo di
allacciare le cinture.**

announcement   l'annuncio *(m)*
barrier   la barriera
buffet   il buffet
buffet car   la carrozza buffet
cart / trolley   il carrello
coach   la carrozza
compartment   lo scompartimento
connection   la coincidenza
dining car   la carrozza ristorante
direct train   il treno diretto
exemption   l'esenzione *(f)*
express train   il treno espresso
fare   la tariffa
from   da
I go   vado [andare]
inspector   l'ispettore *(m)*,
   l'ispettrice *(f)*
intercity train   l'IC
I lean out   mi affaccio [-are]
level crossing   il passaggio a
   livello

local train   il treno regionale
luggage rack   la reticella per
   bagagli
I miss   perdo [-ere]
nonrefundable   non rimborsabile
(non)smokers compartment   lo
   scompartimento per (non)
   fumatori
occupied   occupato
on time   puntuale
platform   il binario
porter   il facchino
I punch (ticket)   convalido [-are] il
   biglietto
railroad / railway   la ferrovia
   rail(way) station   la stazione
   ferroviaria
rail ticket   il biglietto
   ferroviario
rail tracks   i binari
ramp   la rampa

A special announcement:
On Sundays and bank holidays
service to Naples, does not
operate, and on weekdays after
9 a.m. fares are subject to
surcharges / supplementary charges.
In addition, reservations are
required for seats in the nonsmoking
compartments on the Bari service.
We apologize for any
inconvenience.

— Where do I have to change?
— To go to the Coliseum, you need
to take the line to . . . and get off at
the next stop.

Un annuncio speciale:
La domenica e nei giorni festivi
il servizio per Napoli non opera
e nei giorni feriali dopo le ore 9
le tariffe sono soggette a
supplementi tariffari.
Inoltre le prenotazioni sono
obbligatorie per posti negli
scompartimenti per non
fumatori sulla linea di Bari.
Siamo spiacenti per il disagio.

— Dove devo cambiare?
— Per andare al Colosseo deve
prendere la linea per ... e
scendere alla prossima fermata.

reduction **la riduzione**
reservation **la prenotazione**
rucksack **lo zaino**
ski bag **la sacca portasci**
sleeper **il vagone letto**
smokers **i fumatori**
speed **la velocità**
station master **il capostazione,
la capostazione**
stop **la fermata**
I stop **mi fermo [-are]**
suitcase **la valigia**
supplement **il supplemento**
ticket **il biglietto ferroviario**
  first / second class
  prima / seconda classe
  group **collettivo**
  one way/single **di sola andata**
  round-trip / return **di andata e
  ritorno**
ticket collector **il bigliettaio**
ticket office **la biglietteria**

timetable **l'orario** (m)
  summer/winter timetable **l'orario
  estivo / invernale**
timetable changes **i cambiamenti
  d'orario**
toilets **i gabinetti**
track **i binari**
traveler **il viaggiatore, la
  viaggiatrice**
train **il treno**
  direct train **il treno diretto, il
  treno interregionale**
  express train **il treno espresso**
  intercity train **il treno IC**
  local train **il treno regionale**
user **l'utente** (m / f)
I wait **aspetto [-are]**
waiting room **la sala d'aspetto**
wagon-lits **i vagoni letto**
warning **l'avviso** (m)
window **il finestrino**

This is a public announcement for all passengers traveling to Venice. We are sorry to announce that this service is subject to delays. There will also be a track change.	**Annuncio per tutti i passeggeri diretti a Venezia. Siamo spiacenti di annunciare che questo servizio è soggetto a ritardi. Ci sarà anche un cambiamento di binario.**
—At what time does this train leave?	**A che ora parte questo treno?**
—The 11:45 to Bari is now leaving from track 10.	**—Il treno delle 11.45 diretto a Bari è in partenza al binario 10.**
I need a wheelchair for a disabled passenger.	**Mi occorre una sedia a rotelle per un passeggero disabile.**
Excuse me, this is a nonsmoking compartment.	**Mi scusi, questo è uno scompartimento per non fumatori.**
Is this the intercity to Parma?	**È questo l'intercity per Parma?**

155

Vacation / Holidays

20a General Terms

abroad **all'estero**
accommodation **la sistemazione**
alone **solo**
amenities **le amenità, le attrattive**
area **la zona**
arrival **l'arrivo** *(m)*
available **disponibile, libero**
baggage / luggage **il bagaglio**
beach **la spiaggia**
camera **la macchina fotografica**
clean **pulito**
climate **il clima**
closed **chiuso**
clothes **gli abiti**
comfort **le comodità**
comfortable **comodo, confortevole**
congested **congestionato**
country **il paese**
countryside **la campagna**
deck chair **la sedia a sdraio**
dirty **sporco**
disadvantage **lo svantaggio**
disorganized **disorganizzato**
exchange **il cambio**
fire **il fuoco, l'incendio** *(m)*
folding chair **la sedia pieghevole**
folding table **il tavolino pieghevole**
food **il cibo, l'alimentazione** *(f)*
full **pieno**
full up **completo, esaurito**
I go **vado [andare]**
group **il gruppo**
group travel **il viaggio organizzato**
guide **la guida** *(m / f)*
guidebook **la guida (turistica)**
guided tour / walk **la visita guidata**

information office / bureau **l'ufficio** *(m)* **informazioni**
land **la terra**
landscape **il paesaggio**
I organize **organizzo [-are]**
organization **l'organizzazione** *(f)*
I plan **faccio [fare] progetti**
plan (town) **la cartina, la pianta**
portable **portabile**
I return to (place) **ritorno [-are] a**
rucksack / knapsack **lo zaino**
sea **il mare**
seascape **il paesaggio marino**
seaside resort **la stazione balneare**
show **lo spettacolo**
sight **la vista**
I spend time **passo [-are] il tempo**
stay **il soggiorno**
I stay **soggiorno [-are]**
suitcase **la valigia**
sun **il sole**
I sunbathe **prendo [-ere] il sole**
sunny **soleggiato**
I tan / get brown **(mi) abbronzo [-are]**
tour **l'escursione** *(f)*, **il giro, la visita**
tourism **il turismo**
tourist **il / la turista**
tourist menu **il menù turistico**
tourist office **l'ufficio** *(m)* **turismo, l'azienda** *(f)* **di soggiorno**
town **la città**
town plan **la pianta della città**
travel **il viaggio**
I travel **viaggio [-are]**
I unpack **disfo [disfare] le valige**
vacation / holidays **le vacanze**
vacationer / holiday-maker **il vacanziere**

I visit **visito [-are]**
visit **la visita**
visiting hours **l'orario** *(m)* **di visita**
visitors **i visitatori**
welcome **benvenuto**
worth seeing **che vale la pena di vedere, degno di essere visto**

Vacation / Holiday activities

adventure vacation / holiday **la vacanza avventurosa**
beach vacation / holiday **la vacanza al mare**
boating vacation / holiday **la vacanza in barca**
bus excursion **la gita in pullman**
camping **fare campeggio**
canoeing **fare canoa**
cruise **una crociera**
cycling **andare in bicicletta**
fishing **la pesca**

fruit picking **raccogliere frutta**
hunting **la caccia**
motoring vacation / holiday **il turismo automobilistico**
mountain climbing **fare alpinismo**
rock climbing **fare roccia**
safari **fare un safari**
sailing **fare vela**
scuba diving **fare immersione**
sightseeing **fare un giro turistico**
skiing **sciare**
study vacation / holiday **la vacanza di studio**
surfing **il surfing**
trekking **fare escursionismo**
volunteer work **il volontariato**
walking **camminare**
waterskiing **fare dello sci acquatico**
wine tasting **la degustazione dei vini**

Dear Colleagues,

Having a wonderful vacation / holiday. The weather is nice (I've got a great tan), the campsite is clean, and the local food is excellent.

The kids are having a great time too, enjoying the water sports, building sandcastles, and making lots of friends.

I'm not looking forward to coming home, at all!

Best wishes, Sarah.

Cari colleghi,

Una magnifica vacanza. Fa bello (ho una splendida abbronzatura), il campeggio è pulito e la cucina locale eccellente.

Anche i bambini si stanno divertendo un mondo, fanno sport d'acqua, castelli di sabbia e molte amicizie.

Il pensiero di ritornare a casa non mi entusiasma.

Auguroni, Sara.

➤ COUNTRIES App. 20a; HOBBIES App. 16a; ON THE BEACH App. 20a

VACATION / HOLIDAYS

20b Accommodation & Hotel

Accommodation

apartment   l'appartamento *(m)*
bed & breakfast   la pensione
campsite   il campeggio
chalet   lo chalet, la villetta rustica
cottage   la villetta di campagna
guest house   la pensione
farm   la fattoria
full board   pensione completa
half board   mezza pensione
holiday village   il villaggio vacanze
home exchange   lo scambio di
   casa
hotel   l'albergo *(m)*
inn   la locanda
mobile home   la roulotte
motel   il motel
self-catering   con servizi
trailer / caravan   la roulotte
vacation / holiday village   il villaggio
   vacanze
villa   la villa
youth hostel   l'ostello *(m)* della
   gioventù

Booking & payment

all inclusive   tutto compreso
bill   il conto, la fattura
I book   prenoto [-are]
brochure   l'opuscolo *(m)*

cash *(money)*   il contante
I cash   incasso [-are]
cheap   economico, a buon prezzo
check / cheque   l'assegno *(m)*
cost   il costo
credit card   la carta di credito
credit   il credito
economical   economico
Eurocheque   l'eurocheque
excluding   escluso, non
   compreso
exclusive   esclusivo
expensive   caro, costoso
extra charge   il supplemento
I fill in   compilo [-are]
form   il modulo
free   libero, gratuito
hotel bill   il conto
inclusive   incluso, compreso
money   i soldi, il denaro
paid   pagato
I pay   pago [-are]
payment   il pagamento
price   il prezzo
pricelist   il listino prezzi
reduction   la riduzione
refund   il rimborso
reservation   la prenotazione
I reserve   prenoto [-are], riservo
   [-are]

I'd like to reserve a room with a
double bed and a bathroom
for three days from March 4th.

**Vorrei una camera con
letto matrimoniale e bagno per
tre giorni dal 4 marzo.**

I'd like to complain.
The hot water faucet/tap does not
work; there is only one coathanger
in the closet; and I asked for a
room with a view.
We are checking out now. I shall
pick up the luggage at 10:30.

**Vorrei fare un reclamo.
Il rubinetto dell'acqua calda non
funziona; c'è solo una gruccia e
ho chiesto una camera con
vista.
Saldiamo il conto ora. Passerò a
ritirare i bagagli alle 10.30.**

reserved   **prenotato, riservato**
sales tax / VAT   **l'IVA** *(f)*
sign   **firmo [-are]**
signature   **la firma**
traveler's check / traveller's cheque
   l'assegno *(m)* **turistico**

Hotel

air conditioning   **l'aria** *(f)*
   condizionata
balcony   **il balcone**
bath   **il bagno**
bed   **il letto**
bed linen / bedding   **la biancheria**
   da letto
bedspread   **il copriletto**
bellhop / porter   **il portiere**
billiard / pool room   **la sala da**
   biliardo
board   **la pensione**
   full board   **pensione completa**
   half board   **mezza pensione**
breakfast   **la prima colazione**
broken   **rotto**
business lunch   **la colazione**
   d'affari
business meeting   **la riunione**
   d'affari
call   **la chiamata**
I check in   **prenoto [-are]**
I check out   **saldo [-are] il conto**
(coat) hanger   **la gruccia**
I complain   **reclamo [-are]**
complaint   **il reclamo**
conference   **la conferenza**
conference facilities   **i servizi per**
   conferenza
damage   **il danno**
dining room   **la sala da pranzo**
early morning call   **il servizio**
   sveglia
elevator / lift   **l'ascensore** *(m)*
en suite bathroom   **il bagno**
   privato
evening meal   **il pasto serale**
facilities   **le attrezzature, i servizi**
fire exit   **l'uscita** *(f)* **di soccorso**

fire exitinguisher   **l'estintore** *(m)*
I give a gratuity / tip   **lascio [-are]**
   una mancia
guest   **l'ospite** *(m / f)*
hairdresser   **il parrucchiere**
hairdryer   **l'asciugatore** *(m)* **per**
   capelli
hall   **l'entrata** *(f)*
hotel   **l'albergo** *(m)*
landing   **il pianerottolo**
laundry   **la biancheria da lavare**
laundry bag   **il sacco per la**
   biancheria
laundry service   **il servizio**
   lavanderia
lounge   **il salone**
maid   **la cameriera**
message   **il messaggio**
night porter   **il portiere di notte**
noisy   **rumoroso**
overnight bag   **la ventiquattrore**
parking space   **il parcheggio**
plug *(electrical)*   **la spina**
private toilet   **il gabinetto privato**
reception   **la ricezione**
receptionist   **la ricezionista, la**
   segretaria
room   **la camera**
   double room   **la camera con**
   letto matrimoniale
   family room   **la camera con**
   letti supplementari
   twin-beds room   **la camera**
   doppia
room service   **il servizio in**
   camera
service   **il servizio**
shower   **la doccia**
shower cap   **la cuffia per doccia**
stay   **il soggiorno**
I stay   **resto [-are]**
tip / gratuity   **la mancia**
trouser press / pants press   **lo**
   stirapantaloni
view   **la vista**
Welcome!   **Benvenuti!**

▶ ROOMS 8a; FURNISHINGS 8c; EATING OUT 10a

20c Camping & Self-Service / -Catering

air bed   **il lettino da campeggio gonfiabile**

antihistamine cream   **la crema antistaminica**

ants   **le formiche**

barbecue   **la graticola**

battery   **la pila**

I camp   **faccio [fare] campeggio**

camp bed   **il lettino da campeggio**

camper   **il campeggiatore**

camping   **il campeggio**

camping gear / equipment   **l'attrezzatura** (f) **per campeggio**

camping gas   **il gas butano**

campsite   **il campeggio**

connected   **innestato**

cooking facilities   **l'attrezzatura** (f) **da cucina**

disconnected   **disinnestato**

drinking water   **l'acqua** (f) **potabile**

extension cord / lead   **la prolunga**

I fix   **riparo [-are], aggiusto [-are]**

fixed   **riparato, aggiustato**

flashlight / torch   **la pila**

forbidden   **vietato**

gas   **il gas**

gas cylinder   **la bombola di gas**

gas stove / cooker   **il fornello a gas**

ground sheet   **il telo per il terreno**

inconvenient   **scomodo, fastidioso**

in the dark   **al buio, nell'oscurità**

medicine box   **la valigetta prontosoccorso**

mosquito   **la zanzara**

mosquito bite   **la puntura di zanzara**

mosquito net   **la zanzariera**

noise   **il rumore**

peg   **il picchetto**

I pitch my tent   **pianto [-are] / monto [-are] la tenda**

bedpan / potty   **il vasino da notte**

shadow   **l'ombra** (f)

sheet   **il lenzuolo** (pl **le lenzuola**)

site   **il luogo, il posto**

sleeping bag   **il sacco a pelo**

— Where shall we put up the tent.
— Away from the main buildings.
— I'll pitch it in the shade under that tree.
— No, it is a bit damp there. This is better and there are no mosquitos here.

— **Dove montiamo la tenda?**
— **Lontano dal blocco principale.**

— **La pianto all'ombra, sotto quell'albero.**
— **No, là è un po' umido. Qui è meglio e non ci sono zanzare.**

— Where's the flashlight / torch? It's not in the tent.
— It was in the knapsack / rucksack just now.
— Keep your voice down, please, we are trying to sleep!

— **Dov' è la pila? Non è nella tenda.**
— **Era nello zaino or ora.**

— **Abbassa la voce, per favore. Stiamo cercando di dormire!**

Have you any spare tent pegs?

Hai dei picchetti di riserva?

Did you bring a bottle opener?

Hai portato il cavatappi?

space **lo spazio**
I take down *(tent)* **smonto [-are]**
tent **la tenda**
toilet **il gabinetto, i servizi**
vehicles **i veicoli**
washing facilities **la zona lavaggio**
water filter **il filtro per acqua**

Self-service / Self-catering

agency **l'agenzia** *(f)*
apartment **l'appartamento** *(m)*
borrowed **in prestito**
clean **pulito**
I clean **pulisco [pulire]**
cleaning cloth **lo strofinaccio**
I cook **cucino [-are]**
damaged **danneggiato**
damages **i danni**
dangerous **pericoloso**
electricity **l'elettricità** *(f)*
electric stove / cooker **la cucina a elettricità**
equipment **l'attrezzatura** *(f)*
farm **la fattoria**
furniture **i mobili, la mobilia**

garden / yard **il giardino**
key **la chiave**
kitchenette **la zona cottura**
help **l'aiuto** *(m)*
meter **il contatore**
owner **il proprietario**
repair **la riparazione**
I repair **riparo [-are], aggiusto [-are]**
I return *(give back)* **restituisco [-ire]**
ruined **rovinato**
safe **sicuro**
safety **la sicurezza**
set of keys **il mazzo di chiavi**
I share **condivido [-ere]**
smelly **puzzolente**
spare keys **il mazzo di chiavi di riserva**
studio **il monolocale**
swing **l'altalena** *(f)*
trailer / caravan **la roulotte**
water supply **il rifornimento idrico**
well **il pozzo**
well kept **ben curato / tenuto**

The apartment is close to all amenities, just a few miles from the nearest shops / stores and convenient to the swimming pool.

L'appartamento è vicino a tutte le amenità, solo a pochi chilometri dai negozi più vicini e comodo per la piscina.

There are no blankets, the stove / cooker doesn't work and there is a frog in the bathroom.

Non ci sono coperte, il fornello non funziona e c'è una rana nella stanza da bagno.

You will find the electric meter under the stairs.

Troverà il contatore dell'elettricità sotto le scale.

How do you lock the door?

Come si chiude la porta a chiave?

How pleasant! What a lovely view!

Com'è gradevole! Che bella vista!

Are there any spare bulbs?

Ci sono lampadine di riserva?

▶ FURNITURE & FURNISHINGS 8b, 8c; COOKING UTENSILS App. 10d

21 Language

21a General Terms

accuracy **l'accuratezza** *(f)*
accurate **accurato, preciso**
I adapt **adatto [-are]**
I adopt **adotto [-are]**
advanced **avanzato, superiore**
aptitude **l'attitudine, l'abilità** *(f)*
artificial language **il linguaggio artificiale**
based on **basato su**
bilingual **bilingue**
bilingualism **il bilinguismo**
borrowing **il prestito**
branch **la branca, il ramo**
classical languages **le lingue morte / classiche**
code **il codice**
it derives from **deriva [-are] da**
development **lo sviluppo**
difficult **difficile**
easy **facile**
error **l'errore** *(m)*
foreign language **la lingua straniera**
I forget **dimentico [-are]**
grammar **la grammatica**
grammatical **grammaticale**

I improve **miglioro [-are]**
influence **l'influenza** *(f)*
known **conosciuto**
language **la lingua**
   language course **il corso di lingua**
   language family **la famiglia delle lingue**
   language school **la scuola di lingue**
   language skills **le competenze linguistiche**
Latin **il latino**
I learn **apprendo [-ere], imparo [-are]**
learning **l'apprendimento** *(m)*
level **il livello**
linguistics **la linguistica**
link **il legame, il collegamento**
living **vivente**
major languages **le lingue maggiori**
it means **significa [-are]**
I mime **mimo [-are]**
minor languages **le lingue minori**
mistake **lo sbaglio**

| I am not very good at languages but my sister is a gifted linguist. | **Io non sono molto dotato per le lingue ma mia sorella è una poliglotta di talento.** |
| Lesser languages may disappear; however, thanks to the oral tradition in some communities, some have been preserved. | **Le lingue minori possono scomparire ma grazie alla tradizione orale in certe comunità, alcune sono state conservate.** |

modern languages   **le lingue moderne**
monolingual   **monolingue**
mother tongue   **la lingua madre**
mutation   **la mutazione**
name   **il nome**
nation   **la nazione**
national   **nazionale**
native   **nativo**
natural   **naturale**
official   **ufficiale**
offshoot   **la derivazione**
origin   **l'origine** *(f)*
philology   **la filologia**
phonetician   **il / la fonetista**
phonetics   **la fonetica**
I practice   **pratico [-are]**
preserved   **preservato**
question   **la domanda**
register   **il registro**
self-assessment   **l'autovalutazione** *(f)*
separate   **separato**
sign   **il segno**
skill   **l'abilità** *(f)*, **la competenza**
structure   **la struttura**
survival   **la sopravvivenza**
it survives   **sopravvive [-ere]**
I teach   **insegno [-are]**
teacher   **l'insegnante** *(m / f)*
teaching   **l'insegnamento** *(m)*
test   **la prova**
I test   **faccio [fare] una prova**

I translate   **traduco [tradurre]**
translation   **la traduzione**
I understand   **capisco [-ire]**
unknown   **sconosciuto**
widely   **diffusamente**

Words & vocabulary

antonym   **il contrario, l'opposto** *(m)*
colloquial   **colloquiale**
consonant   **la consonante**
dictionary   **il dizionario**
diphthong   **il dittongo**
glossary   **il glossario**
idiom   **l'idioma** *(m)*
idiomatic   **idiomatico**
jargon   **il linguaggio, il gergo**
lexicographer   **il lessicografo**
lexicon   **il lessico**
phoneme   **il fonema**
phrase   **la frase**
phrase book   **il frasario**
sentence   **la proposizione, la frase**
slang   **il gergo**
syllable   **la sillaba**
synonym   **il sinonimo**
thesaurus   **il tesoro**
vocabulary   **il vocabolario**
vowel   **la vocale**
word   **la parola**
wordplay   **il gioco di parole**

She learned French and Italian in school. Then, during her numerous trips, she picked up Bulgarian and Urdu while working as a volunteer.

Ha imparato il francese e l'italiano a scuola. Poi, durante i suoi numerosi viaggi, ha appreso il bulgaro, e l'urdu mentre lavorava come volontaria.

➤ LANGUAGES, LANGUAGE FAMILIES App. 21a

LANGUAGE

21b Using Language

Speaking & listening

accent **l'accento** *(m)*
    regional accent **l'accento** *(m)*
    regionale
accuracy **l'accuratezza** *(f)*
articulate **chiaro, distinto**
I articulate **pronuncio** [-are]
    distintamente
clear **chiaro**
I communicate **comunico** [-are]
conversation **la conversazione**
I converse **converso** [-are]
dialect **il dialetto**
diction **la dizione**
I express myself **mi esprimo** [-ere]
fluent **corrente**
fluently **correntemente**
I interpret **interpreto** [-are]
interpreter **l'interprete** *(m / f)*
intonation **l'intonazione** *(f)*
I lisp **sono** [essere] **bleso**
lisp **la pronuncia blesa**
I listen **ascolto** [-are]
listening **l'ascolto** *(m)*
listening skills **l'abilità** *(f)* **di**
    ascolto

I mispronounce **pronuncio** [-are]
    male
mispronunciation **la cattiva**
    pronuncia
oral **orale**
orally **oralmente**
I pronounce **pronuncio** [-are]
pronunciation **la pronuncia**
rhythm **il ritmo**
sound **il suono**
I sound **emetto** [-ere] **un suono**
I speak **parlo** [-are]
speaking **parlare**
speaking skills **l'abilità** *(f)* **del**
    parlare, la competenza orale
speech **il discorso**
speed **la velocità**
spoken **parlato**
spoken language **la lingua parlata**
stress **l'enfasi** *(f)*
I stutter / stammer **balbetto** [-are]
stutter **la balbuzie**
unpronounceable **impronunciabile**
verbally **verbalmente**
well **bene**

—I have no difficulty in reading
Italian, but I don't understand it
when people speak very fast or
with a strong regional accent.

—Do you practice Italian with a
native speaker?
—No, I prefer to attend a class.

Don't worry about spelling
mistakes for the moment.

**—Non ho difficoltà a leggere
l'italiano, ma non lo capisco
quando la gente parla molto
velocemente o con un forte
accento regionale.**
**—Fai pratica di italiano con una
persona di madrelingua?**
**—No, preferisco frequentare un
corso.**

**Non preoccuparti degli sbagli di
ortografia per il momento.**

Writing & reading

alphabet	**l'alfabeto** *(m)*
alphabetically	**in ordine alfabetico**
in bold	**in neretto**
Braille	**braille** *(m)*
calligraphy	**la calligrafia**
character	**il carattere**
code	**il codice**
I correspond with	**corrispondo [-ere] con**
correspondence	**la corrispondenza**
I decipher	**decifro [-are]**
graphic	**grafico**
handwriting	**la scrittura**
icon	**l'icona** *(f)*, **il simbolo visivo**
ideogram / ideograph	**l'ideogramma** *(m)*
illiterate	**analfabeta**
italic	**corsivo, italico**
I italicize	**stampo [-are] in corsivo**
letter *(alphabet)*	**la lettera**
literate	**che sa leggere e scrivere**
literature	**la letteratura**
note	**una nota**
paragraph	**il paragrafo**

philology	**la filologia**
philologist	**il filologo, la filologa**
pictograph	**il pittogramma**
I print	**stampo [-are]**
I read	**leggo [-ere]**
reading	**la lettura**
reading skills	**le abilità di lettura**
I scribble	**scribacchio [-are]**
scribble	**lo sgorbio**
scribble *(illegible)*	**la scrittura illeggibile**
sign	**il segno**
I sign	**firmo [-are]**
signature	**la firma**
I spell	**scrivo [-ere]**
spelling	**la scomposizione in lettere, l'ortografia** *(f)*
text	**il testo**
I transcribe	**trascrivo [-ere]**
transcription	**la trascrizione**
I underline	**sottolineo [-are]**
I write	**scrivo**
writing	**la scrittura**
writing skills	**le abilità di scrittura**
written language	**la lingua scritta**

Portuguese spoken here.	**Si parla portoghese.**
Do you have any previous knowledge of Russian?	**Ha qualche nozione di russo?**
How do you pronounce it?	**Come si pronuncia?**
—Which is the easiest language to learn for an English speaker? —Italian, of course!	**—Qual è la lingua più facile da imparare per una persona di lingua inglese? —L'italiano, naturalmente!**
She still has a marked foreign accent. I find it quite interesting, indeed charming.	**Ha ancora un marcato accento straniero. Lo trovo molto interessante, anzi attraente.**

22 Education

22a General Terms

achievement **il successo, il conseguimento**

admission **l'ammissione** *(f)*, **l'accesso** *(m)*

absent **assente**

age group **un gruppo d'età**

I am away **sono [essere] assente**

aptitude **l'attitudine** *(f)*

I analyze **analizzo [-are]**

answer **la risposta**

I answer *(a question)* **rispondo [-ere] a**

I answer *(someone)* **replico [-are]**

I ask a question **faccio [fare] una domanda**

I ask *(someone)* **chiedo [-ere] a qualcuno**

I attend a school **frequento [-are] la scuola**

board of education **il provveditorato**

boring **noioso**

career **la carriera**

careers education center / centre **il centro d'orientamento professionale**

caretaker **il bidello**

I catch up **riguadagno [-are] il tempo perduto**

chapter **il capitolo**

cheat **scopiazzo [-are], imbroglio [-are]**

class **la classe, la lezione**

class council **il consiglio di classe**

class representative **il / la rappresentante di classe**

class teacher **il professore, l'insegnante** *(m / f)*

class trip **la gita scolastica**

club **il club, l'associazione** *(f)*

comprehension **la comprensione**

compulsory schooling **la scuola d' obbligo**

computer **il computer, l'ordinatore** *(m)*

concept **il concetto**

I copy (out) **riscrivo [-ere], copio [-are]**

copy **la copia**

course **il corso**

I cram / swot **sgobbo [-are]**

deputy head **il vice preside**

detention **trattenere a scuola fuori orario**
I am in detention **mi trattengono [-tenere] a scuola**

difficult **difficile**

I discuss **discuto [-ere]**

easy **facile**

education **l'istruzione** *(f)*

educational system **il sistema scolastico**

I encourage **incoraggio [-are]**

essay **il tema, la relazione**

example **l'esempio** *(m)*

excellent **eccellente**

extracurricular / out of school activity **le attività** *(pl)* **extra scolastiche**

favorite / favourite **preferito, favorito**

favorite subject **la materia preferita**

field center / centre **il centro (di) studi**

I forget **(mi) dimentico [-are]**

governing body *(equivalent)* **il comitato scolastico**

handwriting **la scrittura, l'ortografia** *(f)*

homework **i compiti**

instruction **l'insegnamento** *(m)*

I learn **imparo [-are]**
I leave **lascio [-are]**
lesson **la lezione**
I listen **ascolto [-are]**
local education authority *(equivalent)* **il provveditorato**
I look at **guardo [-are]**
mixed ability group **il gruppo con abilità diverse**
modular **modulare**
module **il modulo**
oral **orale, a voce**
outdoor **esterno, all'aperto, fuori**
parents' evening **la serata per i genitori**
pastoral care **la cura pastorale**
I praise **lodo [-are]**
principal **principale**
principal/headteacher **il/la preside**
project **il progetto, lo schema**
punctual **puntuale**
I punctuate **punteggio [-are]**
punctuation **la punteggiatura**
I punish **punisco [-ire]**
punishment **la punizione, il castigo**
pupil **l'alunno** *(m)*, **l'allievo** *(m)*
qualification **la qualifica, il requisito**
I qualify **mi qualifico [-are]**
question **la domanda**
I question **interrogo [-are], faccio [fare] delle domande**
I read **leggo [-ere], studio [-are]**
reading **la lettura**
I repeat a year **ripeto [-ere]/ rifaccio [-fare] l'anno**
report **la relazione, il resoconto**
research **la ricerca**
I research **faccio [fare] ricerca, svolgo [-ere] una ricerca**
resource center/centre **il centro risorse**
schoolbook **il libro di testo**
school council **il consiglio scolastico**
schoolfriend **un compagno di scuola**

skill **l'abilità** *(f)*, **la competenza**
I skip school. **marino [-are] la scuola**
specialist teacher **l'insegnante** *(m/f)* **specializzato**
spelling **l'ortografia** *(f)*
staff **il personale docente**
I stay in **rimango [rimanere] in/a**
strict **severo, preciso**
I study **studio [-are]**
subject set **il gruppo scolastico**
sum **la somma, l'addizione** *(f)*
I summarize **riassumo [-ere]**
syllabus/scheme of work **il piano di studio**
task **l'incarico** *(m)*, **l'impegno** *(m)*, **il dovere**
I teach **insegno [-are]**
teacher **l'insegnante** *(m/f)*, **il maestro, la maestra, il professore, la professoressa**
teaching **l'insegnamento** *(m)*
term/semester **il trimestre, il semestre**
track/stream **il corso**
tracked/setted **divisi in gruppi per abilità**
I train **istruisco [-ire] addestro, preparo [-are]**
training **la formazione, l'istruzione** *(m/f)*
I translate **traduco [-durre]**
translation **la traduzione**
tutor **il tutore, il/la docente**
I understand **capisco [-ire], intendo [-ere]**
I did not understand **non ho [avere] capito bene, ho capito male**
unit (of work) **l'unità** *(f)* **(di lavoro)**
vacation/holidays **le vacanze**
I work **lavoro [-are]**
I work hard at . . . **lavoro [-are] molto/sodo ...**
work experience **l'esperienza** *(f)* **di lavoro, il tirocinio**
I write **scrivo [-ere]**
written work **il lavoro scritto**

EDUCATION

22b School

School

blackboard **la lavagna**
book **il libro**
break **la pausa, l'intervallo** *(m)*
cafeteria / canteen **la mensa**
cassette *(audio / video)* **la cassetta**
cassette recorder **il mangiacassette**
classroom **l'aula** *(f)*
computer **il computer,
l'ordinatore** *(m)*
desk **la scrivania, il banco**
dormitory **il dormitorio**
eraser / rubber **la gomma**
gym(nasium) **la palestra**
headphones **le cuffie**
interactive TV **la televisione
interattiva**
(language) laboratory **il
laboratorio (linguistico)**
library **la biblioteca**
lunchtime **l'ora** *(f)* **di pranzo**
note **la nota**
office **l'ufficio** *(m)*
playground **il cortile**
radio **la radio**
ruler **la riga**
slide *(photographic)* **la diapositiva**
satellite TV **la tv satellite**
schoolbag / satchel / bookbag **la
cartella, lo zaino**

sports field **il campo sportivo**
sports hall **la palestra**
staffroom **la sala per i docenti**
studio **lo studio**
timetable **l'orario** *(m)*
videocamera **la videocamera**
videocassette **la videocassetta**
videorecorder **il videoregistratore**
workshop **il laboratorio, l'officina**
(f)

Type of school

adult / further education
l'educazione *(f)* **permanente**
boarding school **il collegio**
boarder **il / la pensionante**
day school **la scuola diurna**
nursery / infant school **l'asilo** *(m)*
infantile, la scuola materna
night school **la scuola serale**
playgroup **il nido d'infanzia**
primary / elementary school **la
scuola elementare**
public / private school **la scuola
privata**
school **la scuola**
school type **il tipo di scuola**
of school age **in età scolastica**
secondary **secondaria**

— At what age do children start
school?
— Compulsory school starts at six.

— A che età i bambini
cominciano la scuola?
— La scuola d'obbligo
comincia a sei anni.

Our son already goes to nursery
school and is really looking forward
to school.

Nostro figlio frequenta il nido
d'infanzia e non vede l'ora di
cominciare la prima elementare.

My daughter goes to primary
school. She reads to her teacher
every day and can read quite well
now.

Mia figlia frequenta la prima
elementare. Legge
all'insegnante ogni giorno e ora
legge benino.

secondary (modern)/high school **la scuola media unica**

senior year/sixth form **l'ultimo anno** (m) **del liceo**

senior/sixth-form college **il liceo**

technical school **l'istituto** (m) **tecnico**

Classroom commands

Answer the question! **Rispondete/ Rispondi alla domanda!**

Be careful! **State attenti!**

Be quiet! **Silenzio!**

Be quick! **Sbrigatevi!**

Bring me your work! **Portatemi il vostro lavoro!**

Check off/Tick the boxes! **Segnate le casselle!**

Clean the blackboard! **Pulisci la lavagna!**

Close the door! **Chiudete la porta!**

Come here! **Vieni/Venite qui!**

Come in! **Entra/Entrate!**

Copy these sentences! **Copiate queste frasi!**

Do your homework! **Fate i compiti!**

Don't talk/chatter! **Non parlate/chiacchierate!**

Go out! **Esci dalla classe!**

Listen carefully! **Ascoltate bene!**

Make less noise! **Fare meno rumore!**

Open the window! **Aprite la finestra!**

Pay attention! **Prestate attenzione!**

Put on the headphones! **Mettete le cuffie!**

Read the text! **Leggete il testo!**

Take this to the office! **Portate questo in ufficio!**

Show me your book! **Fammi vedere il tuo quaderno!**

Sit down! **Siediti!/Sedetevi!**

Stand up! **Alzati!/Alzatevi!**

Take notes! **Prendete appunti!**

Work in pairs! **Lavorate in due!**

Work in groups! **Lavorate in gruppi!**

Write an essay! **Scrivete un tema!**

Write it down! **Scrivilo!**

Write out in neat/neatly! **Scrivilo chiaramente!**

The school system in Italy

il nido d'infanzia day nursery (up to the age of 3)

l'asilo nursery school and reception class (age 3–6)

la scuola dell obbligo compulsory school (age 6–14)

la scuola elementare elementary/primary school (age 6–11)

la scuola media inferiore junior high/lower secondary school (age 11–14)

la scuola media superiore senior high/upper secondary school (age 14–18)

la prima elementare first grade/year two

la seconda elementare second grade/year three

la terza elementare third grade/year four

la quarta elementare fourth grade/year five

la quinta elementare fifth grade/ year six

la prima media first year of junior high/year seven

la seconda media second year of junior high/year eight

la terza media third year of junior high/year nine

▶ EXAMINATIONS 22c; STATIONERY App. 22b

EDUCATION

22c School Subjects & Examinations

The subjects

arithmetic   **l'aritmetica** *(f)*
art   **l'arte figurativa** *(f)*, **le belle arti**
   (pl)
biology   **la biologia**
business studies   **gli studi**
   commerciali, lo studio di
   economia aziendale
careers education   **l'orientamento**
   (m) **professionale**
chemistry   **la chimica**
commerce   **il commercio**
compulsory subject   **la materia**
   obbligatoria
computer studies   **l'informatica** *(f)*
design technology   **il disegno**
   tecnologico
economics   **l'economia** *(f)*
elective / option(al subject)
   la materia facoltativa
foreign language   **la lingua straniera**
geography   **la geografia**
gymnastics   **la ginnastica**
history   **la storia**
home economics   **l'economia** *(f)*
   domestica

Italian   **l'italiano** *(m)*
information technology
   l'informatica *(f)*
law   **il diritto**
main subject   **la materia**
   principale
mathematics   **la matematica**
metalwork   **il lavoro in metallo**
music   **la musica**
philosophy   **la filosofia**
physical education   **l'educazione**
   (f) **fisica**
physics   **la fisica**
religious education   **la religione**
science   **le scienze**
sex education   **l'educazione** *(f)*
   sessuale
sociology   **la sociologia**
sport   **lo sport, la ginnastica**
subject   **la materia**
subsidiary subject   **la materia**
   sussidiaria
technical drawing / CDT   **il disegno**
   tecnico
technology   **la tecnologia**
textiles   **il lavoro tessile**
woodwork   **il lavoro in legno**

— Which school do you go to?
— I go to the local public /
comprehensive school. I enjoy it a
lot. There are lots of clubs and
sport activities.
— Which is your favorite / favourite
subject?
— I like math / maths, but prefer
physics.
The hardest subject for me is
chemistry.
I'm good at Italian, since I did the
student exchange.

— **Quale scuola frequenti?**
— **Frequento la scuola media del**
mio quartiere. Mi diverto
abbastanza. Ci sono molti club e
attività sportive.
— **Quale materia preferisci?**

— **Mi piace (la) matematica, ma**
preferisco (la) fisica.
La materia più dura per me è (la)
chimica.
Sono forte in italiano da quando
ho fatto lo scambio.

The examination

I assess **valuto [-are]**
assessment **la valutazione**
certificate **il certificato**
degree **la laurea**
diploma **il diploma**
dissertation **la tesi**
distinction **con lode**
doctorate **il dottorato**
examination **l'esame** *(m)*
external **esterno**
I fail (exam) **non supero [-are]**
final examination **l'esame** *(m)* **finale**
grade **il voto**
I grade **do [dare] il voto**
grading / mark system **il sistema di votazione**
I graduate **mi laureo [-are]**
high school leaving certificate *(equivalent)* **il certificato di licenza media**
listening test **la prova d'ascolto**

mark **il voto**
masters **la laurea (di specializzazione)**
merit **il merito, la lode**
oral exam **l'esame** *(m)* **orale**
personal record card **la scheda di valutazione**
point **il punto, il punteggio**
postgraduate course **un corso post-laurea**
reading comprehension test **la prova di comprensione di testo**
I pass (an exam) **supero [-are] (un esame)**
I take / sit (an exam) **passo [-are] (un esame)**
I test **esamino [-are]**
test **l'esame** *(m)*, **la prova**
thesis **la tesi**
trainee **l'apprendista** *(m / f)*
written test **l'esame** *(m)* **scritto**

Comments

excellent **ottimo**
very good **molto buono**
good **buono**

satisfactory **soddisfacente**
pass **la sufficienza**
poor **insufficiente**
uncertified **non abilitato**

Note: The Italian school system has different ways of grading students. In the **scuole elementari** (elementary schools) and in the **scuole medie inferiori** (middle to junior high), one gives comments. In the **liceo** (corresponding to high school and the first two years of college), one grades from one (*lowest*) to ten (*highest*). Finally, at the university, grades are given from one (*lowest*) to thirty (*highest*).

—Here are your marks! Peter, you (have) got an A+. Well done! Simon, you will need to improve your spelling and write more legibly.
—Do these marks count towards our final grade?

—Ecco i vostri voti! Pietro, tu hai il massimo. Bravo! Simone, tu dovrai migliorare l'ortografia e scrivere in modo più leggibile.
—Questi voti valgono verso il voto finale?

➤ SCHOOL 22b

EDUCATION

adult *(adj)* **adulto**
adult education **l'educazione per gli adulti, l'educazione permanente**
apprentice **l'apprendista** *(m/f)*
apprenticeship **l'apprendistato** *(m)*
chairperson **il/la presidente**
college **il liceo**
   college of FE **l'istituto** *(m)* **tecnico o professionale**
   college of HE **l'università** *(f)*
department/faculty **la facoltà**
diploma **il diploma**
dormitory/residence hall **la casa dello studente**
graduate/postgraduate **il laureato, il postlaureato**
lecture **la lezione, la conferenza**
lecturer **il professore, il lettore, il docente**

part-time education **lo studio a tempo parziale**
practical (training) **la pratica**
   practical *(adj)* **pratico, concreto**
principal **il rettore, il preside**
professor/college professor **il professore, il lettore, il docente**
research **la ricerca**
retraining **l'aggiornamento**
I retrain **faccio [fare] un corso d'aggiornamento**
scholarship *(grant)* **la borsa di studio**
seminar **il seminario**
student **lo studente, la studentessa**
   student *(adj)* **studentesco**
student council **il consiglio studentesco**
student grant **la borsa di studio**

il liceo classico (la maturità classica)*	high school specialized in classical studies
il liceo scientifico (la maturità scientifica)	high school specialized in scientific studies
il liceo artistico (la maturità artistica)	high school specialized in fine arts studies
il liceo linguistico (diploma in lingue straniere)	high school specialized in modern language studies
la scuola magistrale (diploma di abilitazione)	teachers' training college (nursery school teaching)
l'istituto magistrale (diploma di maturità magistrale)	teacher's training college (primary school teaching)
l'istituto tecnico (diploma di maturità tecnica)	technical/vocational college
l'istituto professionale (diploma di qualifica)	technical/vocational college

* Special state exams taken at the end of the particular course of study.

student union l'unione *(f)* studentesca

syllabus / course of study il piano di studio

teachers' / teacher training college l'istituto *(m)* magistrale

technical college l'istituto *(m)* tecnico professionale

university / college l'università *(f)*

university entrance qualification le qualifiche richieste per ammissione all'università

vocational route il percorso vocazionale

The departments

accounting / accountancy economia

architecture architettura

business management gestione aziendale / economia

catering servizi di ristorazione

civil engineering ingegneria civile

commerce commercio

construction edilizia

education pedagogia

electronics elettronica

electrical engineering ingegneria elettronica

economics economia

engineering ingegneria

environmental sciences scienza dell'ambiente

history of art storia dell'arte

hotel management gestione alberghiera

languages lingue straniere

law legge, diritto

leisure and tourism turismo

linguistics linguistica

literature letteratura, lettere

mechanical engineering ingegneria meccanica

medicine medicina

pharmacy farmacia

nuclear science scienze nucleari

office skills (studi di) segreteria

philosophy filosofia

psychology psicologia

sociology sociologia

theology teologia

— The intention is to increase the number of university places and to aim for a broader curriculum.

— L'intenzione è di aumentare il numero di posti alle università e di offrire una programmazione più ampia.

— This sounds interesting, but what are the implications for staffing and resources?

— Tutto ciò è certamente interessante, ma quali sono le consequenze per quanto riguarda il personale docente e le risorse?

The course is four years long (twelve terms / eight semesters). Financial support is of the greatest importance but only few students get a state grant.

La durata dei corsi è di quattro anni (dodici trimestri) Il sostegno finanziario è della più grande importanza ma solo pochi studenti godono di borse di studio dello Stato.

23 Science: The Changing World

23a Scientific Method & Life Sciences

Scientific disciplines

applied sciences **le scienze applicate**
anthropology **l'antropologia** *(f)*
astronomy **l'astronomia** *(f)*
astrophysics **l'astrofisica** *(f)*
biochemistry **la biochimica**
biology **la biologia**
botany **la botanica**
chemistry **la chimica**
geology **la geologia**
medicine **la medicina**
microbiology **la microbiologia**
physics **la fisica**
physiology **la fisiologia**
psychology **la psicologia**
social sciences **le scienze sociali**
technology **la technologia**
zoology **la zoologia**

Scientific method

academic paper **l'exposé accademico, la relazione**
I analyze **analizzo [-are]**
analysis **l'analisi** *(f)*
authentic **autentico**
I challenge **metto [-ere], in discussione**
I check **controllo [-are], verifico [-are]**
classification **la classificazione**
I classify **classifico [-are]**

control **il controllo** *(m)*
I discover **scopro [-ire]**
discovery **la scoperta**
(electron) microscope **il microscopio (elettronico)**
experiment **l'esperimento** *(m)*
I experiment **sperimento [-are], faccio [fare] un esperimento**
flask **il pallone**
hypothesis **le ipotesi** *(pl)*
I identify **identifico [-are]**
I investigate **esamino [-are], studio [-are], analizzo [-are]**
I invent **invento [are-]**
invention **l'invenzione** *(f)*
laboratory **il laboratorio**
material **il materiale**
I measure **misuro [-are]**
measurement **la misura**
I observe **osservo [-are]**
pipette **la pipetta**
process **il processo**
research **la ricerca**
I research **faccio [fare] / svolgo [-ere] una ricerca**
result **il risultato**
I solve (a problem) **risolvo (ere)**
test **analizzo [-are], controllo [-are]**
I test **faccio [fare] un analisi**
test tube **una provetta**
theory **la teoria**
I transfer **trasferisco [-ire]**

The researcher took a sample and put in under the microscope for examination.

La ricercatrice ha prelevato un campione e lo ha messo sotto il microscopio per esaminarlo.

Biology

bacteria **i batteri**
botanical **botanico**
I breathe **respiro [-are]**
cell **la cellula**
chlorophyll **la clorofilla**
it circulates **circola [-are]**
decay **la disintegrazione**
decline **il declino**
it declines **declina [-are]**
it excretes **espelle [-ere]**
excretion **l'escrezione** *(f)*
it feeds **mangia [-are]**
food chain **la catena alimentare**
gene **il gene**
genetic **genetica**
genetic disorder **la malattia di origine genetica**
it grows **cresce [-ere]**
growth **l'aumento** *(m)*
habitat **l'habitat** *(m)*
it inherits **eredita [-are]**
membrane **la membrana**
it mutates **muta [-are], subisce [subire] una mutazione**
nucleus **il nucleo**
organic **organico**
organism **l'organismo** *(m)*
origin **l'origine** *(f)*
photosynthesis **la fotosintesi**
population **la popolazione**
it reproduces **riproduce [-durre]**
respiration **la respirazione**
sensitivity **la sensibilità**
species **la specie**
survival **la sopravvivenza**
it survives **sopravvive [-ere]**
virus **il virus**

Medical science & research

cosmetic / plastic surgery **la chirurgia plastica**
DNA **il DNA / ADN**
donor **il donatore, la donatrice**
embryo **l'embrione** *(m)*
embryo research **la ricerca embrionale**
ethical consideration **la considerazione etica / morale**
experiments on animals **gli esperimenti sugli animali, la vivisezione**
hereditary illness **una malattia ereditaria**
IVF (in vitro fertilization) **la fertilizzazione in provetta**
I justify **giustifico [-are]**
microorganism **il microorganismo**
organ transplant **il trapianto di organo**
pacemaker **il cardiostimolatore**
I permit **permetto [-ere], do [dare] il permesso**
recipient **il / la ricevente**
I reject (an organ) **rigetto [-are] (un organo)**
risk **il rischio**
I risk **rischio [-are]**
survival rate **il tasso di sopravvivenza**
test-tube baby **il bambino nato per inseminazione artificiale (in provetta)**
transplant **il trapianto**
X ray **i raggi (X)**

Research on human embryo tissue is likely to remain highly controversial.	**È probabile che la ricerca sui tessuti dell'embrione umano continuerà a essere oggetto di controversia.**

➤ ANIMAL WORLD 24b; AGRICULTURE 24c; MEDICAL TREATMENT 11c

SCIENCE: THE CHANGING WORLD

23b Physical Sciences

Chemistry

acid l'acido *(m)*
air l'aria *(f)*
alkali l'alcali *(m)*
alkaline alcalino
alloy la lega
I analyze analizzo [-are]
Bunsen burner il becco Bunsen
I calculate calcolo [-are]
chemical chimico
compound il composto
composition la composizione
it dissolves (in water) si dissolve
  [-ere] (nell'acqua)
element l'elemento *(m)*
emulsion l'emulsione *(f)*
equation l'equazione *(f)*, la
  formula
it evaporates evapora [-are]
gas il gas
inert inerte
inorganic inorganico
insoluble insolubile
liquid il liquido
  liquid *(adj)* (di) liquido
litmus paper la cartina tornasole
matter la materia
metal il metallo
natural gas il gas naturale
opaque opaco, non trasparente
it oxidizes ossida [-are]
periodic table la tabella
  periodica
physical fisico
pure puro
it reacts reagisce [-ire]
reaction la reazione
salt il sale
solid la sostanza solida
  solid *(adj)* solido
soluble solubile
solution la soluzione
stable stabile
substance la sostanza
transparent trasparente

Physics & mechanics

it accelerates accelera [-are]
acceleration l'accelerazione *(f)*
acoustics l'acustica *(f)*
artificial artificiale
automatic automatico
ball bearing il cuscinetto a sfera
boiling point il punto di
  ebollizione
circuit il circuito
cog il dente, l'ingranaggio *(m)*
conservation la conservazione
density la densità
dial il quadrante
distance la distanza
energy l'energia *(f)*
engine la macchina
it expands si dilata [-are]
fiber / fibre la fibra
force la forza
it freezes (con)gela [-are]
formula la formula
freezing point il punto di
  solidificazione
friction la frizione
gear il dispositivo
gravity la gravità
gauge *(measuring)* il misuratore
I heat riscaldo [-are]
heat il calore
heat loss la perdita calorifica / di
  calore
laser il laser
laser beam il raggio laser
lever la leva
light la luce
light beam il raggio di luce
lubricant il lubrificante
machinery il macchinario
magnetism il magnetismo
magneto il magnete
mass la massa
mechanical meccanico
mechanics la meccanica
mechanism il meccanismo

metallurgy **la metallurgia**
microwave **il microonde**
mineral **il minerale**
missile **il missile**
model **il modello**
motion **il movimento**
observation **l'osservazione** *(f)*
I operate *(machinery)* **opero [-are]**
operational **in funzione**
optics **l'ottica** *(f)*
power **l'energia** *(f)*
pressure **la pressione**
property **la proprietà**
proportional **proporzionale**
ray **il raggio**
reflection **il riflesso**
refraction **la rifrazione**
relativity **la relatività**
resistance **la resistenza**
resistant **resistente**
robot **il robot, l'automa** *(f)*
I sort **classifico [-are]**
sound **il suono**
speed **la velocità**
structure **la struttura**
synthetic **sintetico**
temperature **la temperatura**
theory **la teoria**
time **il tempo**
transmission **la trasmissione**
turbine **la turbina**
vapor / vapour **il vapore**
it vibrates **vibra [-are]**
vibration **la vibrazione**
wave **un' onda** *(f)*
    long waves **le onde lunghe**
    medium / short waves **le onde**
    medie / corte
wavelength **la lunghezza d'onda**
it works **funziona [-are]**

Electricity

battery *(e.g., car)* **la batteria**
battery *(small)* **la pila**
charge **la carica**
I charge the battery **carico [-are]**
    la batteria
current **la corrente**
dinamo **la dinamo**
electrical **elettrico**
electricity **l'elettricità** *(f)*
electrode **l'elettrodo** *(m)*
electron **l'elettrone** *(m)*
electronic **elettronico**
electronics **l'elettronica** *(f)*
generaor **il generatore**
positive **positivo**
negative **negativo**
voltage **il voltaggio, la tensione**

Nuclear physics

atom **un atomo**
atomic **atomico**
contamination **l'inquinamento** *(m)*
electron **l'elettrone** *(m)*
it emits **transmette [-ere]**
fission **la fissione**
fusion **la fusione**
molecular **molecolare**
molecule **la molecola**
neutron **il neutrone**
nuclear **nucleare**
nuclear energy **l'energia** *(f)*
    nucleare
nucleus **il nucleo**
particle **la particella, la particola**
proton **il protone**
quantum theory **la teoria dei quanti**
radiation **la radiazione**
reactor **il reattore**

| Iron reacts with sulfur to form iron sulfide. | **Il ferro reagisce con lo zolfo per formare il solfuro di ferro.** |

➤ MEASURING 4b; DESCRIBING THINGS 5c; ENERGY 23c; MATERIALS 5f

SCIENCE: THE CHANGING WORLD

23c The Earth & Space

Geology & minerals

bauxite   la bauxite
carbon dating   la datazione con carbonio
chalk   il gesso
chalky   gessoso
clay   l'argilla *(f)*
diamond   il diamante
I excavate   scavo [-are]
exploration   l'esplorazione *(f)*
gasoline / petrol   la benzina
geologist   il geologo
geology   la geologia
gemstone   la gemma
granite   il granito
graphite   la grafite
layer   lo strato
lime   la calce
limestone   il calcare
loam   il terriccio
marble   il marmo
mine   la miniera
I mine   estraggo [-trarre] il carbone
mineral   il minerale
ore   il minerale, il metallifero
quartz   il quarzo
quarry   la cava
raw materials   le materie prime
sand   la sabbia
sandstone   l'arenaria *(f)*
sediment   il sedimento
silica   la silice
slate   l'ardesia *(f)*
soil   il suolo
stalactite   la stalattite
stalagmite   la stalagmite

Energy & fuels

atomic energy   l'energia *(f)* atomica
coal   il carbone
concentration   la concentrazione
coolant   il liquido refrigerante

energy / power   l'energia *(f)*
energy conservation   la conservazione dell'energia
energy consumption   il consumo energetico
energy needs   i bisogni d'energia
energy saving   il risparmio energetico
energy source   una fonte d'energia
fossil fuels   il combustibile fossile
fuel   il combustibile
fuel consumption   il consumo di combustibili
gas   il gas
it generates   produce [-durre]
geothermal energy   l'energia *(f)* geotermica
hydroelectric dam   la diga idroelettrica
natural gas   il gas naturale
nuclear power station   la centrale nucleare
nuclear reactor   il reattore nucleare
oil   il petrolio
oil production   la produzione di petrolio
oil-producing countries   i paesi produttori di petrolio
ozone layer   la fascia d'ozono
petroleum   il petrolio
propellant   il propellente
solar cell   la cellula solare
solar energy   l'energia *(f)* solare
I strike oil   trovo [-are] il petrolio
thermal energy   l'energia *(f)* termica
wave power   l'energia *(f)* delle onde
tidal power station   la centrale mareomotrice
wind energy / power   l'energia *(f)* eolica

Space

asteroid l'asteroide (m)
big bang theory la teoria del big bang
black hole il buco nero
eclipse l'eclisse (f)
it eclipses si eclissa [-are]
galactic galattico
galaxy la galassia
gravitational pull l'attrazione (f) gravitazionale
light year l'anno luce (m)
meteorite il/la meteorite
moon la luna
  full moon la luna piena
  new moon la luna nuova
nova la nova
orbit l'orbita (f)
planet il pianeta
shooting star la stella cadente
solar system il sistema solare
solstice il solstizio
star la stella
sun il sole
sunspot la macchia solare
the heavens il cielo
universe l'universo (m)

Space research & travel

antenna l'antenna (f)
astrologer l'astrologo (m)
astronomer l'astronomo (m)

astronaut l'astronauta (m/f)
I launch lancio [-are]
launch pad la rampa di lancio
lunar module il modulo lunare
moon landing l'allunaggio (m)
observatory l'osservatorio (m)
orbit l'orbita (f)
planetarium il planetario
it reenters rientra [-are]
relativity la relatività
rocket il razzo
rocket fuel il combustibile
satellite il satellite
  satellite communications le comunicazioni (f) via satellite
  spy satellite il satellite spia
  weather satellite il satellite meteorologico
sky lab il laboratorio spaziale
space lo spazio
space flight il viaggio spaziale
space probe la sonda spaziale
space shuttle la navetta spaziale
spacecraft la nave spaziale
spacesuit la tuta spaziale
stratosphere la stratosfera
telescope il telescopio
time warp la distorsione del tempo
touchdown on land l'atterraggio (m)
  touchdown in the sea l'ammaraggio (m)
zodiac lo zodiaco

By studying the light received from stars many millions of light years away, scientists hope to discover the origins of the universe.

Gli scienziati sperano di scoprire le origini dell'universo attraverso lo studio della luce ricevuta dalle stelle a molti milioni di anni luce.

The telescopes on the spaceship were successfully repaired.

I telescopi sulla navicella spaziale sono stati riparati con successo.

➤ PLANETS & STARS App. 23c; THE ZODIAC App. 23c

24 The Environment: The Natural World

24a Geography

archipelago l'arcipelago *(m)*
area la regione
bank (river) l'argine *(m)*
bay la baia
beach la spiaggia
bog la palude
bottom il fondo
canyon il canyon
clean pulito, limpido
cliff la scogliera
coast la costa
coastline la linea costiera
continent il continente
copse / coppice la macchia, il bosco ceduo
country il paese
countryside la campagna
creek il ruscello
dangerous pericoloso
deep profondo
delta il delta
desert il deserto
dune la duna
earth tremor il tremito, la scossa
earthquake il terremoto, il movimento tellurico
equator l'equatore *(m)*
equatorial equatoriale
eruption l'eruzione *(f)*
it erupts erutta [-are]
escarpment la scarpata
estuary l'estuario *(m)*
field / pasture il campo
fjord il fiordo
flat piatto
it flows corre [-ere], scorre [-ere]
forest la foresta
geographical geografico
geography la geografia
geyser il geyser

globe il globo
gradient il gradiente
hemisphere l'emisfero *(m)*
high alto
hill la collina
in the country in campagna
incline / slope la pendenza, l'inclinazione *(f)*
it is situated si trova [-are]
island l'isola *(f)*
jungle la giungla
lake il lago
land la terra
it is located si trova [-are]
location la posizione
map la carta geografica
marsh la palude
meridian il meridiano
mountain la montagna
mountain range la catena montuosa
national nazionale
national park il parco nazionale
nature la natura
nice / pleasant piacevole
ocean l'oceano *(m)*
peaceful tranquillo
peak il vertice
peninsula la penisola
plateau l'altopiano *(m)*
pole il polo
province la provincia
reef la scogliera
region la regione
regional regionale
ridge la cresta
river il fiume
riverbed il letto fluviale
sand la sabbia
scenery il panorama, il paesaggio

sea **il mare**	
seabed **il fondo sottomarino**	
seaside **la spiaggia**	
shore **la riva del mare**	
spring **la primavera**	
steep **l'immersione** *(f)*	
steppe **la steppa**	
stream **il ruscello**	
summit **la cima, la vetta**	
tall **alto, elevato**	
territory **il territorio**	
top **la cima, la sommità**	
the tropics **i tropici**	
tundra **la tundra**	
unfriendly **ostile**	
valley **la valle**	
volcano **il vulcano**	
water **l'acqua** *(f)*	
fresh water **l'acqua dolce**	
salt water **l'acqua salata**	
sea water **l'acqua di mare**	
waterfall **la cascata**	
wood **il legno**	
woodland **il bosco**	
zenith **lo zenit**	
zone **la zona**	

Man-made features

aqueduct **l'acquedotto** *(m)*
bridge **il ponte**
canal **il canale**
capital (city) **la capitale**
city **la città**
country road **la strada di campagna**
dam **la diga**
embankment **l'argine** *(m)*
factory **la fabbrica**
farm **la fattoria**
farmland **il terreno coltivato**
hamlet **il piccolo villaggio**
harbor / harbour **il porto**
industry **l'industria** *(f)*
marina **il porticciolo**
nature trail **il sentiero ecologico**
oasis **l'oasi** *(f)*
reclaimed land **il terreno bonificato**
reservoir **il bacino idrico**
road **la strada**
town **la città**
track **la traccia, il percorso, il sentiero**
village **il villaggio, il paese**
well **il pozzo**

Forest fires are a real danger in many Italian regions during the summer months.	Gli incendi nei boschi sono un vero pericolo in molte regioni italiane durante i mesi estivi.
Roughly two-thirds of the Italian territory is hilly or mountainous.	Circa due terzi del territorio italiano è collinoso o montagnoso.
The village is situated in a valley about five kilometers / kilometres north of the nearest hospital.	Il villaggio è situato in una valle a circa cinque chilometri a nord dall'ospedale più vicino.
Before 1950, the inhabitants of the small towns at the foot of Mt.Everest were among the poorest people in the world.	Prima del 1950 gli abitanti dei piccoli paesi ai piedi dell'Everest erano fra le comunità più povere del mondo.

➤ ANIMAL WORLD 24b; FARMING 24c; WEATHER 24d; POLLUTION 24e

24b The Animal World

Animals

animal **l'animale** *(m)*
  animal kingdom **il regno animale**
it barks **abbaia [-are]**
it bites **morde [-ere]**
it bounds **salta [-are]**
it breeds **si riproduce [-durre]**
budgerigar **il pappagallino ondulato**
burrow **la tana**
it burrows **si rintana [-are]**
cage **la gabbia**
carnivore **il carnivoro**
cat **il gatto**
it crawls **striscia [-are]**
den **la tana, il covo**
dog **il cane**
I feed **do [dare] da mangiare a**
it feeds **si nutre [-ire]**
food **il mangime**
goldfish **il pesce rosso**
guinea pig **il porcellino d'India**
habitat **l'habitat** *(m)*
hamster **il criceto**
hare **la lepre**
hedgehog **il riccio**
herbivore **l'erbivoro** *(m)*
it hibernates **va [andare] in letargo**
it howls **ulula [-are], latra [-are]**
hut / hutch **la capanna, la gabbia**
I keep a cat **ho [avere] un gatto**
kitten **il gattino**

lair **la tana, il covo**
it leaps **salta [-are]**
litter **la lettiera, lo strame**
mammal **un mammifero**
it meows **miagola [-are]**
mouse **il topo**
omnivore **l'onnivoro** *(m)*
pack **un branco**
pet **un animale domestico**
predator **il predatore**
prey **la preda**
puppy **il cucciolo**
rabbit **il coniglio**
rabies **la rabbia**
reptile **il rettile**
it roars **ruggisce [-ire]**
it squeaks **squittisce [-ire]**
I stroke **accarezzo [-are]**
tortoise **la tartaruga**
I walk the dog **porto [-are] a spasso**
wild animal **un animale selvatico**
zoo **lo zoo, il giardino zoologico**

Birds

bird **l'uccello** *(m)*
it flies **vola [-are]**
flock **lo stormo**
it hovers **si libra [-are]**
it migrates **migra [-are]**
nest **il nido**
it nests **nidifica, si annida [-are]**
it pecks at **becca [-are]**
it sings **canta [-are]**

Guinea pigs and hamsters are popular pets in Britain.	I porcellini d'India e i criceti sono animali domestici molto diffusi in Gran Bretagna.
The campaign against whaling is increasing in popularity.	La campagna contro la caccia alla balena riscuote consensi sempre maggiori.

Sea & waterlife

alligator l'alligatore *(m)*
anemone l'anemone *(m)*
  (di mare)
angling la pesca (con la lenza)
coral il corallo
crab il granchio
crocodile il coccodrillo
dolphin il delfino
fish il pesce
fish vado [andare] a pesca,
  pesco [-are]
harpoon l'arpione *(m)*
hook l'amo *(m)*
marine marino, di mare
mollusk il mollusco
net la rete
octopus il polpo
plankton il plancton
rod la canna (da pesca)
seal la foca
shark lo squalo
shoal un banco di pesci
starfish la stella di mare
it swims nuota [-are]
turtle la tartaruga marina
whale la balena
whaling la caccia alla balena

Insects

ant la formica
bee l'ape *(f)*
  queen bee l'ape regina
  worker bee l'ape operaia
bedbug la cimice

beetle lo scarabeo
bug l'insetto *(m)*
butterfly la farfalla
it buzzes ronza [-are]
caterpillar il bruco
cocoon il bozzolo
cockroach lo scarafaggio
cricket il grillo
dragonfly la libellula
flea la pulce
fly la mosca
grasshopper la cavalletta
hive l'alveare *(m)*
insect l'insetto *(m)*
invertebrate un invertebrato
ladybird la coccinella
larva la larva
locust la locusta, la cavalletta
it metamorphoses (into) si
  transforma [-are] (in)
mosquito la zanzara
moth la falena, la tarma
scorpion lo scorpione
silkworm il baco da seta
slug la lumaca
snail la chiocciola
spider il ragno
it spins a web fila [-are] una tela
it stings punge [-ere], pizzica
  [-are]
termite la termite
tick la zecca
web la ragnatela
wasp la vespa
worm il verme

The panda is in danger of extinction in the wild because the bamboo that it eats inexplicably dies away every fifty years.	Il panda è in pericolo di estinzione nelle regioni selvagge perché il bambù di cui si nutre si esaurisce inspiegabilmente ogni cinquanta anni.

24c Farming & Gardening

Farm animals

bull **il toro**
cattle **il bestiame**
chicken **il pollo**
cock **il gallo**
cow **la vacca, la mucca**
it crows **canta [-are]**
dairy *(adj)* **derivato dal latte,
  latticino**
duck **l'anatra** *(f)*
farm **la fattoria**
feed **il pasto**
it feeds **si nutre [-ire]**
foal **il puledro**
fodder **il foraggio**
food *(for animals)* **il mangime**
it gallops **galoppa [-are]**
goat **la capra**
goose **l'oca** *(f)*
it grazes **pascola [-are]**
it grunts **grugnisce [-ire]**
horse **il cavallo**
horseshoe **il ferro di cavallo**
it kicks **dà [dare] dei calci**
kid **il capretto**
I milk **mungo [-ere]**
it moos **muggisce [-ire]**
it neighs **nitrisce [-ire]**
ox **il bue**
pasture **il pascolo, la pastura**
pig **il maiale**
pony **il cavallino**
poultry **il pollame**
produce **i prodotti**
it quacks **fa [fare] quà quà**
I ride (a horse) **vado [andare] a
  cavallo**
rooster **il gallo, il galletto**
I shear **toso [-are]**
sheep **la pecora**
sheep dog **il cane pastore**
I slaughter **macello [-are]**
stallion **lo stallone**
it trots **trotta [-are]**

On the farm

agricultural **agricolo**
agriculture **l'agricoltura** *(f)*
arable land **il terreno arabile**
barn **il capannone**
combine harvester **la mietitrebbia /
  la trebbiatrice**
crop **la raccolta**
dairy **la latteria**
dairy farming **l'allevamento** *(m)* **di
  bestiame da latte**
farm **la fattoria, l'azienda** *(f)*
  agricola
farmer **l'agricoltore** *(m)*
farmhouse **la fattoria**
farm laborer / labourer **il contadino**
farmyard **l'aia** *(f)*
fence **il recinto**
I fertilize **fertilizzo [-are]**
I groom **striglio [-are]**
harvest **la mietitura**
I harvest **mieto [-ere], raccolgo
  [-ere]**
hay **il fieno**
haystack **il mucchio di fieno**
irrigate **irrigo [-are]**
milk churn **il bidone per il latte**
milking machine **la mungitrice
  (meccanica)**
orchard **il frutteto**
pen **il recinto**
pigsty **il porcile**
silage **il silaggio**
slaughterhouse **il macello, il
  mattatoio**
stable **la stalla**
stud farm **la scuderia**
tractor **il trattore**

Agriculture & gardening

acorn **la ghianda**
barley **l'orzo** *(m)*
it blooms **è [essere] in boccio,
  sboccia
  [-are]**

bloom   il fiore
bouquet   il mazzo di flori
bud   il germoglio, la gemma
bulb   il bulbo, il tubero
bush   il cespuglio, l'arbusto *(m)*
cactus   il cactus
compost   il concime
corn   il granturco, il mais
crop   il raccolto
I cultivate   coltivo [-are]
cutting   il taglio
I dig   scavo [-are]
   I dig with spade   zappo [-are]
fir   l'abete *(m)*
flax   il lino
flower   il fiore
flowerpot   il vaso portafiori
it flowers   fiorisce [-ire]
foliage   il fogliame
garden / yard   il giardino
   vegetable garden   l'orto *(m)*
gardening   il giardinaggio
I gather   raccolgo [cogliere]
grain   il grano
grass   l'erba *(f)*
greenhouse   la serra
I grow   coltivo [-are]
it grows   si coltiva [-are], cresce
   [-ere]
hedge   la siepe
horticulture   l'orticoltura *(f)*
lawn   l'erba *(f)*
leaf   la foglia
maize   il mais

I mow   falcio [-are]
oats   l'avena *(f)*
petal   il petalo
I pick   colgo [-ere], scelgo [-ere]
pine   il pino
pine forest   la pineta
I plant   pianto [-are]
plant   la pianta
pollen   il polline
I reap   mieto [-ere]
ripe   maturo
it ripens   matura [-are]
root   la radice
rotten   marcio
rye   la segala
sap   la linfa
seed   il seme
sorghum   il sorgo
species   la specie, le speci
stem   lo stelo
sweet chestnut   la castagna
thorn   la spina
I transplant   trapianto [-are]
tree   l'albero *(m)*
tuber   il tubero
undergrowth   il sottobosco
vegetable(s)   gli ortaggi *(pl)*
vegetation   la vegetazione
I water   annaffio [-are]
weed   l'erbaccia *(f)*
I weed   sradico l'erbaccia *(f)*
wheat   il grano
wildflower   il fiore di campo
it wilts   appassisce [-ire]

In the developing countries, arable land is often owned by rich landlords.

Let's go for a walk in the country. We'll probably see some newborn lambs in the fields.

Nei paesi in via di sviluppo la terra arabile è spesso di proprietà di ricchi latifondisti.

Andiamo a fare una passeggiata in campagna. Forse vedremo qualche agnellino appena nato nei campi.

➤ FLOWERS & WEEDS, TREES App. 24c; TOOLS App. 8b

THE ENVIRONMENT: THE NATURAL WORLD

24d Weather

anticyclone **l'anticiclone** *(m)*
avalanche **la valanga**
average temperature **la temperatura media**
bad weather **il maltempo**
bright **sereno**
bright period **il periodo sereno**
centigrade **il centigrado**
changeable **variabile**
climate **il clima**
climatic **climatico**
cloud **la nube, la nuvola**
clouded over **coperto**
cloudless **senza nuvole**
cloudy **nuvoloso**
cold **il freddo**
it is cold **fa freddo**
cold front **il fronte freddo**
it is cool **fa fresco**
cyclone **il ciclone**
damp **umido**
degree **il grado**
above zero **sopra zero**
below zero **sotto zero**
depression **la depressione**
drizzle **la pioggerella**
it drizzles **pioviggina [-are]**
drought **la siccità**
dry **asciutto**

dull weather **il tempo grigio**
it's fine **fa bel tempo**
flash **il lampo**
fog **la nebbia**
it is foggy **c'è la nebbia**
it's freezing **fa molto freddo, c'è da congelare**
freezing fog **la nebbia gelida**
frost **il gelo**
frosty **freddissimo, gelido**
gale **il vento fortissimo, la burrasca**
gale warning **l'avviso** *(m)* **di mal tempo / di burrasca**
it's hailing **grandina [-are]**
hailstones **la grandine**
heat **il calore**
heatwave **l'ondata** *(f)* **di caldo**
high pressure **l'alta pressione** *(f)*
highest temperature **la massima temperatura**
it's hot **fa caldo**
humid **umido**
humidity **l'umidità** *(f)*
ice **il ghiaccio**
Indian summer **l'estate** *(f)* **di San Martino**
lightning **il lampo, il fulmine**
low pressure **la bassa pressione**

Tomorrow a cold front will hit the northern regions. The maximum temperatures will reach 4 to 6 degrees centigrade .
Fog patches in parts of the Po valley should clear by midday.

Outlook for the weekend: warm and sunny everywhere.

Domani un'ondata di freddo si abbatterà sulle regioni settentrionali. La temperatura massima raggiungerà i 4/6 gradi. I banchi di nebbia in alcune parti della pianura padana dovrebbero diradarsi entro mezzogiorno. Le previsioni per il fine settimana: caldo e sereno su tutte le regioni.

lowest pressure **la pressione più bassa**
mild **mite**
mist **la nebbiolina**
misty **nebbioso**
monsoon **il monsone**
moon **la luna**
occluded front **il fronte occluso**
rain **la pioggia**
it's raining **piove [-ere]**
rainy **il tempo piovoso**
shade **l'ombra** (f)
it shines **brilla [-are]**
shower **lo scroscio di pioggia**
sleet **il nevischio**
snow **la neve**
snowball **la palla di neve**
snowdrift **il cumulo di neve**
snowfall **la nevicata**
snowflake **il fiocco di neve**
snowman **il pupazzo di neve**
snow report (for skiing) **il bollettino della neve**
it's snowing **nevica [-are]**
snowstorm **la tempesta di neve**
star **la stella**
storm **la tempesta, la burrasca**
stormy **tempestoso, burrascoso**
sultry **afoso, soffocante**
sun / sunshine **il sole**
sunny **soleggiato**
  sunny day **una giornata di sole**

temperature (daily) **la temperatura**
thunder **il tuono**
it's thunder **fa [fare] tuoni**
thunderbolt **il fulmine**
thunder cloud **la nube temporalesca**
thunderstorm **il temporale**
torrent **il torrente**
torrential **torrenziale**
tropical **tropicale**
typhoon **il tifone**
warm **caldo**
warm front **il fronte caldo**
weather **il tempo**
weather conditions **le condizioni meteorologiche**
weather forecast **le previsioni meteorologiche**
weather report **il bollettino meteorologico**
wet **bagnato**
What's the weather like? **Che tempo fa? Com'è il tempo?**
wind **il vento**
  northwest wind **il maestrale**
  southwest wind **il libeccio**
it is windy **tira il vento, c'è vento**
wonderful **meraviglioso, stupendo**

The whole country will be affected by rain turning to sleet in the Appennines.

Tutte le regioni saranno colpite da pioggia e da nevischio su tutto l'Appennino.

Some African countries have been suffering a drought for many years.

Alcuni paesi africani soffrono di siccità da molti anni.

Following recent heavy rain, severe flooding has affected the region.

A seguito delle recenti piogge torrenziali, violente inondazioni hanno colpito la regione.

THE ENVIRONMENT: THE NATURAL WORLD

24e Pollution

balance of nature l'equilibrio *(m)* naturale

it becomes extinct scompare [-ire], diventa [-are] estinto

conservation la conservazione, la preservazione

conservationist l'ambientalista *(m/f)*

I conserve conservo [-are]

I consume consumo [-are]

consumption il consumo

corrosion la corrosione

I damage danneggio [-are]

damaging dannoso

I destroy distruggo [-ere]

disaster il disastro

disposal l'eliminazione *(f)*

I dispose of dispongo [porre] di

I do without mi privo [-are] di, rinuncio [-are] a

ecology l'ecologia *(f)*

ecosystem l'ecosistema *(m)*

emission l'emissione *(f)*

it emits emette [-ere], emana [-are]

environment l'ambiente *(m)*

exhaust pipe il tubo di scarico, la marmitta

harmful dannoso, nocivo

I improve miglioro [-are]

industrial waste i rifiuti industriali

I insulate isolo [-are]

litter i rifiuti

natural resources le risorse naturali

nuclear waste le scorie nucleari

poison il veleno

I poison avveleno [-are]

pollutant una sostanza inquinante

I pollute inquino [-are]

pollution l'inquinamento *(m)*

I predict prevedo [-ere]

I protect proteggo [-ere]

recyclable riciclabile

I recycle riciclo [-are]

recycled paper la carta *(f)* riciclata

reprocessing la rigenerazione

residue i residui

it runs out si esaurisce [-ire], si consuma [-are]

scrap metal i rottami di ferro / metallo

I throw away butto [-are] via

waste *(domestic)* /garbage i rifiuti domestici

waste disposal lo smaltimento dei rifiuti

waste disposal unit lo scarico dei rifiuti

waste products i rifiuti

Recent studies suggest the hole in the ozone layer will have serious consequences in the northern hemisphere.

Secondo studi recenti, il buco nello strato di ozono avrà gravi conseguenze nell'emisfero settentrionale.

The fish died because of industrial pollution in the river.

I pesci sono morti a causa dell'inquinamento industriale nel fiume.

188 ➤ THE EARTH 23c; NUCLEAR PHYSICS 23b

On the earth

artificial fertilizer **il concime chimico**
biodegradable **biodegradabile**
deforestation **il disboscamento, la
deforestazione**
garbage / rubbish dump **il cumulo
di rifiuti**
nature reserve **la riserva naturale**
nitrates **i nitrati**
pesticide **il pesticida**
radioactive **radioattivo**
radioactive waste **i residui
radioattivi**
rain forest **la foresta pluviale**
refuse **i rifiuti, l'immondizia** (f)
soil erosion **l'erosione** (f) **del suolo**
weedkiller **il diserbante, l'erbicida**
(m)

In the atmosphere

acid rain **la pioggia acida**
aerosol (system) **l'aerosol** (m)
aerosol can **la bombola**
air pollution **l'inquinamento** (m)
atmosferico
atmosphere **l'atmosfera** (f)
catalytic converter **il catalizzatore,
il convertitore catalitico**
CFCs **il CFC**
danger (to) **il pericolo (per)**
emission (of gas) **l'emissione (di
gas)**

global warming / greenhouse effect
l'effetto (m) **serra**
incinerator **l'inceneratore** (m)
ozone layer **il strato di ozono**
skin cancer **il tumore della pelle**
smog **lo smog**
I spray **spruzzo [-are]**
unleaded / lead-free gasoline **la
benzina senza piombo**
waste gases **le fughe di gas**

In the rivers & seas

detergent **il detersivo, il
detergente**
drainage **il prosciugamento**
drought **la siccità, la mancanza
d'acqua**
flooding **l'inondazione** (f)
industrial effluent **lo scarico
industriale**
oil slick **la chiazza di petrolio**
phosphates **i fosfati**
sea level **il livello del mare**
sewage **l'acqua** (f) **di scolo**
treatment **il trattamento**
water bed **la falda freatica**
water level **il livello dell'acqua**
water supply system **il sistema
idrografico**
water supply **l'impianto** (m) **idrico**

Local residents have joined in the
fight to save the trees under threat
from the proposed
highway / motorway extension.

The city council provides facilities
for recycling glass, cans, and
newspapers.

Gli abitanti della zona si sono
uniti nella lotta per salvare gli
alberi minacciati dalla progettata
estensione dell'autostrada.

Il Comune ha organizzato servizi
per il riciclaggio del vetro, delle
lattine e dei giornali.

Government & Politics

25a Political Life

I abolish **abolisco [-ire], abrogo [-are]**

act (of parliament) **un decreto, una legge**

administration **l'amministrazione** *(f)*

I appoint **nomino [-are]**

appointment **la nomina**

it becomes law **diventa [-are] legge**

bill **un disegno, un progetto di legge**

I bring down **riduco [ridurre], abbasso [-are]**

citizen **il cittadino, la cittadina**

civil disobedience **la disubbidienza civile**

civil servant **il funzionario pubblico, l'impiegato** *(m)* **statale**

civil war **la guerra civile**

coalition **la coalizione, l'alleanza** *(f)*

it comes into effect **entra [-are] in vigore**

common **comune**

constitution **la Costituzione**

cooperation **la cooperazione, la collaborazione**

corruption **la corruzione**

county **la contea, la provincia**

coup **il colpo di stato**

crisis **la crisi**

debate **il dibattito**

decree **il decreto, la deliberazione**

delegate **il delegato**

I demonstrate **manifesto [-are]**

demonstration **la manifestazione**

I discuss **discuto [-ere]**

discussion **la discussione, il dibattito**

I dismiss **licenzio [-are], congedo [-are]**

I dissolve **sciolgo [sciogliere]**

I draw up *(bill)* **compilo [-are], stendo [-ere]**

duty **il dovere**

equality **l'eguaglianza** *(f)*, **la parità**

executive **l'esecutivo** *(m)*, **il comitato**

executive *(adj)* **esecutivo**

foreign policy **la politica estera**

I form a pact with **stabilisco [-ire] un accordo / patto con**

freedom **la libertà**

freedom of speech **la libertà di parola**

I govern **governo [-are]**

government **il governo**

I introduce *(bill)* **presento [-are]**

judiciary **l'ordinamento** *(m)* **giudiziario**

law **la legge**

I lead **dirigo [-ere]**

legislation **la legislazione**

legislature **la legislatura**

liberty **la libertà**

local affairs **gli affari comunali / regionali**

local government **l'amministrazione comunale / regionale**

long-term **a lungo termine**

majority **la maggioranza**

meeting **la riunione, l'assemblea** *(f)*

middle class **il ceto medio, la borghesia**

ministry **il ministero**
minority **la minoranza**
  minority *(adj)* **minoritario**
nation **la nazione**
national **nazionale**
nationalistic **nazionalista**
national flag **la bandiera nazionale**
  Italian national flag **il tricolore**
I nationalize **nazionalizzo [-are]**
I oppose **mi oppongo [-porre] a**
opposition **l'opposizione** *(f)*, **la resistenza** *(f)*
I organize **organizzo [-are]**, **preparo [-are]**
I overthrow **rovescio [-are]**, **abbatto [-ere]**
pact **il patto, il trattato, l'accordo** *(m)*
I pass *(bill)* **approvo [-are]**
policy / politics **la politica**
political **politico**
political refugee **il profugo politico**
power **il potere**
I privatize **privatizzo [-are]**
I protest **protesto [-are]**
public **il pubblico**
  public *(adj)* **pubblico**
public opinion **l'opinione** *(f)* **pubblica**
I ratify **ratifico [-are]**
reactionary **reazionario**
I reform **riformo [-are]**
reform **la riforma**
I reject **respingo [-ere]**

I repeal an act **abrogo [-are] una legge**
I represent **rappresento [-are]**
I repress **reprimo [-ere]**
I resign **do [dare] le dimissioni**
resignation **gli dimissione** *(pl)*
responsible **responsabile**
responsiblity **la responsabilità**
reunification **la riunificazione**
revolt **la rivolta, l'insurrezione** *(f)*
I rule **governo [-are]**
sanction **la sanzione**
seat **il seggio (parlamentare)**
short-term **a breve termine**
solidarity **la solidarietà**
speech **il discorso**
state **lo stato**
statesman **lo statista**
I support **sostengo [-tenere]**
I take power **m'impadronisco [-ire] del potere**
taxation **la tassazione**
tax **la tassa, l'imposta** *(f)*
term of office **la durata**
I throw out *(bill)* **rifiuto [-are]**, **respingo [-ere]**
unconstitutional **anticostituzionale**
unilateral **unilaterale**
unity **l'unita** *(f)*
veto **il veto**
I veto **esercito [-are] il diritto di veto**
welfare **il benessere**

The House voted on the
question of immigration controls.
The results of the vote are
surprising.

**La Camera ha votato sulla
questione dei controlli
sull'immigrazione. I risultati del
voto sono sorprendenti.**

There are plans to increase
the sales / VAT tax on books, but
Italian teachers are strongly
opposed to this.

**Esistono piani per aumentare
l'IVA sui libri, ma i docenti
italiani si oppongono
fermamente a questa misura.**

GOVERNMENT & POLITICS

25b Elections & Ideology

Elections

ballot **lo scrutinio**
ballot box **l'urna** (f)
ballot paper **la scheda (per votazioni)**
campaign **la campagna**
candidate **il candidato**
constituency **la circoscrizione**
count **il conteggio**
I elect **eleggo [-ere]**
elections / by-election **le elezioni, l'elezione** (f) **suppletiva**
electorate **l'elettorato** (m)
I'm entitled to vote **ho [avere] il diritto al voto**
floating vote **il voto oscillante**
general election **le elezioni politiche**
I go to the polls **mi presento [-are] alle urne**
I hold an election **procedo [-ere] alle elezioni**
local elections **le elezioni amministrative**
majority system **il sistema maggioritario**
opinion poll **il sondaggio d'opinione**

party **il partito**
poll **lo scrutinio**
proportional system **il sistema proporzionale**
recount **il nuovo conteggio**
I recount **riconto [-are]**
referendum **il referendum**
right to vote **il diritto al voto**
seven-year term of office **il settennato**
I stand (for election) **pongo [porre] la mia candidatura (alle elezioni)**
suffrage **il suffragio, il diritto di voto**
swing **il cambiamento d'opinione**
universal suffrage **il suffragio universale**
vote **il voto, il suffragio**
I vote (for X) **voto [-are] per X**
voter **il / la votante, l'elettore** (m), **l'elettrice** (f)

Political ideology

anarchist **l'anarchico** (m)
anarchy **l'anarchia** (f)
aristocracy **l'aristocrazia** (f)
aristocratic **aristocratico**
capitalism **il capitalismo**

Parliamentary elections are held every five years.
Presidential elections in the United States occur every four years.

Le elezioni parlamentari si tengono ogni cinque anni.
Le elezioni presidenziali negli Stati Uniti hanno luogo ogni quattro anni.

The voters went to the polls today; it was a record turnout.

Gli elettori si sono recati oggi alle urne; è stato un livello di partecipazione record.

An opinion poll taken yesterday gave the Democratic Alliance a two point lead over the National Alliance.

Un sondaggio d'opinione fatto ieri dava all'Alleanza Democratica un vantaggio di due punti rispetto all'Alleanza Nazionale.

capitalist   **il / la capitalista**
center   **il centro**
   left of center   **il centro sinistra**
   right of center   **il centro destra**
communism   **il comunismo**
communist   **il / la comunista**
conservatism   **il conservatorismo**
conservative   **conservatore**
democracy   **la democrazia**
democratic   **democratico**
dictator   **il dittatore**
dictatorship   **la dittatura**
duke   **il duca**
empire   **l'impero** *(m)*
emperor   **l'imperatore** *(m)*
empress   **l'imperatrice** *(f)*
extremist   **l'estremista** *(m / f)*
fascism   **il fascismo**
fascist   **il / la fascista**
I gain independence   **ottengo**
   [-tenere] l'indipendenza
green party   **il partito verde**
ideology   **l'ideologia** *(f)*
imperialism   **l'imperialismo** *(m)*
imperialist   **l'imperialista** *(m / f)*
independence   **l'indipendenza** *(f)*
independent   **indipendente**
king   **il re**
labor party   **il partito laburista**
laborists   **i laburisti**

left   **la sinistra**
left wing   **di sinistra**
liberal   **liberale**
liberalism   **il liberalismo**
marxism   **il marxismo**
marxist   **il / la marxista**
monarchy   **la monarchia**
nationalism   **il nazionalismo**
nationalist   **il / la nazionalista**
patriotic   **patriottico**
patriotism   **patriottismo**
prince   **il principe**
princess   **la principessa**
queen   **la regina**
racism   **il razzismo**
racist   **razzista**
radicalism   **il radicalismo**
radical   **radicale**
republic   **la repubblica**
republican   **repubblicano**
republicanism   **il**
   repubblicanismo
revolutionary   **rivoluzionario**
right   **la destra**
right wing   **di destra**
royal   **reale**
royalist   **il monarchico**
socialism   **il socialismo**
socialist   **il / la socialista**
Tory   **il conservatore**

Vote for me!

In the local elections, our party won a majority of seats on the town council.

The speaker is returning this morning for a meeting with the Secretary of State / Foreign Affairs Secretary.

The prime minister has resigned today.

Votate per me!

Alle elezioni amministrative il nostro partito ha vinto la maggioranza dei seggi nel consiglio comunale.

Il Presidente della Camera dei Deputati ritorna questa mattina per incontrare il Ministro degli Affari Esteri.

Il Presidente del Consiglio ha dato le dimissioni oggi.

Crime & Justice

26a Crime

accomplice **il / la complice**
armed **armato**
assassin **l'uccisore** *(m)*
assassination **l'assassinio** *(m)*
assault **l'attacco** *(m)*,
l'aggressione *(f)*
assault and battery **l'aggressione**
(f) **(con percosse)**
battered baby **il bambino
maltrattato**
burglar **il ladro, lo scassinatore**
burglary **il furto, la violazione di
domicilio**
I burglarize / burgle **svaligio [-are]**
car theft **il furto di auto**
theft from car **il furto di
automobile**
child abuse **la violenza contro i
minori**
I come to blows **vengo [venire]
alle mani**
I commit **commetto [-ere] un
delitto**
computer hacker **lo scassinatore
di codici computerizzati**
crime **il delitto, il reato, il crimine**
crime rate **il tasso di criminalità**
crime wave **l'ondata** *(f)* **di
criminalità**

criminal **il / la criminale**
criminal *(adj)* **criminale**
I deceive **inganno [-are], truffo
[-are]**
delinquency **la delinquenza**
drug abuse **l'abuso** *(m)* **di
stupefacenti, la tossicomania**
drug addict **il / la
tossicodipendente**
drug baron **il barone della droga**
drug dealer / pusher **lo spacciatore
di droga**
drugs **gli stupefacenti** *(m)*, **la
droga**
drug trafficking **il traffico di droga**
I embezzle **mi approprio [-are]
indebitamente di**
embezzlement **l'appropriazione**
(f) **indebita**
espionage **lo spionaggio**
extortion **l'estorsione** *(f)*
I fight **combatto [-are]**
fight **la lotta, la rissa, il litigio
violento**
firearm **l'arma** *(f)* **da fuoco**
I forge (banknote / signature)
**falsifico [-are] (una banconota /
una firma)**
forged **falso, falsificato**

Pablo Escobar, the world's most
notorious drug baron, was killed in
a shootout with police and the
army in Medellín.

**Il più famigerato barone della
droga del mondo, Pablo
Escobar, è stato ucciso a
Medellín nel corso di una
sparatoria con la polizia e
l'esercito.**

---

forgery **la contraffazione**
fraud **la frode, la truffa**
gang **la squadra, il gruppo, la banda**
gang warfare **la guerra fra gruppi**
grievous bodily harm / GBH **grave danno fisico**
gun **la pistola, il fucile**
handcuffs **le manette**
Help! **Aiuto!**
I hijack **dirotto [-are]**
hijacker **il / la pirata dell'aria**
holdup **la rapina**
homicide **l'omicidio** *(m)*
hooker **la prostituta**
hoodlum / hooligan **il / la teppista**
hostage **l'ostaggio** *(m)*
illegal **illegale**
I importune **molesto [-are]**
I injure / wound **ferisco [-ire]**
I joy ride **guido [guidare] un'auto rubata**
joy riding **guidare un'automobile rubata**
I kidnap **sequestro [-are] a scopo di estorsione**
kidnapper **il rapitore**
kidnapping **il sequestro**
I kill **uccido [-ere]**
killer **l'assassino** *(m)*
knife **il coltello**
knifing **la coltellata**
legal **legale**
living off immoral earnings **sfruttare prostitute**

mafia **la mafia**
I mug **aggredisco [-ire]**
mugger **l'aggressore** *(m)*
mugging **l'aggressione** *(f)*
murder **l'omicidio** *(m)*
I murder **uccido [-ere]**
murderer **l'assassino** *(m)*
I offend **offendo [-ere], contravvengo [-ire]**
pickpocket **il borsaiolo**
pickpocketing **il borseggio**
pimp **il protettore, lo sfruttatore**
pimping **fare il protettore**
poison **il veleno**
I poison **avveleno [-are]**
prostitute **il prostituto, la prostituta**
prostitution **la prostituzione**
purse snatching **lo scippo**
ransom **il riscatto**
I rape **violento [-are], stupro [-are]**
rape **lo stupro**
reprisals **la rappresaglia**
shoplifting **il taccheggio**
spy **la spia**
I steal **rubo [-are]**
stolen goods **la refurtiva**
terrorist **il terrorista**
torture **la tortura**
thief **il ladro**
trafficking **il traffico**
I traffic **traffico [-are]**
underworld **la malavita**
victim **la vittima**
violence **la violenza, i maltrattamenti**

He was stopped by the police for speeding in a residential area.

Era stato fermato dalla polizia per eccesso di velocità in una zona residenziale.

Car theft and purse snatching in urban areas have decreased in the last six months, but the rate of burglaries is on the increase.

I furti d'auto e gli scippi sono in diminuzione nelle zone urbane, ma il tasso di furti con scasso è in aumento.

▶ TRIAL 26b; PUNISHMENT, CRIME PREVENTION 26c

CRIME & JUSTICE

accusation l'accusa *(f)*,
  l'imputazione *(f)*
I accuse accuso [-are]
accused person l'accusato *(m)*,
  l'imputato *(m)*
I acquit assolvo [-ere]
I acquit for lack of evidence
  rilascio [-are] per mancanza di
  prove
appeal l'appello *(m)*
I appeal presento [-are] un
  appello
case for the defense gli argomenti
  per la difesa
compensation il risarcimento
confession la confessione
I confess confesso [-are]
I convince convinco [-ere],
  persuado [-ere]
counsel for the defendant / defense
  l'avvocato *(m / f)* difensore
court la corte, il tribunale
court of appeal la corte d'appello
courtroom l'aula *(f)* giudiziaria
I cross-examine eseguo [-ire] un
  controinterrogatorio
I debate metto [-ere] in
  discussione
I defend difendo [-ere]
I defend (myself) mi difendo [-ere]
defendant l'imputato *(m)*,
  l'accusato *(m)*
defense / defence la difesa
diminished responsibility le
  attenuanti *(pl)*

I disagree non sono [essere]
  d'accordo
I discuss discuto [-ere]
district attorney il
  commissario distrettuale
dock il banco degli imputati
I enquire svolgo [-ere] indagini
evidence la prova
examining magistrate il giudice
  istruttore / di istruzione
  preliminare
extenuating circumstances le
  circostanze attenuanti
eyewitness il / la testimone
  oculare
I'm guilty of sono [essere]
  reo di
I give evidence testimonio
  [-are]
  for the defense per la difesa
  for the prosecution per
  l'accusa *(f)*
guilt la colpevolezza
guilty colpevole
high court of appeal l'alta corte *(f)*
  d'appello
impeach metto [-ere] sotto
  accusa
impeachment l'incriminazione *(f)*
indictment l'accusa *(m)*
innocence l'innocenza *(f)*
innocent innocente
I interrogate interrogo [-are]
judge il giudice
judiciary la magistratura

A man will appear in court today
charged with the attempted murder
of his wife.

The case against the accused was
dismissed on grounds of
insufficient evidence.

**Un uomo apparirà oggi in
tribunale accusato di tentativo
di uxoricidio.**

**Il capo d'imputazione contro
l'imputato è caduto per
mancanza di prove.**

juror **il giurato**
jury **la giuria**
jury box **il banco della giuria**
justice **la giustizia**
lawsuit **il processo**
lawyer / counselor **l'avvocato** *(m)*
leniency **l'indulgenza** *(f)*, **la clemenza** *(f)*
life imprisonment **l'ergastolo** *(m)*
litigation **la causa**
magistrate **il magistrato, il giudice**
magistrate's court **il tribunale**
manslaughter **l'omicidio** *(m)* **colposo**
mercy **la grazia**
miscarriage of justice **l'errore** *(m)* **giudiziario**
motive **il movente**
not guilty **non colpevole, innocente**
oath **il giuramento**
offense **il reato, il delitto**
I pass judgment **pronuncio [-are] la sentenza**
perjury **lo spergiuro, la falsa testimonianza**
plea **l'istanza** *(f)*
plea bargaining **trattare una riduzione della pena**
I plead guilty / not guilty **mi dichiaro [-are] colpevole / innocente**
premeditation **la premeditazione**
previous offenses **i precedenti penali**
I prosecute **faccio [fare] causa, perseguisco[-ire]**

prosecution **il procedimento, il giudiziario**
public prosecutor **il pubblico ministero**
public prosecutor's office **l'ufficio** *(m)* **del pubblico ministero**
I question **interrogo [-are]**
on remand **trattenuto in carcere**
retrial **il nuovo processo**
I reward **ricompenso [-are]**
speech for the defense / defence **l'arringa** *(f)*
I stand accused of **sono [essere] accusato di**
I stand bail for *(someone)* **mi rendo [-ere] garante per**
I start legal proceedings **faccio [fare] causa a**
statement **la deposizione**
I sue / I take to court **faccio [fare] causa a**
summons **la convocazione, la citazione**
I suspect **sospetto [-are]**
suspect **la persona sospetta**
Supreme Court **la corte suprema**
Sustained! **A favore!**
I swear **giuro [-are]**
trial **il processo**
unanimous **unanime**
verdict **il verdetto**
witness **il / la testimone**
witness box **il banco dei testimoni**
writ **un decreto**

The witness withheld vital testimony for fear of reprisals.

Il testimone ha rifiutato di dare testimonianza cruciale per paura di rappresaglie.

The accused had strong connections with the underworld.

L'imputato ha stretti legami con la malavita.

CRIME & JUSTICE

26c Punishment

confinement **la reclusione**
  in solitary confinement **(la
  reclusione) in cella
  d'isolamento**
convict **il detenuto, il carcerato**
convicted **dichiarato colpevole**
death penalty **la pena di morte**
I deport **deporto [-are]**
I escape **evado [-ere]**
fine **la multa, la contravvenzione,
  l'ammenda** *(f)*
I fine **faccio [fare] una
  contravvenzione**
I free **libero [-are]**
hard labor / labour **i lavori forzati**
I imprison **metto [-ere]
  in prigione**
jailbreak **l'evasione** *(f)*
jailer / prison warden **il carceriere**
prison **la prigione, il carcere**
prisoner **il prigioniero, il detenuto**
I punish **punisco [-ire]**
punishment **la punizione, il
  castigo**
I release on bail **ottengo [-tenere]
  il rilascio su cauzione**
I reprieve a condemned prisoner
  **rinvio [-are] l'esecuzione di un
  condannato a morte**

I sentence (to death) **condanno
  [-are] (a morte)**
sentence **la condanna, la
  sentenza**
I serve a sentence **sconto [-are]
  una pena**
severity **la severità**
a term of five years **un periodo di
  cinque anni**

The fight against crime

alarm **l'allarme** *(m)*
  burglar / car alarm **l'antifurto** *(m)*
autopsy **l'autopsia** *(f)*
arrest **l'arresto** *(m)*
I arrest **arresto [-are]**
baton **il manganello**
chief of police **l'ispettore** *(m)* **di
  polizia**
civil law **il codice civile**
clue **l'indizio** *(m)*
constable **il poliziotto**
crime prevention **la prevenzione
  dei crimini**
criminal law **il diritto penale**
criminal record **la fedina penale**
  clean **la fedina pulita**
customs **la dogana**
customs officer **il doganiere**

—What was the verdict of the jury?
—The defendant was sentenced to
four years imprisonment.
—Will he serve the entire term?
—No. He'd already spent eight
months waiting trial / on remand.
He'll probably be out in two years.

—Did he plead guilty?
—Yes, to manslaughter.

—**Qual è il verdetto della giuria?**
—**L'imputato è stato condannato
a quattro anni di prigione.**
—**Dovrà scontare tutta la pena?**
—**No, ha già scontato otto mesi
in attesa del processo.
Probabilmente uscirà fra due
anni.**

—**Si è dichiarato colpevole?**
—**Sì, di omicidio colposo.**

deportation **la deportazione** *(f)*
detective **il poliziotto** *(m)*,
 l'investigatore *(m)* **privato**
drug raid **il sequestro di droga**
drug squad **la squadra (di)
 narcotici**
enquiry **l'inchiesta** *(f)*
error **l'errore** *(m)*
escape **l'evasione** *(f)*, **la fuga**
I escape **evado [-ere]**
examination **l'interrogatorio** *(m)*
I examine **esamino [-are]**,
 interrogo [-are]
I extradite **estrado [-are]**
extradition **l'estradizione** *(f)*
fingerprints **le impronte digitali**
fugitive **il fuggiasco, l'evaso** *(m)*
handcuffs **le manette**
identikit / photofit picture **il fotofit**
informer **l'informatore** *(m)*,
 l'informatrice *(f)*
interview **l'intervista** *(f)*
I interview **intervisto [-are]**
I investigate **investigo [-are]**
investigation **l'inchiesta** *(f)*
investigator **l'investigatore** *(m)*,
 l'investigatrice *(f)*
 private investigator
 l'investigatore *(m)* **privato**
key **la chiave**
law **la legge**

law breaking **la violazione della
 legge**
lock **la serratura**
I lock **chiudo [-ere] a chiave**
padlock **il lucchetto**
plainclothes **in borghese**
police badge **il distintivo di
 poliziotto**
police / guard dog **il cane poliziotto**
police lineup / identity parade **il
 confronto all'americana**
police officer **il poliziotto, la
 poliziotta**
police record **la fedina penale**
 clean record **la fedina pulita**
police station **il commissariato**
policeman **il poliziotto**
policewoman **la poliziotta**
reward **la ricompensa**
riot police **il pronto intervento**
security **la sicurezza**
speed trap **il radar per il controllo
 della velocità**
traffic police **la polizia stradale**
truncheon **il manganello**
wanted **ricercato**
warrant **il mandato**
 arrest warrant **il mandato di
 cattura**
 search warrant il mandato di
 perquisizione

He was convicted of breaking and
entering and, in view of his criminal
record, given a two-year sentence.

**È stato dichiarato colpevole di
furto con scasso e, visti i suoi
precedenti penali, condannato a
due anni di reclusione.**

The government is recommending
fewer prison sentences for
offenders.

**Il governo propone una
diminuzione del numero delle
condanne alla reclusione.**

Overcrowding is a serious problem
in many prisons.

**Il sovraffollamento è un grave
problema in molte prigioni.**

27 War & Peace

I abduct   **sequestro [-are]**
aerial bombing   **il bombardamento aereo**
aggression   **l'aggressione** *(f)*
aggressor   **l'aggressore** *(m)*
air force   **le forze aeree** *(f)*
I airlift   **evacuo [-are] per ponte aereo**
air raid   **l'incursione** *(f)* **aerea**
air raid shelter   **il rifugio antiaereo**
air raid warning   **l'allarme** *(m)* **aereo**
alliance   **l'alleanza** *(f)*
ally   **l'alleato** *(m)*
ambush   **l'imboscata** *(f)*
antiaircraft   **la contraerea**
army   **l'esercito** *(m)*
I assassinate   **assassino [-are]**
assault   **l'assalto** *(m)*
atomic   **atomico**
I attack   **attacco [-are]**
attack   **l'attacco** *(m)*
barracks   **la caserma**
battle   **la battaglia**
battlefield   **il campo di battaglia**
blast   **l'esplosione** *(f)*, **lo scoppio**
I blockade   **blocco [-are]**
blockade   **il blocco**
I blow up   **faccio [fare] esplodere**
bomb alert   **l'allarme** *(m)* **di bombe**
bombardment   **il bombardamento**
brave   **coraggioso**
war breaks out   **la guerra scoppia [-are]**
I call up   **chiamo [-are] alle armi**
camp   **il campo, l'accampamento** *(m)*
campaign   **la campagna**
I capture   **catturo [-are]**
capture   **la cattura**

causes of war   **le cause della guerra**
I claim responsibility for   **rivendico [-are] la responsabilità di / per**
I commit *(an act)*   **commetto [-ere]**
conflict   **il conflitto**
encounter / confrontation   **lo scontro**
I contaminate   **inquino [-are], contamino [-are]**
conventional weapon   **le armi convenzionali**
courtmartial   **la corte marziale**
coward   **il codardo, il vigliacco**
the plane crashes   **l'aereo si fracassa [-are]**
I crush *(opposition)*   **schiaccio [-are]**
I declare war (on)   **dichiaro [-are] la guerra (a)**
defeat   **la sconfitta**
I defeat   **sconfiggo [-ere]**
I am defeated   **sono sconfitto**
I defend   **difendo [-ere]**
defense / defence   **la difesa**
I destroy   **distruggo [-ere]**
I detain   **detengo [-ere]**
I detect   **scopro [-ire]**
devastating   **distruttivo**
devastation   **la devastazione**
enemy   **il nemico**
espionage   **lo spionaggio**
ethnic cleansing   **la pulizia etnica**
I evacuate   **evacuo [-are]**
evacuation   **l'evacuazione** *(f)*
I fight a battle   **combatto [-ere] una battaglia**
I fight off   **respingo [-ere]**
I flee   **fuggo [-ire]**
front   **il fronte**
genocide   **il genocidio**

guerrilla warfare **la guerriglia**
harmful **dannoso**
headquarters **il quartiere generale**
hostilities **le ostilità**
I interrogate **interrogo [-are]**
interrogation **l'interrogatorio** *(m)*
I intervene **intervengo [-ire]**
intervention **l'intervento** *(m)*
intimidation **l'intimidazione** *(f)*
I invade **invado [-ere]**
invasion **l'invasione** *(f)*
I issue an ultimatum **do [dare] un ultimatum**
I liquidate **liquido [-are]**
maneuvres / manoeuvers **le manovre**
massacre **il massacro**
missing in action **disperso al fronte**
military service **il servizio militare**
mobilization **la mobilitazione** *(f)*
I mobilize **mobilito [-are]**
morale **la morale**
multilateral **multilaterale**
navy **la marina**
nuclear **nucleare**
occupation **l'occupazione** *(f)*
I occupy **occupo [-are]**
offensive **l'offensiva** *(f)*
I patrol **pattuglio [-are]**
peace **la pace**
propaganda **la propoganda**
I provoke **provoco [-are]**
battle rages **la battaglia infuria [-are]**
raid **l'incursione** *(f)*
rank **il rango, la schiera**
reinforcements **i rinforzi**
reprisal **la rappresaglia**
I resist **resisto [-ere]**

resistance **la resistenza**
I review *(troops)* **passo [-are] in rivista**
I revolt **mi rivolto [-are], mi ribello [-are]**
revolution **la rivoluzione**
riot **la sommossa**
rubble **le macerie**
security check **i controlli di sicurezza**
shelter **il rifugio**
I sink the ship **faccio [fare] affondare la nave**
the ship sinks **la nave affonda [-are]**
skirmish **la scaramuccia**
I spy **spio [-are]**
spy **la spia**
I start a war **dichiaro [-are] la guerra**
strategy **la strategia**
the vessel surfaces **la nave emerge [-ere]**
survival **la sopravvivenza**
tactics **le tattiche**
I take by suprise **sorprendo [-ere]**
terrorist attack **l'attacco** *(m)* **terroristico**
I threaten **minaccio [-are]**
trench **la trincea, lo scavo**
underground **clandestino**
war **la guerra**
warmongering **il guerrafondaio**
war wound **la ferita di guerra**
I win **vinco [-ere], riporto [-are] la vittoria**
wound **la ferita**
I wound **ferisco [-ire]**
I am wounded **sono ferito**

The war in the Falklands broke out in April 1982.
La guerra delle Malvine scoppiò nell'aprile del 1982.
Civil wars are the bloodiest of all.
Le guerre civili sono le più sanguinose.

WAR & PEACE

27b Military Personnel & Weaponry

Military personnel

archer   **un arciere**
assassin   **l'assassino** *(m)*
casualty *(dead)*   **il morto**
casualty *(injured)*   **il ferito**
cavalry   **la cavalleria**
civilian   **il civile**
commandos   **la pattuglia d'assalto**
conscientious objector   **l'obiettore** *(m)* **di coscienza**
conscript   **la recluta**
convoy   **il convoglio**
deserter   **il disertore**
division   **la divisione**
foot soldier   **il soldato di fanteria**
general   **il generale**
guard   **la guardia, la sentinella**
guerrilla   **il partigiano**
hostage   **l'ostaggio** *(m)*
infantry   **la fanteria**
intelligence officer   **il funzionario del servizio segreto**
marine   **il fante di marina**
military personnel   **il personale militare**
ministry of defense   **il ministero della difesa**
NCO   **il sottufficiale**
officer   **l'ufficiale** *(m)*
parachutist   **il / la paracadutista**
prisoner of war   **il prigioniero di guerra**
rebel   **il ribelle**

recruit   **la recluta**
regiment   **il reggimento**
seaman, sailor   **il marinaio**
secret agent   **l'agente** *(m)* **segreto**
sentry   **la sentinella**
sniper   **il cecchino**
soldier   **il soldato**
spy   **la spia**
squadron   **lo squadrone**
staff   **il personale militare**
terrorist   **il / la terrorista**
traitor   **il traditore, la traditrice**
troops   **la truppa**
victor   **il vincitore, la vincitrice**

Weaponry and its effects

I aim (at)   **prendo [-ere] la mira**
aircraft carrier   **la portaerei**
ammunition   **le munizioni**
armaments   **gli armamenti**
armored / armoured   **blindato**
arms   **le armi**
arms manufacturer   **il fabbricante d'armi**
arms race   **la corsa alle armi**
artillery   **l'artiglieria** *(f)*
bacteriological warfare   **la guerra batteriologica**
barbed wire   **il filo spinato**
bayonet   **la baionetta**
I bomb(ard)   **bombardo [-are]**
bomb   **la bomba**
bombardment   **il bombardamento**
bomber *(aircraft)*   **il bombardiere**

In Sarajevo today a man was shot dead by a sniper.

A Sarajevo oggi un uomo è stato ucciso da un cecchino.

The dropping of atomic bombs on Hiroshima and Nagasaki forced Japan to surrender in August 1945.

Nell'agosto del 1945 il lancio della bomba atomica su Hiroshima e Nagasaki costrinse il Giappone alla resa.

bullet **la pallottola, il proiettile**
car bomb **l'autobomba** *(f)*
crossbow **la balestra**
chemical **chimico**
destroyer *(ship)* **il cacciatorpediniere**
I explode a bomb **faccio [fare] esplodere una bomba**
explosive **l'esplosivo** *(m)*
fallout **la pioggia radioattiva**
fighter plane **il caccia**
I fire (at) **tiro [-are]**
frigate **la fregata**
gas **il gas**
gas attack **l'attacco** *(m)* **di gas**
gun **il fucile**
hand grenade **la bomba a mano**
H-bomb **la bomba H**
it hits **colpisce [-ire]**
jet *(plane)* **il jet, l'aereo** *(m)* **a reazione**
I kill **uccido [-ere], ammazzo [-are]**
knife **il coltello**
laser **il laser**
letter bomb **la lettera esplosiva**
machine gun **la mitragliatrice**
minefield **il campo minato**
minesweeper **il dragamine**
missile **il missile**
missile launcher **il lanciamissile**
mortar **il mortaio**
neutron bomb **la bomba al neutrone**
nuclear test **il test nucleare**
nuclear warhead **la testata nucleare**
pistol **la pistola, la rivoltella**

poison gas **il gas nocivo**
radar **il radar**
radar screen **lo schermo radar**
radiation **la radiazione**
radioactive **radioattivo**
revolver **la rivoltella, la pistola**
rifle **il fucile**
rocket **il razzo**
rocket attack **l'attacco** *(m)* **missilistico**
I sabotage **sabotaggio [sabotare]**
shell **la granata**
I shoot dead **uccido [-ere], abbatto [-ere]**
shotgun **il fucile**
shrapnel **i frammenti di proiettile**
siege **l'assedio** *(m)*
I stockpile **accumulo [-are] le riserve**
submachine gun **il (fucile) mitragliatore, la mitragliatrice**
submarine **il sottomarino**
tank **il carro armato**
target **il bersaglio**
I test **verifico [-are], esamino [-are]**
torpedo **il siluro**
torpedo attack **l'attacco** *(m)* **di siluri**
I torpedo **siluro [-are]**
warship **la nave da guerra**
weapon **l'arma** *(m)*
semiautomatic weapon **l'arma da fuoco semiautomatica**

The explosion was several miles away, but it knocked everyone to the ground.

L'esplosione era a molte miglia di distanza, ma scaraventò tutti per terra.

The missile that had been shot down scattered debris over a wide area.

Il missile che era stato colpito sparse i frammenti in una vasta zona circostante.

➤ CRIME 26a

WAR & PEACE

Peace

Ban the Bomb campaign **la campagna per il bando della bomba**
cease-fire **il cessate il fuoco**
control **il controllo**
I declare peace **dichiaro [-are] la pace**
I demobilize **smobilito [-are]**
demobilization **la smobilitazione**
deterrent **il deterrente**
I diminish tension **diminuisco [-ire] la tensione**
disarmament **il disarmo**
exchanges of information **gli scambi d'informazioni**
free **libero**
I free **libero [-are]**
human rights **i diritti umani**
I mediate **faccio [fare] da intermediario, medio [-are]**
military service **il servizio militare**
negotiable **trattabile**
negotiation **le trattative**
neutral **neutro**
neutrality **la neutralità**
pacifist **il / la pacifista**
pacifism **il pacifismo**
peace **la pace**
peace plan **il piano per la pace**

peace talks **le trattative per la pace**
peace-keeping force **l'esercito della pace**
surrender **la resa**
I surrender **mi arrendo [-ere]**
test ban **il bando di test nucleari**
treaty **il trattato, il patto**
uncommitted **non vincolato**
victory **la vittoria**

International relations

aid **l'assistenza** *(f)*
ambassador **l'ambasciatore** *(m)*, **l'ambasciatrice** *(f)*
arms reduction **la riduzione delle armi**
attaché **l'addetto** *(m)*
bloc **il blocco**
citizen **il cittadino**
citizenship **la cittadinanza**
consul **il console**
consulate **il consolato**
developing countries **i paesi in via di sviluppo**
diplomacy **la diplomazia**
diplomat **il diplomatico**
diplomatic immunity **l'immunità** *(f)* **diplomatica**
embassy **l'ambasciata** *(f)*
emergency *(adj)* **d'urgenza**
envoy **l'inviato** *(m)*

The Italian government was in danger of being embroiled in a diplomatic row.

Il governo italiano correva il pericolo di essere coinvolto in una controversia diplomatica.

Defense spending represents three percent of the gross national product.

La spesa per la difesa rappresenta il tre percento del prodotto nazionale lordo.

---

famine **la carestia**
foreign affairs **gli affari esteri**
foreign aid **gli aiuti all'estero**
foreigner **lo straniero**
I apply economic sanctions **applico[-are] sanzioni economiche**
I join *(organization)* **m'associo [-are] a**
national security **la sicurezza del paese**
neutral **neutrale**
nonaligned **non allineato**
overseas **oltremare**
relief organization **l'organizzazione umanitaria**
relief supplies **i rifornimenti di soccorso**
I ratify *(treaty)* **ratifico [-are]**
I represent **rappresento [-are]**
sanctions **le sanzioni**
summit meeting **la conferenza al vertice**
third world **il terzo mondo**
underdeveloped countries **i paesi sottosviluppati**

Trade

agricultural policy **la politica agricola**
balance of payments **la bilancia dei pagamenti**
balance of trade **la bilancia commerciale**

Common Market **il Mercato Comune**
currency **la valuta**
customs **la dogana**
customs union **l'unione** *(f)* **doganale**
European Union **l'Unione** *(f)* **Europea**
exchange rate **il tasso di cambio**
exports **le esportazioni**
floating currency **la moneta oscillante**
it floats **oscilla [-are]**
foreign investment **gli investimenti esteri**
free-trade zone **la zona franca**
gap between rich and poor **il divario fra i ricchi e i poveri**
GATT / General Agreement on Tariffs and Trade **l'accordo** *(m)* **generale sulle tariffe doganali e il commercio / GATT**
GNP / gross national product **PNL / prodotto nazionale lordo**
import controls **controlli sulle importazioni**
imports **le importazioni**
tariff barriers **le barriere tariffarie**
tariffs **le tariffe**
trade gap **disavanzo della bilancia commerciale**

A spokesman for the Italian Chamber of Commerce revealed that the European Commission is investigating alleged unfair trading practices.

Un portavoce della Camera di commercio italiana ha rivelato che la Commissione Europea sta indagando su presunte pratiche commerciali disoneste.

Importers continue to take advantage of the lowest possible tariff rates.

Tutti gli importatori continuano ad avvantaggiarsi delle tariffe più basse possibili.

C
APPENDICES

Appendices

3b* Clocks & Watches

alarm clock   la sveglia
clock   l'orologio *(m)*
cuckoo clock   l'orologio *(m)* a
  cucù
dial   il quadrante
digital watch   l'orologio *(m)*
  digitale
egg timer   la clessidra (tre minuti)
hand (of a clock)   la lancetta
  minute hand   la lancetta dei
  minuti
  hour hand   la lancetta dell'ora
  second hand   la lancetta dei
  secondi
hourglass   la clessidra
pendulum   l'orologio *(m)* a
  pendolo
stopwatch   il cronometro a scatto
sundial   l'orologio *(m)* solare
timer (on cooker)   il cronometro
  (da cucina)
watch   l'orologio *(m)* da polso
  watch strap   il cinturino
I wind up   do [dare] la corda a

4d Mathematical & Geometrical Terms

acute   acuto
algebra   l'algebra *(f)*
algebraic   algebrico
Arabic numerals   i numeri arabi
arithmetic   l'aritmetica *(f)*
arithmetical   aritmetico
average   la media
axis   l'asse *(m)*
calculus   il calcolo
circumference   la circonferenza
complex   complesso
constant   costante

cube   il cubo
cube root   la radice cubica
cubed   cubico
decimal   decimale
equality   l'eguaglianza *(f)*
factor   il fattore, il coeficiente
I factorize   scompongo
  [scomporre] in fattori
fraction   la frazione
function   la funzione
geometry   la geometria
geometrical   geometrico
imaginary   immaginario
integer   il numero intero
irrational number   il numero
  irrazionale
logarithm   il logaritmo
mean   la media
median   la mediana
multiple   il multiplo
natural number   il numero
  naturale
numerical   numerico
obtuse   ottuso
prime number   il numero primo
product   il prodotto
probability   la probabilità
I raise to a power   elevo [-are] al
  potere di
  to the fifth power   elevo [-are] al
  quinto potere
  to the nth power   elevo [-are] al
  potere n
radius   il raggio
rational   razionale
quotient   il quoziente
real   reale
reciprocal   reciproco
Roman numeral   il numero
  romano
set   la serie
square   al quadrato

---

* Appendices are numbered according to the most relevant Vocabulary.

square root **la radice quadrata**
symmetry **la simmetria**
symmetrical **simmetrico**
tables **le tabelle**
tangent **la tangente**
trigonometry **la trigonometria**
variable **variabile**
vector **il vettore**

5b Parts of the Body

ankle **la caviglia**
arm **il braccio** (fpl **le braccia**)
back **la schiena**
backbone **la spina dorsale**
bladder **la vescica**
blood **il sangue**
blood pressure **la pressione del sangue**
body **il corpo**
bone **l'osso** (m) (fpl **le ossa**)
bowel **l'intestino** (m)
brain **il cervello**
breast **il seno, le mammelle**
buttock **la natica**
cheek **la guancia**
chest **il torace**
chin **il mento**
ear **l'orecchio** (m) (fpl **le orecchie**)
elbow **il gomito**
eye **l'occhio** (m)
eyebrow **il sopracciglio**
eyelash **il ciglio** (fpl **le ciglia**)
face **il viso, la faccia**
finger **il dito** (fpl **le dita**)
fingernail **l'unghia** (f)
foot **il piede**
forehead **la fronte**
genitalia **i genitali**
gland **la ghiandola**
hair **il pelo, il capello**
hand **la mano**
head **la testa**
heart **il cuore**
hip **l'anca** (f), **il fianco**
hormone **l'ormone** (m)

index finger **l'indice** (m)
jaw **la mascella**
kidney **il rene**
knee **il ginocchio** (fpl **le ginocchia**)
knuckle **la nocca**
leg **la gamba**
lid **la palpebra**
lip **il labbro** (fpl **le labbra**)
liver **il fegato**
lung **il polmone**
mouth **la bocca**
muscle **il muscolo**
nape of neck **la nuca**
neck **il collo**
nose **il naso**
nostril **la narice**
organ **l'organo** (m)
part of body **la parte del corpo**
penis **il pene**
sex organs **gli organi sessuali**
shoulder **la spalla**
skin **la pelle**
stomach **lo stomaco**
thigh **la coscia**
throat **la gola**
thumb **il pollice**
toe **il dito del piede**
tongue **la lingua**
tooth **il dente**
vagina **la vagina**
waist **la vita**
womb **l'utero** (m)
wrist **il polso**

6a Human Characteristics

absentminded **distratto, svagato**
active **attivo**
adaptable **adattabile**
affection(ate) **l'affetto** (m), (**affettuoso**)
aggression **l'aggressione** (f)
aggressive **aggressivo**
ambition **l'ambizione** (f)
ambitious **ambizioso**
amusing **simpatico, divertente**

6a Human Characteristics (cont.)

anxious **ansioso**
arrogant **arrogante**
artistic **artistico**
attractive **attraente**
bad-tempered **irascibile, irritabile**
bad / evil **cattivo, malvagio**
boring **noioso**
brave **coraggioso**
care **la cura, l'attenzione** *(f)*
careful **attento, diligente**
careless **sbadato, sconsiderato**
charm **il fascino**
charming **affascinante, incantevole**
cheeky **sfacciato**
cheerful **allegro, contento**
clever **intelligente, bravo**
cold **freddo**
comic **comico, spiritoso**
confidence **la confidenza, la sicurezza**
confident **fiducioso, sicuro**
conscientious **coscienzioso, attento**
courage **il coraggio**
courtesy **la cortesia**
cowardly **codardo, vigliacco**
creative **creativo**
critical **critico**
cruel **crudele**
cultured **colto, istruito**
cunning **furbo, scaltro**
curiosity **la curiosità**
decisive (in-) **(in)deciso**
demanding **esigente**
dependence **la dipendenza**
dependent (in-) **(in)dipendente**
dishonesty **la disonestà**
disobedience **la disobbedienza**
distrustful **diffidente**
eccentric **eccentrico**
energetic **energico, attivo**
envious **invidioso**
envy **l'invidia** *(f)*
extroverted **estroverso**
faithful (un-) **(in)fedele**

faithfulness **la fedeltà**
friendly (un-) **simpatico (antipatico)**
frivolous **frivolo**
generosity **la generosità**
generous **generoso**
gentle **gentile**
gentleness **la gentilezza**
good-tempered **di buonumore**
greedy **ingordo**
hard-working **operoso, impegnato**
helpful **servizievole**
honest (dis-) **(dis)onesto**
honesty **l'onestà** *(f)*
honorable / honourable **onorevole**
humane (in-) **(in)umano**
humble **umile**
humorous **divertente, spiritoso**
hypocritical **ipocrita**
idealistic **idealista**
imagination **l'immaginazione** *(f)*
imaginative **immaginoso, fantasioso**
impatience **l'impazienza** *(f)*
independence **l'indipendenza** *(f)*
individualistic **individualista**
innocence **l'innocenza** *(f)*
innocent **innocente**
inquisitive **curioso**
intelligence **l'intelligenza** *(f)*
intelligent **intelligente, acuto**
intolerance **l'intolleranza** *(f)*
introverted **introverso**
ironic **ironico**
kind **simpatico**
kindness **la gentilezza**
laziness **la pigrizia**
lazy **pigro**
liberal **liberale**
likeable **benvoluto, simpatico**
lively **vivace**
lonely **solitario**
lov(e)able **amabile, caro**
mad **pazzo, folle**
madness **la pazzia, la follia**
malicious **maligno**
mature (im-) **(im)maturo, adulto (infantile)**

mean / stingy **avaro**
modest **modesto**
modesty **la modestia**
moody **imbronciato di malumore**
moral (im-) **(im)morale**
naive **ingenuo**
naiveté **l'ingenuità** *(f)*
natural **naturale, spontaneo**
nervous **nervoso**
nervousness **il nervosismo,
l'apprensione** *(f)*
nice **amabile, gentile**
niceness **la cortesia, la
gentilezza, l'amabilità**
obedience **l'obbedienza** *(f)*
obedient (dis-) **(dis)obbediente**
open(ness) **sincero (la sincerità)**
optimistic **ottimista**
original **originale**
originality **l'originalità** *(f)*
patience **la pazienza**
patient (im-) **(im)paziente**
pessimistic **pessimista**
pleasant **simpatico, amabile**
polite **cortese, garbato**
politeness **la garbatezza**
possessive **possessivo**
prejudiced **prevenuto**
pride **l'orgoglio** *(m)*, **la superbia**
proud **orgoglioso, superbo**
reasonable (un-) **(ir)ragionevole**
rebellious **ribelle**
reserved **riservato**
respect **il rispetto**
respectable **rispettabile**
respectful **rispettoso**
responsible (ir-) **(ir)responsabile**
rude **maleducato**
rudeness **la maleducazione**
sad **triste**
sarcastic **sarcastico**
scornful **sprezzante**
self-confident **sicuro di sé**
self-esteem **la stima di sé**
selfishness **l'egoismo** *(m)*
self-sufficient **autosufficiente**

sensible **assennato, ragionevole**
sensitive (in-) **(in)sensibile**
serious **serio**
shy **timido**
silent **silenzioso**
silly **sciocco**
sincerity **la sincerità**
skillful **capace**
sociable (un-) **(non) socievole**
strange **strano**
strict **severo**
stubborn **testardo**
stupid **stupido**
stupidity **la stupidaggine**
suspicious **sospettoso**
sweet **caro, dolce**
sympathetic (un-) **(poco)
comprensivo (indifferente)**
sympathy **la simpatia**
tact **la delicatezza, il tatto**
tactful **delicato, discreto**
talented **dotato di talento**
talkative **chiacchierone**
temperamental **instabile,
emotivo, capriccioso**
thoughtful **gentile, premuroso,
serio**
thoughtless **sconsiderato**
tidy (un-) **(dis)ordinato**
tolerance **la tolleranza**
tolerant (in-) **(in)tollerante**
traditional **tradizionale**
trust **la fiducia**
trusting **fiducioso**
unselfish **altruista, generoso**
vain **vanitoso**
vanity **la vanità**
violent **violento**
virtuous **onesto, virtuoso**
warm **amichevole,
di buon cuore**
well-adjusted **equilibrato**
well-behaved **(ben)educato**
wisdom **la saggezza**
wise **saggio, giudizioso,
assennato**

wit **lo spirito, l'umorismo** (m)
witty **spiritoso**

8b Tools

ax / axe **l'ascia** (f), **l'accetta** (f)
bit **la punta da trapano**
blade **la lama**
bolt **il bullone**
bucket **il secchio**
clamp **il morsetto**
chisel **lo scalpello**
crowbar **il palanchino, il piede di porco**
drill **il trapano**
file **la lima**
garden gloves **i guanti da giardino**
garden shears **le forbici per giardinaggio**
hammer **il martello**
hedge clippers **le forbici per potare siepi**
hoe **la marra, la zappa**
hose **il tubo flessibile**
ladder **la scala**
lawnmower **la falciatrice da giardino**
mallet **il mazzuolo**
nail **il chiodo**
nut **il dado**
paintbrush **il pennello da pittore**
penknife **il temperino**
pickax(e) **il piccone**
plane **la pialla**
pliers **le pinze**
rake **il rastrello**
roller **il rullo**
sander **la levigatrice**
sandpaper **la carta vetrata**
saw **la sega**
screw **la vite**
screwdriver **il cacciavite**
shovel **la pala, il badile**
spade **la vanga**
spirit level **la livella a bolla d'aria**
stepladder **la scala a libro**

toolbox **la cassetta portautensili**
trowel **la paletta da giardiniere**
varnish **la vernice**
vice **la morsa**
wrench (adjustable) / spanner **la chiave fissa**

9a Shops, Stores & Services

antique store / shop **il negozio di antiquariato**
art store / shop **il negozio d'arte**
bakery / baker's **il panificio / la panetteria**
bank **la banca**
bookmaker's / betting shop **il botteghino di allibratore**
bookstore / shop **la libreria**
boutique **la boutique**
butcher's **la macelleria**
cakeshop / store **la pasticceria**
candy store / sweetshop **il negozio di dolciumi / la pasticceria**
car accessory / spares shop / store **il negozio di ricambi**
chemist's / drugstore **la farmacia**
clothes shop / store **il negozio di abbigliamento**
cobbler's **il calzolaio**
cosmetics store / shops **la profumeria**
covered market **il mercato coperto**
dairy **la latteria**
delicatessen **la salumeria, la rosticceria**
department store **il grande magazzino**
dress store / shop **il negozio di abbigliamento (da donna)**
drugstore **la farmacia**
dry cleaner's **la tintoria, la lavanderia a secco**
electrical store / shop **il negozio di elettrodomestici**
fishmonger's **la pescheria**

fishstall *(market)* **il banchetto dei pesci**

florist's **il fioraio**

furniture store / shop **il negozio di mobili**

garden center / centre **un centro di giardinaggio**

greengrocer's **il negozio di frutta e verdura**

grocer's **il negozio di generi alimentari**

hairdresser *(for men)* **il barbiere**

hairdresser *(for women)* **il parrucchiere**

hardware store / shop **il negozio di ferramenta**

health food store / shop **il negozio di alimenti naturali / di dietetica**

hypermarket **l'ipermercato**

indoor market **il mercato coperto**

insurance broker / agent **l'agente** *(m)* **d'assicurazione**

jewelry store / jeweller's **l'oreficeria** *(f)*, **la gioielleria**

kiosk **il chiosco**

launderette **la lavanderia a gettone**

lottery kiosk **la ricevitoria**

market **il mercato**

menswear store / shop **il negozio di abbigliamento da uomo**

model store / shop **il negozio di modellistica**

music store / shop **il negozio di dischi / musica**

newspaper kiosk **l'edicola** *(f)* **dei giornali**

newsstand / newsagent's **il giornalaio**

outdoor / open-air market **il mercato all'aperto**

optician's **l'ottico** *(m)*

pet store / petshop **il negozio di animali domestici**

pharmacy **la farmacia**

photographic store / shop **il negozio fotografico / di ottica**

post office **l'ufficio** *(m)* **postale**

pottery store / shop **il negozio di ceramiche**

real estate agency **l'agenzia** *(f)* **immobiliare**

shoe (repair) store / shop **la calzoleria**

store / shop **il negozio**

shopping mall / arcade **il centro commerciale**

souvenir store / shop **il negozio di souvenirs**

sports store / shop **il negozio di articoli sportivi**

stationery store / stationer's **il cartolaio / la cartoleria**

store **il negozio / la bottega**

superstore **il grande magazzino**

supermarket **il supermercato**

takeout / take-away food store / shop **la rosticceria**

tabacco store / tabacconist's **la tabaccheria**

toy store / toy shop **il negozio di giocattoli**

travel agency **l'agenzia di viaggi** *(f)*

vending machine **il distributore automatico**

video store / shop **il negozio di video**

9a Currencies

dollar **il dollaro**

euro **il euro**

franc **il franco**

pound sterling **la lira sterlina**

rouble **il rublo**

yen **lo yen**

9c Jewelry / Jewellery

bangle **il bracciale(tto)**

chain bracelet **il braccialetto a catena**

brooch **la spilla**

carat **il carato**

chain   la catenina
charm   il ciondolo
costume jewelry / jewellery   la bigiotteria
cuff links   i gemelli
earring   l'orecchino *(m)*
engagement ring   l'anello *(m)* di fidanzamento
fake   falso
jewel   il gioiello, la gioia
jewel box   il portagioielli
jewelry / jewellery   i gioielli *(pl)*, le gioie *(pl)*
medallion   il medaglione
necklace   la collana
pendant   il pendente, il ciondolo
precious stone / gem   la pietra preziosa
real   vero
ring   l'anello *(m)*
semiprecious   semiprezioso
tiara   il diadema
tie pin   lo spillo per cravatta
wedding ring   la fede (nuziale)

9c Precious Stones & Metals

agate   l'agata *(f)*
amber   l'ambra *(f)*
amethyst   l'ametista *(f)*
chrome   il cromo
copper   il rame
coral   il corallo
crystal   il cristallo
diamond   il diamante
emerald   lo smeraldo
gold   l'oro *(m)*
gold plate   placcato d'oro
ivory   l'avorio *(m)*
mother-of-pearl   la madreperla
onyx   l'onice *(f)*
pearl   la perla
pewter   il peltro
platinum   il platino
quartz   il quarzo
ruby   il rubino
sapphire   lo zaffiro

silver   l'argento *(m)*
silver plate   placcato d'argento
topaz   il topazio
turquoise   il turchese

10c Herbs & Spices

aniseed   l'anice *(m)*
basil   il basilico
bay leaf   il lauro
caper   il cappero
caraway   il cumino
chive   la cipollina
cinnamon   la cannella
cloves   i chiodi di garofano
dill   i semi di aneto
garlic   l'aglio *(m)*
ginger   lo zenzero
marjoram   la maggiorana
mint   la menta
mustard   la mostarda
nutmeg   la noce moscata
oregano   l'origano *(m)*
parsley   il prezzemolo
pepper   il pepe
rosemary   il rosmarino
saffron   lo zafferano
sage   la salvia
tarragon   il dragoncello
thyme   il timo

10d Cooking Utensils

alumin(i)um foil   la carta di alluminio
baking tray   la teglia
can / tin opener   l'apriscatole *(m)*
carving knife   il trinciante
colander   il colatoio, il colino
food processor   il frullatore
fork   la forchetta
frying pan   la padella
grater   la grattugia
grill   la griglia, la graticola, la gratella
kettle   il bollitore
knife   il coltello

lid **il coperchio**
pot **la pentola, la pignatta**
rolling pin **il matterello**
saucepan / casserole dish **il tegame, la casseruola**
scale **la bilancia**
sieve **il setaccio, il crivello**
skewer **lo spiedo, lo schidione**
spatula **la spatola**
spoon **il cucchiaio**
tablespoon **il cucchiaio da tavola**
tablespoonful **la cucchiaiata**
teaspoon **il cucchiaino da tè**
teaspoonful **il cucchiaino da tè**
wax paper / greaseproof **la carta oleata**

10d Smoking

ash **la cenere**
ashtray **il portacenere, il posacenere**
box of matches **la scatola di fiammiferi**
cigar **il sigaro**
cigarette **la sigaretta**
cigarette butt / stub **il mozzione**
lighter **l'accendino** *(m)*
match **il fiammifero**
wax match **il cerino**
pipe **la pipa**
pipe cleaner **lo scovolino**
smoke il fumo
I smoke **fumo [-are]**
smoking (no) **(vietato) fumare**
tobacco **il tabacco**
tobacconist **il tabaccaio**

11b Illness & Disability

AIDS **l'AIDS** *(m / f)*
angina **l'angina** *(f)*
appendicitis **l'appendicite** *(f)*
arthritis **l'artrite** *(f)*
asthma **l'asma** *(f)*
bacillus **il bacillo**
bacteria **i batteri**

bronchitis **la bronchite**
bubonic plague **la peste bubbonica**
cancer **il cancro**
catarrh **il catarro**
cerebral palsy **la paralisi cerebrale**
chicken pox **la varicella**
cholera **il colera**
cold **il raffreddore**
colic **la colica**
constipation **la stitichezza**
corn **il callo**
cough **la tosse**
cystitis **la cistite**
deafness **la sordità**
depression **la depressione**
dermatitis **la dermatite**
diabetes **il diabete**
diarrhea **la diarrea**
diptheria **la difterite**
dizziness **il capogiro, le vertigini**
Down's syndrome **la sindrome di Down, il mongolismo**
earache **il mal d'orecchio**
eczema **l'eczema** *(m)*
epilepsy **l'epilessia** *(f)*
fever **la febbre**
fit **l'attacco** *(m)*
flu **l'influenza**
food poisoning **l'intossicazione alimentare** *(f)*
gallstones **i calcoli biliari**
gangrene **la cancrena**
German measles **la rosolia**
gingivitis **la gengivite**
gonorrhea **la gonorrea**
headache **il mal di testa**
heart attack **l'attacco cardiaco**
hemorrhoids **le emorroidi**
hepatitis **l'epatite** *(f)*
hernia **l'ernia** *(f)*
high blood pressure **l'ipertensione** *(m)*
HIV positive **sieropositivo**
illness **la malattia**
incontinence **l'incontinenza** *(f)*
influenza **l'influenza** *(f)*

215

infection   l'infezione *(f)*
jaundice   l'itterizia *(f)*
leukemia   la leucemia
malaria   la malaria
measles   il morbillo
meningitis   la meningite
mental illness   la malattia di mente
microbe   il microbo
migraine   l'emicrania
multiple sclerosis   la sclerosi
   multipla
mumps   la parotite
muscular distrophy   le distrofia
   muscolare
nits   i pidocchi
overdose   una dose eccessiva
Parkinson's disease   il morbo di
   Parkinson
piles   le emorroidi
pneumonia   la polmonite
polio   la poliomielite
rabies   la rabbia
rheumatism   il reumatismo
salmonella   la salmonella
scabies   la scabbia
seasickness   il mal di mare
sexually transmitted disease   la
   malattia venerea
sickness   la nausea
smallpox   il vaiolo
stomachache   il mal di stomaco
stomach upset   il mal di pancia
stroke   il colpo apoplettico *(m)*
stye   l'orzaiolo
syphilis   la sifilide
tetanus   il tetano
thrombosis   la trombosi
tonsillitis   la tonsillite
toothache   il mal di denti
tuberculosis   la tubercolosi
ulcers   le ulcere
urinary tract infection   l'infezione *(f)*
   delle vie urinarie
venereal disease   la malattia
   venerea
whooping cough   la pertosse
yellow fever   la febbre gialla

11c Hospital Departments

admissions   accettazione
blood bank   il centro trasfusioni
   (di sangue)
casualty   il pronto soccorso
consultants' suite   il gabinetto
   dello specialista
consulting room   il gabinetto
   medico
coronary care unit   il reparto di
   cardiologia
dialysis unit   il centro dialisi
emergency   d'urgenza
ENT / ear, nose and throat   il
   reparto di otorinolaringoiatria
eye infirmary   il reparto di
   oculistica
geriatric ward   il reparto di
   geriatria
gynecology ward   il reparto di
   ginecologia
infectious diseases   le malattie
   contagiose
intensive care   il reparto di
   rianimazione
maternity ward   il reparto
   maternità
mortuary   il mortuario
oncology   il reparto di oncologia
operating room   la sala
   operatoria
orthopedic   il reparto di
   ortopedia
outpatient department
   l'ambulatorio *(m)*
pathology   il reparto
   di patologia
pediatric ward   il reparto di
   pediatria
pharmacy   la farmacia
psychiatric unit   il reparto di
   psichiatria
reception   la ricezione
recovery room   la sala
   post-operatoria
surgical ward   il reparto di
   chirurgia

transfusion **la trasfusione**
treatment room **l'infermieria**
ward **il reparto, il padiglione**
X ray **i raggi (X)**

11d Hairdresser

bangs / fringe **la frangia**
bleach **la decolorazione**
color / colour chart **la pagella dei coloranti / delle tinture**
color / colour rinse **lo shampo colorante**
I cut **taglio [-are]**
dandruff **la forfora**
I dye **tingo [-ere], coloro [-are]**
dye **la colorazione, la tintura**
hair **I capelli**
  dry **secchi**
  greasy / oily **grassi**
  gray / grey **grigi**
  lanky **senza vita**
haircut **il taglio dei capelli**
I have my hair cut **mi faccio [fare] tagliare i capelli**
hairdresser **il parrucchiere, la parrucchiera**
hairspray **la lacca per capelli**
hairdo **l'acconciatura** (f), **la pettinatura**
mustache **i baffi**
perm(anent wave) **la permanente**
setting lotion / gel **il fissatore**
shampoo and set **lo shampo e messa in piega**
sideburns / sideboards **le basette**
sides (of head) **i lati**
top (of head) **la cima**
trim **la spuntatina**
I trim **spunto [-are]**
  I trim (beard) **spunto [-are] la barba**
wig **la parrucca**
  I wear a wig **porto [-are] la parrucca**

13b Holidays & Religious Festivals

All Saints (Nov 1) **Tutti i Santi, Ognissanti**
All Souls (Nov 2) **I Morti**
Ascension Day **l'Ascensione** (f)
Ash Wednesday **il Mercoledì delle Ceneri**
Assumption Day (Aug 15) **l'Assunzione** (f)
Boxing Day (Dec 26) **Santo Stefano**
Candlemas **la calendora**
Carnival **il Carnevale**
Christmas **il Natale**
  at Christmas **a Natale**
Christmas Day **il giorno di Natale**
Christmas Eve **la vigilia di Natale**
Corpus Christi **il Corpus Domini**
Easter **la Pasqua**
Easter Monday **il lunedì di Pasqua**
Easter Sunday **il giorno di Pasqua, la Pasqua**
Eid **l'Eid**
Feast of the Assumption (of the Virgin Mary) **L'Assunzione della Maria Vergine**
festival **la festa**
Good Friday **il Venerdì Santo**
Hanukkah **l'Hanouka**
Labor / Labour Day **la festa dei lavoratori**
Lent **la quaresima**
New Year's Day **il capodanno**
New Year's Eve **la vigilia del capodanno**
Palm Sunday **la domenica delle Palme**
Passover **la Pasqua ebraica**
Ramadan **il ramadan**
Sabbath **il sabato**
Shrove Tuesday **il martedì grasso**
Whitsuntide **la quaresima**
Yom Kippur **l'Yom Kippur**

14b Professions & Jobs

The arts

actor / actress **l'attore** *(m)*,
 l'attrice *(f)*
announcer **l'annunciatore** *(m)*,
 l'annunciatrice *(f)*
architect **l'architetto** *(m)*
artist **l'artista** *(m / f)*
bookseller **il libraio, la libraia**
cameraman **il cineoperatore, il
 cameraman**
editor **il direrttore di redazione**
graphic designer **il grafico / la
 grafica**
journalist **il / la giornalista**
model **il modello, la modella**
movie / film director **il regista**
movie / film star **la stella del cinema**
musician **il / la musicista**
painter *(artist)* **il pittore, la pittrice**
photographer **il fotografo, la
 fotografa**
poet **il poeta, la poetessa**
printer **il poligrafico, la poligrafica**
producer *(theater / theatre)* **il
 produttore, la produttrice**
publisher **l'editore** *(m)*, **l'editrice** *(f)*
reporter **il / la cronista, il / la
 reporter**
sculptor **lo scultore, la scultrice**
singer **il / la cantante**
TV announcer **l'annunciatore** *(m)*,
 l'annunciatrice *(f)*, **il
 presentatore, la presentatrice**
writer **l'autore** *(m)*, **l'autrice** *(f)*, **lo
 scrittore** *(m)*, **la scrittrice** *(f)*

Education & research

academic staff **il corpo docente**
lecturer **il professore / la
 professoressa, il lettore / la
 lettrice**
physicist **il fisico, la fisica**
primary teacher **il maestro / la
 maestra, l'insegnante**
elementare
principal / headteacher **il / la preside**
researcher **il ricercatore, la
 ricercatrice**
scientist **lo scienziato, la
 scienziata**
secondary teacher **l'insegnante**
 (m / f) **di scuola media**
student **lo studente, la
 studentessa**
supply teacher **l'insegnante** *(m / f)*
 supplente
support tutor **l'insegnante** *(m / f)* **di
 sostegno**
technician **il tecnico**
tutor **l'insegnante** *(m / f)*

Food & retail

baker **il panettiere, il fornaio**
brewer **il fabbricante di birra**
butcher **il macellaio**
buyer **l'acquirente** *(m / f)*, **il
 compratore, la compratrice**
caterer (supplying meals) **il
 fornitore**
cook **il cuoco, la cuoca**
druggist / chemist **il / la
 farmacista**
farmer **l'agricoltore** *(m / f)*, **il
 coltivatore**
fisherman **il pescatore**
fishmonger **il pescivendolo**
florist **il / la fiorista, il fioraio, la
 fioraia**
greengrocer **il fruttivendolo**
grocer **il droghiere**
jeweler / jeweller **il gioielliere,
 l'orefice** *(m)*
pharmacist **il / la farmacista**
representative **il / la
 rappresentante**
shop assistant **il commesso / la
 commessa**
shopkeeper / storekeeper **il / la
 negoziante**
tobacconist **il tabaccaio**

waiter   **il cameriere, la cameriera**
wine grower   **il vignaiolo, il viticultore / la viticultrice**

Government service

civil servant   **il funzionario (pubblico)**
clerk   **l'impiegato** *(m)*, **l'impiegata** *(f)*
customs officer   **il doganiere / la doganiera**
fireman   **il pompiere**
judge   **il giudice, il magistrato**
member of parliament / senator   **il deputato, il senatore**
minister   **il ministro**
officer   **l'ufficiale** *(m/f)*
policeman   **il poliziotto, il carabiniere**
policewoman   **la poliziotta**
politician   **il politico**
sailor   **il marinaio**
secret agent   **l'agente** *(m/f)* **segreto**
serviceman   **un membro delle forze armate**
soldier   **il soldato, il militare**

Health care

analyst   **l'analista** *(m/f)*
consultant   **lo / la specialista**
dentist   **il / la dentista**
doctor (Dr.)   **il medico, il dottore / la dottoressa**
general practitioner   **il medico generico**
gynecologist   **il ginecologo / la ginecologa**
midwife   **l'ostetrica** *(f)*
nurse   **l'infermiere** *(m)*, **l'infermiera** *(f)*
optician   **l'ottico** *(m)*
physician   **il medico, il dottore / la dottoressa**
psychiatrist   **lo / la psichiatra**
psychologist   **lo / la psicologo**
surgeon   **il chirurgo**

vet   **il veterinario**

In manufacturing & construction

bricklayer   **il muratore**
builder   **il costruttore**
carpenter   **il falegname, il carpentiere**
engineer   **l'ingegnere** *(m/f)*
foreman   **il capo, il caposquadra**
glazier   **il vetraio**
industrialist   **l'industriale** *(m/f)*
laborer / labourer   **il manovale**
manufacturer   **il fabbricante, il produttore**
mechanic   **il meccanico**
metalworker   **l'operaio** *(m)* **metallurgico**
miner   **il minatore**
plasterer   **l'intonacatore** *(m)*
stonemason   **il muratore**

Services

accountant   **il ragioniere / la ragioniera**
actuary   **l'attuario** *(m/f)*
agent   **l'agente** *(m/f)*
bank manager   **il direttore / la direttrice di banca**
barber   **il barbiere**
businessman   **l'uomo** *(m)* **d'affari**
businesswoman   **la donna** *(m)* **d'affari**
caretaker   **il / la custode**
cleaner   **l'addetto** *(m)*, **l'addetta** *(f)* **alle pulizie**
computer programmer   **il programmatore, la programmatrice**
counselor   **il consigliere, la consigliera**
consultant   **il / la consulente**
draughtsman   **il / la progettista**
electrician   **l'elettricista** *(m/f)*
furniture mover   **l'impresa** *(m/f)* **traslochi**

219

garbageman / dustman   **il netturbino**

gardener   **il giardiniere**

guide   **la guida**

hairdresser   **la parrucchiera, il parrucchiere**

insurance agent   **l'agente** *(m/f)* **d'assicurazione**

interpreter   **l'interprete** *(m/f)*

lawyer   **l'avvocato** *(m)*, **l'avvocatessa** *(f)*

librarian   **il bibliotecario, la bibliotecaria**

office worker   **l'impiegato** *(m)*, **l'impiegata** *(f)*

painter & decorator   **il pittore, il decoratore**

plumber   **l'idraulico** *(m)*

postman   **il postino, la postina**

priest   **il prete, il sacerdote**

real estate / estate agent   **l'agente immobiliare**

receptionist   **li / la ricezionista** *(m/f)*

servant   **il domestico, la domestica**

social worker   **l'assistente** *(m/f)* **sociale**

solicitor   **l'avvocato, l'avvocatessa, il notaio**

stockbroker   **l'agente** *(m/f)* **di cambio**

surveyor   **il / la geometra** *(m/f)*

tax inspector   **l'esattore** *(m/f)* **delle imposte**

trade unionist   **il / la sindacalista**

translator   **il traduttore, la traduttrice**

travel agent   **l'agente** *(m/f)* **di viaggi**

typist   **il dattilografo, la dattilografa**

undertaker   **l'impresario** *(m)* **di pompe funebri**

Transport

air hostess   **assistente** *(m/f)* **di volo**

bus driver   **il conducente d'autobus**

driver   **l'autista** *(m/f)*, **il / la conducente**

driving instructor   **l'istruttore** *(m/f)* **di guida**

pilot   **il / la pilota**

taxi driver   **il / la tassista**

ticket inspector   **il controllore**

truck / lorry driver   **il / la camionista**

14b Places of Work

blast furnace   **la fornace**

brewery   **la fabbrica di birra**

business park   **il centro, il complesso commerciale**

construction site   **il cantiere di costruzione**

distillery   **la distilleria**

factory   **la fabbrica**

farm   **l'azienda agricola** *(f)*, **la fattoria**

foundry   **la fonderia**

hospital   **l'ospedale** *(m)*

mill   **lo stabilimento tessile**

   paper mill   **la carteria**

   rolling mill   **il laminatoio**

   sawmill   **la segheria**

   spinning mill   **l'opificio** *(m)*

   steel mill   **l'acciaieria** *(f)*

mine (coal)   **la miniera di carbone**

office   **l'ufficio** *(m)*

plant   **la fabbrica, lo stabilimento**

public company   **la società a responsabilità limitata**

shop / store   **il negozio, la bottega**

steel plant / steelworks   **l'acciaieria** *(f)*

sweatshop   **l'azienda** *(f)* **che sfrutta la manodopera**

vineyard   **la vigna, il vigneto**

warehouse   **il magazzino**

workshop   **l'officina** *(f)*

14b Company Personnel & Departments

accounts department   **il reparto contabilità**

apprentice   **l'apprendista** *(m/f)*

assistant   **l'assistente** *(m/f)*

associate   **il socio**

board of directors   **il consiglio d'amministrazione**

boss   **il padrone, il capo**

branch office   **la filiale**

colleague   **il/la collega**

department   **il reparto**

director   **il direttore, la direttrice**

division   **la divisione**

employee   **l'impiegato** *(m),* **l'impiegata** *(f),* **il/la dipendente**

employer   **il datore di lavoro**

executive *(adj)*   **esecutivo, dirigente**

financial manager   **il direttore finanziario**

foreman   **il caporeparto**

head office   **la sede centrale**

labor/labour   **la manodopera**

line manager   **il superiore**

management   **la gestione, la direzione**

manager   **il direttore, il dirigente**

manageress   **la direttrice, la dirigente**

managing director/CEO   **l'amministratore** *(m)* **delegato**

marketing department   **il reparto marketing**

personal assistant   **il segretario, la segretaria di direzione**

personnel department   **l'ufficio** *(m)* **del personale**

president   **il presidente**

production department   **il reparto produzione**

sales department   **il reparto vendite**

secretary   **la segretaria, il segretario**

specialist   **lo/la specialista**

staff/personnel   **il personale**

team   **il gruppo, l'équipe** *(f)*

trainee   **il/la tirocinante**

vice president   **il vice presidente**

15c Letter-Writing Formulae

Dear Mr. and Mrs. . . .   **Gentili Signori** ...

Dear Peter   **Caro Pietro**

Dear Sir   **Egregio Signore**

Dear Madam   **Gentile Signora**

Greetings from   **saluti da**

I enclose   **allego**

Sincerely   **cordialmente**

Love (from)   **baci, abbracci, un abbraccio, con affetto**

With best wishes   **con i miei/nostri migliori auguri**

With kind regards   **con I miei/nostri migliori saluti**

Yours faithfully   **distinti saluti**

Yours sincerely   **cordiali saluti**

15d Computer Hardware

battery   **la pila**

brightness   **la luminosità**

CD-ROM   **il CD-ROM**

central processing unit   **l'unità** *(f)* **centrale di elaborazione**

charger   **il caricatore**

chip   **la chip**

compatibility   **la compatibilità**

compatible   **compatibile**

computer   **il computer, l'elaboratore** *(m)*

cursor   **il cursore**

disk drive   **l'unità** *(f)* **disco, il discdrive**

disk   **il disco**

diskette   **il dischetto**

display   **la visualizzazione, il display**

double density *(disk)*   **di doppia densità**

drive   l'unità *(f)* **(disco)**
flat screen monitor   **lo schermo piatto**
floppy disk   **il dischetto, il floppy**
font   **il carattere**
function key   **il tasto di funzione, funzionale**
hard copy   **la copia a stampa**
hard disk   **l'hard disc** *(m)*
hardware   **l'hardware** *(f)*
high density disk   **il disco ad alta densità**
ink cartridge   **la cartuccia d'inchiostro**
inkjet   **il getto d'inchiostro**
input device   **l'unità** *(f)* **d'entrata**
integrated circuit   **il circuito integrato**
keyboard   **la tastiera**
laptop   **l'elaboratore** *(m)* **portatile**
laser printer   **la stampante a laser**
liquid crystal display   **il visualizzatore in cristallo liquido**
Macintosh   **il Macintosh**
mainframe computer   **l'elaboratore** *(m)* **principale, l'unità** *(f)* **centrale di elaborazione**
microprocessor   **il microprocessore**
minicomputer   **il miniordinatore**
modem   **il modem**
   dial-up   **remoto**
   DSL   **la DSL**
   cable   **il cavo**
mouse   **il mouse**
network   **la rete**
paper tray   **la cassetta per la carta**
personal computer / PC   **il PC, il personal computer**
printer   **la stampante**
processor   **l'elaboratore** *(m)*
random access memory / RAM   **il RAM**
read only memory / ROM   **il ROM**
resolution   **la risoluzione**

ribbon   **il nastro**
roller   **il rullo**
screen   **lo schermo**
socket / port   **la presa**
storage   **la memoria**
terminal   **il terminale**
touch screen   **lo schermo tattile**
VDU   **l'unità** *(f)* **di visualizzazione**
wide area network / WAN   **il WAN**

15d Computer Software

algebraic   **algebrico**
algorithm   **algoritmo**
bug   **l'errore** *(m)*, **il bug**
byte   **il byte**
coded   **codificato**
coding   **la codificazione**
command   **il comando**
computer-aided design / CAD   **la progettazione con aiuto di elaboratore, il CAD**
computer language   **il linguaggio informatico**
copy   **la copia**
data capture   **la formulazione dei dati**
data   **i dati**
data logging   **la registrazione dei dati**
data processing   **l'elaborazione** *(f)* **dei dati**
database   **la banca dati**
default option   **l'opzione** *(f)* **di inadempimento**
directory   **l'indice** *(m)*
double clicking   **il doppio scatto (del mouse)**
drive   **l'unità** *(f)* **disco**
escape / exit   **l'uscita** *(f)*
file   **il documento**
flow chart   **il flussoschema**
format   **il formato**
function   **la funzione**
graphical application   **l'applicazione** *(f)* **grafica**
graphics   **i grafici**
help   **l'assistenza** *(f)*

help menu **il menu d'assistenza**
language **il linguaggio**
logic circuit **il circuito logico**
memory **la memoria**
menu **il menu, l'elenco dei programmi**
operating system **il sistema operativo**
output **l'output** *(m)*
password **il codice d'identificazione**
program(me) **il programma**
programmable **programmabile**
programmer **il programmatore**
programming **la programmazione**
pulldown menu **il menu dei testi**
reference archive **l'archivio** *(m)* **di consultazione**
setup **l'organizzazione** *(f)*
software **il software**
software package **il pacchetto di software**
space **lo spazio**
space bar **la barra spaziatrice**
spreadsheet **il foglio elettronico**
statistics package **il pacchetto di statistiche**
user friendly **di facile uso**
virus **il virus**

16a Hobbies

angling **la pesca con la lenza**
archeology **l'archeologia** *(f)*
archery **il tiro all'arco**
ballroom dancing **il ballo liscio**
beekeeping **l'apicoltura** *(f)*
birdwatching **l'ornitologia** *(f)*
carpentry **lavorare il legno**
collecting antiques **collezionare oggetti di antiquariato**
collecting stamps **collezionare francobolli, la filatelia**
dancing **ballare**
fishing **andare a pesca, pescare**
gambling **giocare d'azzardo**
gardening **fare giardinaggio**

going to the movies / cinema **andare al cinema**
knitting **fare la maglia**
listening to music **ascoltare musica**
photography **la fotografia**
playing chess **giocare a scacchi**
reading **leggere**
sewing **cucire**
spinning **filare**
walking **camminare**
watching television **guardare la televisione**

16c Photography

automatic **automatico**
cable release **lo scatto**
camera **la macchina fotografica**
camera case **la custodia per la macchina fotografica**
I develop **sviluppo [-are]**
I enlarge **ingrandisco [-ire]**
exposure **l'esposizione** *(f)*, **la posa**
exposure counter **il contatore di esposizione / di pose**
film **la pellicola**
  black and white **in bianco e nero**
  color / colour **a colori**
film winder **la leva d'avanzamento della pellicola**
filter **il filtro**
fine grain **a grana fine**
flash **il flash**
flash attachment **l'attaccatura** *(f)*
home movie **il film d'amatore**
I focus the camera **metto [-ere] a fuoco**
in focus **a fuoco**
out of focus **sfuocato**
jammed **bloccato**
lens **l'obiettivo** *(m)*, **la lente**
  telephoto **il teleobiettivo**
  wide-angle **il grandangolare**

lens cap   il cappuccio per obiettivo
light   la luce
    artificial   artificiale
    daylight   la luce del giorno,
    naturale
light meter   l'esposimetro *(m)*
movie camera   la cinepresa
negative   il negativo
overexposed   sovraesposto
overexposure   la
    sovraesposizione
picture   la foto
photo(graph)   la foto(grafia)
    passport photo   la foto da
    passaporto
    vacation / holiday photo   la foto
    delle vacanze
photograph album   l'album *(m)*
    delle fotografie
processing / developing   lo sviluppo
roll film   il rullino
shutter   l'otturatore *(m)*
slide   la diapositiva
I take photos   faccio [fare] foto,
    fotografo [-are]
videocamera   la telecamera
videocassette   la videocassetta

___

17b Architectural Features

alcove   l'alcova *(f)*
arch   l'arco *(m)*
architrave   l'architrave *(f)*
atrium   l'atrio *(m)*
bas relief   il bassorilievo
battlement   gli spalti *(pl)*
buttress   la contrafforte *(m)*
capital   il capitello
caryatid   la cariatide
colonnade   il colonnato
column   la colonna
    doric   dorica
    ionic   ionica
    corinthian   corinzia
cornerstone   la pietra angolare
cupola   la cupola

diptych   il dittico
drawbridge   il ponte levatoio
eaves   il cornicione
embrasure   la strombatura
façade   la facciata
festoon   il festone
gable   il frontone
gargoyle   la garguglia
hanging buttress   il contrafforte
    pensile
headstone   la lapide
herringbone *(adj)*   a spina di pesce
high relief   l'altorilievo *(m)*
mansard   la mansarda
moulding   lo zoccolo
nave   la navata
ogive   l'ogiva *(f)*
overhanging   sporgente
pagoda   la pagoda
pilaster   il pilastro
pinnacle   il pinnacolo
plinth   il plinto
porch   il portico
portico   il portico, il colonnato
rear arch   l'arco *(m)* posteriore
roof   il tetto
rosette   il rosone
rotunda   la rotonda
sacristy   la sagrestia
steeple   la guglia
triumphal arch   l'arco *(m)* trionfale
tryptych   il trittico
vault   la volta
vaulted   a volta
volute   la voluta
wainscot   il rivestimento di legno

___

17d Musicians & Instruments

accompanist   l'accompagnatore
    (m), l'accompagnatrice *(f)*
accordionist   il / la fisarmonicista
    (m / f)
alto (singer)   il / la contralto, il
    falsetto
bagpipe   la zampogna

baritone **il baritono**
bass (singer) **il basso**
bass clarinet **il basso clarinetto**
basset horn **il corno di bassetto**
bassoon **il fagotto**
bassoonist **il suonatore di fagotto**
bells **le campane tubolari**
bugle **il corno da caccia**
busker **il suonatore ambulante**
castanets **le nacchere**
cellist **il / la violoncellista** *(m/f)*
cello **il violoncello**
chorister **il / la corista** *(m/f)*
clarinet **il clarinetto**
clarinettist **il / la clarinettista** *(m/f)*
clarion **la tuba**
• classical guitar **la chitarra classica**
contralto **la contralto**
cornet **la cornetta**
cymbal **il cimbalo**
double bass **il contrabbasso**
double bassoon **il controfagotto**
drum **la batteria**
drummer **il / la batterista** *(m/f)*
dulcimer **il salterio**
flageolet **lo zufolo**
flautist **il / la flautista** *(m/f)*
flute **il flauto**
French horn **il corno da caccia**
grand piano **il pianoforte a coda**
guitar **la chitarra**
guitarist **il / la chitarrista** *(m/f)*
harmonium **l'armonium** *(m)*
harp **l'arpa** *(f)*
harpist **l'arpista** *(m/f)*
harpsichord **il clavicembalo**, **l'arpicordo** *(m)*
harpsichordist **il suonatore di arpicordo**
horn **il corno**
hurdy-gurdy **l'organino** *(m)*
instrumentalist **il suonatore di strumento**
jews' harp **lo scacciapensieri**

librettist **il / la librettista** *(m/f)*
lyre **la lira**
mandolin **il mandolino**
mezzo-soprano **la mezzosoprano**
mouth organ **l'armonica** *(f)* **a bocca**
oboe **l'oboe** *(m)*
orchestra leader **il primo violino**
orchestra players **gli orchestrali**
organ **l'organo** *(m)*
organist **l'organista** *(m/f)*
percussion **gli strumenti a percussione**
percussionist **il suonatore di strumenti a percussione**
pianist **il / la pianista** *(m/f)*
piano **il pianoforte**
pipe **il piffero, la zampogna**
recorder **il flauto dolce**
saxophone **il sassofono**
saxophonist **il / la sassofonista** *(m/f)*
soprano **la soprano**
spinet **la spinetta**
squeeze box **la concertina**
string instruments **gli strumenti a corda**
synthesizer **il sintetizzatore**
tenor **il tenore**
tin whistle **lo zufolo**
triangle **il triangolo**
trombone **il trombone**
trumpet **la tromba**
tuba **la tuba**
tuning fork **il diapason**
tympanum **il timpano**
viol **la viola**
viola **la viola da braccio**
viola player **il suonatore di viola**
violin **il violino**
violinist **il / la violinista** *(m/f)*
violoncello **il violoncello**
vocalist **il / la cantante** *(m/f)*
Welsh harp **l'arpa** *(f)* **gallese**
xylophone **il silofono**

17d Musical Forms

aria l'**aria** *(f)*
ballad **la ballata**
cantata **la cantata**
chamber music **la musica da camera**
choral music **la musica corale**
concerto **il concerto**
    piano concerto **il concerto per piano**
duet **il duetto**
fugue **la fuga**
madrigal **il madrigale**
music drama **il dramma in musica**
musical (comedy) **la commedia musicale**
nocturne **il notturno**
octet l'**ottetto** *(m)*
opera l'**opera** *(f)*
operetta l'**operetta** *(f)*
oratorio l'**oratorio** *(m)*
overture l'**ouverture** *(f)*
prelude **il preludio**
quartet **il quartetto**
quintet **il quintetto**
recitative **il recitativo**
requiem mass **la messa da requiem**
sacred music **la musica sacra**
septet **il settimino**
serenade **la serenata**
sextet **il sestetto**
sonata **la sonata**
song cycle **il ciclo di canzoni**
string quartet **il quartetto per archi**
suite **la suite**
sinfonietta **la sinfonietta**
symphony **la sinfonia**
trio **il trio**
    piano trio **il trio per piano**

17d Musical Terms

accompaniment l'**accompagnamento** *(m)*

arpeggio l'**arpeggio** *(m)*
bar **la battuta**
beat **la battuta**
bow l'**archetto** *(m)*
bowing **la tecnica dell'archetto**
cadence **la cadenza**
chord l'**accordo** *(m)*
clef **la chiave**
    bass clef **la chiave di basso**
    treble clef **la chiave di soprano**
conductor **il direttore d'orchestra**
discord **la dissonanza**
first violin **il primo violino**
improvisation l'**improvvisazione** *(f)*
key **la chiave** *(f)*
    major **maggiore**
    minor **minore**
note **la nota**
    breve **breve**
    half / minim note **minima**
    quarter / crotchet note **semiminima**
    eight note / quaver **croma**
    sixteenth note / semiquaver **semicroma**
mute **la sordina**
scale **la scala**
score **la partitura, lo spartito**
sharp **diesis**
sheet (of music) **il foglio di musica**

17e Movie / Film Genres

adventure **il film di avventura**
animation **il film di animazione**
black and white **in bianco e nero**
black comedy **la commedia nera**
cartoons **i cartoni animati**
comedy **la commedia**
documentary **il documentario**
feature movie / film **il lungometraggio**
horror **il film dell'orrore**
low budget **il film a basso costo**

sci-fi   **il film di fantascienza**
short film   **il cortometraggio**
silent movies / cinema   **il cinema muto**
tearjerker / weepie   **il film lacrimoso**
thriller   **il poliziesco**
video clip   **l'inserto** *(m)* **filmato**
war   **il film di guerra**
western   **il (film) western**

19a Means of Transportation

by air   **in aereo**
in an ambulance   **in ambulanza**
by bicycle   **in bicicletta**
by bus   **in autobus**
by cable car   **in funivia**
by car   **in auto**
by bus coach   **in pullman, in corriera**
in a dinghy   **in barca**
by ferry   **in traghetto**
by helicopter   **in elicottero**
by hovercraft   **in hovercraft**
by hydrofoil   **in aliscafo**
in a lorry   **in camion**
by plane   **in aereo**
by ship   **in nave**
by subway / underground   **in metropolitana**
by taxi   **in taxi**
by tram   **in tram**
by trolleybus   **in filovia**
in a truck   **in camion**
by jumbo jet   **in aereo jumbo**

19c Parts of the Car

alternator   **l'alternatore** *(m)*
automatic gear   **la frizione automatica**
back wheel   **la ruota posteriore**
battery   **la batteria**
bodywork   **la carrozzeria**
brake   **il freno**
bumper / tender   **il paraurti**
carburetor   **il carburatore**

catalytic converter   **il catalizzatore**
choke   **la valvola d'aria**
clutch   **la frizione**
dashboard   **il cruscotto**
door   **la portiera**
   front door   **la portiera anteriore**
   passenger door   **la portiera posteriore**
engine   **il motore**
exhaust pipe   **il tubo di scarico**
front seats   **i sedili anteriori**
front wheel   **la ruota anteriore**
gearbox   **il cambio di velocità**
headlights   **i fari, gli abbaglianti**
horn   **il claxon**
hood / bonnet   **il cofano**
indicator   **l'indicatore** *(m)* **di direzione**
license plate   **la targa**
lights   **le luci**
motor   **il motore**
passenger seats   **i sedili posteriori**
pedal   **il pedale**
   accelerator   **il pedale dell'acceleratore**
   brake   **il pedale del freno**
   clutch   **il pedale della frizione**
plug   **la valvola**
rearview / rear mirror   **lo specchietto retrovisore**
registration number   **la targa**
roof / hood   **la capote**
roof rack   **portabagagli**
safety belt   **la cintura di sicurezza**
spare tire / tyre   **la gomma di ricambio**
spare wheel   **la ruota di ricambio**
spares   **i pezzi di ricambio**
speedometer   **il contachilometri**
starter   **il motorino d'avviamento**
steering wheel   **il volante**
tank   **il serbatoio**
throttle valve   **la valvola a farfalla**
tire / tyre   **la gomma, il pneumatico**
   back tire / tyre   **la gomma posteriore**

front tire / tyre **la gomma anteriore**
spare tire / tyre **la gomma di scorta**
tire / tyre pressure **la pressione delle gomme**
trunk / boot **il bagagliaio**
warning triangle **il triangolo rosso / d'emergenza**
wheel **la ruota**
windshield / windscreen **il finestrino**
windshield / windscreen wiper **il tergicristallo**

19c Road Signs

Cross now **avanti**
Danger! **pericolo**
Detour **deviazione**
End of detour **fine della deviazione**
End of roadwork **fine dei lavori**
End of highway / motorway regulations **fine del regolamento autostradale**
Free parking **parcheggio gratuito**
Highway / Motorway entrance / exit **ingresso / uscita autostrada**
Highway / Motorway junction **svincolo autostradale**
Keep clear **tenere libero il passaggio**
Loading zone **zona carico**
Maximum speed **velocità massima**
No entry **accesso vietato**
No parking **parcheggio vietato**
Pedestrian crossing **passaggio pedonale**
Residents only **riservato ai residenti**
Road closed **strada sbarrata**
Roadworks **lavori in corso**
Stop **alt**
Toll **pedaggio**

20a Tourist Sights

abbey **l'abbazia** *(f)*
amphitheater / amphitheatre **l'anfiteatro** *(m)*
amusement park **il parco dei divertimenti**
aquarium **l'acquario** *(m)*
art gallery **la galleria d'arte**
battlefield **il campo di battaglia**
battlements **il parapetto**
boulevard **il corso, il viale**
castle **il castello**
catacombs **le catacombe**
cathedral **la cattedrale**
cave **la grotta**
cemetery **il cimitero**
city **la città**
chapel **la cappella**
church **la chiesa**
concert hall **la sala dei concerti, l'auditorium** *(m)*
convent **il convento**
downtown / town center **il centro (città)**
exhibition **l'esposizione** *(f)*
fortress **la fortezza**
fountain **la fontana**
gardens **i giardini**
harbor / harbour **il porto**
library **la biblioteca**
mansion **il palazzo**
market **il mercato**
monastery **il monastero**
monument **il monumento**
museum **il museo**
opera **il teatro dell'opera**
palace **il palazzo**
parliament building **il Parlamento**
pier **la banchina, il pontile**
planetarium **il planetario**
ruins **le rovine**
shopping area **la zona dei negozi**
square **la piazza**
stadium **lo stadio**
statue **la statua**

temple **il templo**
theater / theatre **il teatro**
tomb **la tomba**
tower **la torre**
town hall **il municipio**
university **l'università** *(f)*
zoo **lo zoo**

20a On the Beach

bathing cabana / hut **la cabina**
beach **la spiaggia**
beach ball **il pallone da spiaggia**
deck chair **la sedia a sdraio**
I dive **mi tuffo [-are]**
diver **il tuffatore, la tuffatrice**
pail and shovel / bucket and spade
  il secchiello e la paletta
sand **la sabbia, l'arena** *(f)*
  grain of sand **il granello di**
  sabbia
sandcastle **il castello di sabbia**
sandy *(beach)* **sabbioso, arenoso**
scuba diving **l'immersione** *(f)*
  subacquea
sea **il mare**
seashore **la costa, il litorale**
snorkel **il respiratore a tubo**
suntan lotion **la crema solare**
sunshade *(umbrella)* **l'ombrellone**
  (m)
I surf **faccio [fare] il surf**
surfboard **la tavola da surf**
surfing **il surfing**
I swim **nuoto [-are]**
waterskiing **lo sci acquatico**
windsurfing / sailboarding **il**
  windsurfing
I go windsurfing **faccio [fare] il**
  windsurfing

20a Continents & Regions

Africa **l'Africa** *(f)*
Antarctica **l'Antartide** *(f)*
Arctic **l'Artide** *(f)*
Asia **l'Asia** *(f)*

Australasia **l'Australasia** *(f)*
Balkans **i Balcani**
Baltic States **gli Stati Baltici**
Central America **l'America** *(f)*
  centrale
Eastern Europe **l'Europa** *(f)*
  orientale
Europe **l'Europa** *(f)*
European Union **l'Unione** *(f)*
  Europea
Far East **l'Estremo Oriente** *(m)*
Middle East **il Medio Oriente**
North America **l'America** *(f)* **del**
  Nord
Oceania **l'Oceania** *(f)*
Scandinavia **la Scandinavia**
South America **l'America** *(f)* **del**
  Sud
former Soviet Union **l'ex Unione**
  (f) **Sovietica**
West Indies **le Indie** *(f)*
  occidentali
former Yugoslavia **l'ex Iugoslavia**
  (f)

20a Countries

Afghanistan **l'Afghanistan** *(m)*
Albania **l'Albania** *(f)*
Argentina **l'Argentina** *(f)*
Austria **l'Austria** *(f)*
Belgium **il Belgio**
Bolivia **la Bolivia**
Bosnia **la Bosnia**
Brazil **il Brasile**
Bulgaria **la Bulgaria**
Canada **il Canadà**
China **la Cina**
Colombia **la Colombia**
Croatia **la Croazia**
Cuba **Cuba**
Cyprus **Cipro**
Czech Republic **la Repubblica**
  Ceca
Denmark **la Danimarca**
Ecuador **l'Ecuador** *(m)*
Egypt **l'Egitto** *(m)*

APPENDICES

England **l'Inghilterra** *(f)*
Estonia **l'Estonia** *(f)*
Finland **la Finlandia**
France **la Francia**
Germany **la Germania**
Great Britain **la Gran Bretagna**
Greece **la Grecia**
Hungary **l'Ungheria** *(f)*
Iceland **l'Islanda** *(f)*
India **l'India** *(f)*
Indonesia **l'Indonesia** *(f)*
Iran **l'Iran** *(m)*
Iraq **l'Iraq** *(m)*
Ireland **l'Irlanda** *(f)*
Israel **Israele**
Italy **l'Italia** *(f)*
Japan **il Giappone**
Jordan **la Giordania**
Kenya **il Kenia**
Korea (North / South) **la Corea (del Nord / del Sud)**
Kuwait **il Kuwait**
Latvia **la Lettonia**
Lebanon **il Libano**
Libya **la Libia**
Lithuania **la Lituania**
Luxemburg **il Lussemburgo**
Malaysia **la Malesia**
Mexico **il Messico**
Mongolia **la Mongolia**
Morocco **il Marocco**
Netherlands **i Paesi Bassi**
New Zealand **la Nuova Zelanda**
Norway **la Norvegia**
Pakistan **il Pakistan**
Palestine **la Palestina**
Peru **il Perù**
Philippines **le Filippine**
Poland **la Polonia**
Portugal **il Portogallo**
Romania **la Romania**
Russia **la Russia**
Saudi Arabia **l'Arabia** *(f)* **Saudita**
Scotland **la Scozia**
Serbia **la Serbia**
Slovakia **la Slovacchia**
Slovenia **la Slovenia**

South Africa **il Sudafrica**
Spain **la Spagna**
Sri Lanka **lo Sri Lanka**
Sudan **il Sudan**
Sweden **la Svezia**
Switzerland **la Svizzera**
Syria **la Siria**
Taiwan **il Taiwan**
Tanzania **la Tanzania**
Thailand **la Tailandia**
Tibet **il Tibet**
Tunisia **la Tunisia**
Turkey **la Turchia**
Uganda **l'Uganda** *(f)*
Ukraine **l'Ucraina** *(f)*
United States **gli Stati Uniti** *(pl)*
Uruguay **l'Uruguay** *(m)*
Vietnam **il Vietnam**
Wales **il Galles**
Zaire **lo Zaire**
Zimbabwe **lo Zimbabue**

20a Oceans & Seas

Adriatic Sea **l'Adriatico** *(m)*
Arctic Ocean **il mare Artico**
Atlantic Ocean **l'oceano** *(m)* **Atlantico**
Baltic Sea **il Baltico**
Bay of Biscay **il golfo di Biscaglia**
English Channel **la Manica**
Gulf of Mexico **il golfo del Messico**
Indian Ocean **l'oceano** *(m)* **Indiano**
Mediterranean Sea **il (mare) Mediterraneo**
Pacific Ocean **l'oceano** *(m)* **Pacifico**

20a Nationalities & Peoples*

Algerian **algerino**
American **americano**
American Indian **amerindio**
Argentinian **argentino**
Australian **australiano**

* In Italian, where applicable, the language and adjective of nationality (masculine singular) are the same. For more nationalities ➤ App. 21a Languages

Austrian **austriaco**
Belgian **belga**
Brazilian **brasiliano**
Canadian **canadese**
Egyptian **egiziano**
French-Canadian
 francocanadese
Indian **indiano**
Iraqi **iracheno**
Iranian **iraniano**
Irish **irlandese**
Israeli **israeliano**
Lebanese **libanese**
Mexican **messicano**
Moroccan **marocchino**
New Zealander **neozelandese**
Pakistani **pakistano**
Palestinian **palestinese**
Saudi **saudita**
Scottish **scozzese**
South African **sudafricano**
Swiss **svizzero**
Syrian **siriano**

21a Main Language Families

Afro-asiatic **afroasiatica**
Altaic **altaica**
Australian **australiana**
Caucasian **caucasica**
Central and South **centrale e del
 sud**
Eskimo **Aleut, esquimese**
Indo-European **indoeuropea**
 Baltic **baltica**
 Celtic **celtica**
 Germanic **germanica**
 Hellenic **ellenica**
 Indo-Iranian **indoiraniana**
 Italic **italica**
 Romance **romanza**
 Slavic **slava**
Independent **indipendente**
North American Indian **indiana
 nordamericana**
Paleo-asiatic **paleoasiatica**
Papuan **papuasa**

Sino-Tibetan **sinotibetana**
Uralic **uralica**

21a Languages*

Afrikaans **afrikaans**
Albanian **albanese**
Arabic **arabo**
Armenian **armeno**
Basque **basco**
Bengali **bengali**
Breton **bretone**
Bulgarian **bulgaro**
Burmese **birmano**
Chinese **cinese**
Coptic **copto**
Czech **ceco**
Danish **danese**
Dutch **olandese**
English **inglese**
Eskimo **esquimese**
Estonian **estone**
Finnish **finlandese**
Flemish **fiammingo**
French **francese**
German **tedesco**
Greek **greco**
Gujarati **gujarati**
Hebrew **ebraico**
Hindi **hindi**
Hungarian **ungherese**
Icelandic **islandese**
Indonesian **indonesiano**
Irish Gaelic **gaelico irlandese**
Italian **italiano**
Japanese **giapponese**
Korean **coreano**
Kurdish **curdo**
Latin **latino**
Mongolian **mongolo**
Norwegian **norvegese**
Persian **persiano**
Polish **polacco**
Portuguese **portoghese**
Punjabi **punjabi**
Romanian **rumeno**
Russian **russo**

* In Italian, all languages are masculine.

APPENDICES

Scottish Gaelic **gaelico scozzese**
Slovak **slovacco**
Somali **somalo**
Spanish **spagnolo**
Swahili **swahili**
Swedish **svedese**
Thai **tailandese**
Tamil **tamil**
Tibetan **tibetano**
Turkish **turco**
Urdu **urdu**
Vietnamese **vietnamita**
Welsh **gallese**

21b Grammar

accusative **l'accusativo** *(m)*
   accusative *(adj)* **accusativo**
adjective **l'aggettivo** *(m)*
adverb **l'avverbio** *(m)*
agreement **la concordanza**
it agrees with **concorda [-are] con**
article **l'articolo** *(m)*
   definite **definito**
   indefinite **indefinito**
case **il caso**
case ending **la desinenza del caso**
clause **la proposizione**
comparative **il comparativo**
conjunction **la congiunzione**
dative **dativo**
definite **definito**
demonstrative **dimostrativo**
direct object **il complemento oggetto**
exception **l'eccezione** *(f)*
gender **il genere**
genitive **il genitivo**
indefinite **indefinito**
indirect object **il complemento indiretto**
interrogative **interrogativo**
negative **negativo**
nominative **nominativo**
noun **il nome**
object **l'oggetto** *(m)*
phrase **la frase**

plural **il plurale**
   plural *(adj)* **plurale**
prefix **il prefisso**
possessive **possessivo**
preposition **la preposizione**
pronoun **il pronome**
   demonstrative **dimostrativo**
   indefinite **indefinito**
   interrogative **interrogativo**
   personal **personale**
   relative **relativo**
reflexive **il riflessivo**
   reflexive *(adj)* **riflessivo**
rule **la regola**
sequence **la sequenza**
singular **singolare**
spelling **l'ortografia** *(f)*
subject **il soggetto**
suffix **il suffisso**
superlative **il superlativo**
   superlative *(adj)* **superlativo**
word order **la costruzione della frase**

Verbs

active voice **la voce attiva**
auxiliary **ausiliario**
compound **composto**
conditional **il condizionale**
defective **il difettivo**
formation **la formazione**
future **il futuro**
gerund **il gerundio**
imperative **l'imperativo**
imperfect **l'imperfetto**
impersonal **impersonale**
infinitive **l'infinito** *(m)*
intransitive **intransitivo**
irregular **irregolare**
passive voice **la voce passiva**
participle **il participio**
past **il passato**
   past *(adj)* **passato**
perfect **il passato prossimo**
present **il presente**
reflexive **il riflessivo**
   reflexive *(adj)* **riflessivo**

regular **regolare**
sequence **la sequenza**
simple **semplice**
strong **forte**
subjunctive **il congiuntivo**
system **il sistema**
tense **il tempo**
transitive **transitivo**
use **l'uso** *(m)*
verb **il verbo**
weak **debole**

21b Punctuation

accent **l'accento** *(m)*
   grave / acute **l'accento**
   grave / acuto
   circumflex **circonflesso**
apostrophe **l'apostrofe** *(f)*
asterisk **l'asterisco** *(m)*
bracket **la parentesi**
cedilla **la cediglia**
colon **i due punti**
comma **la virgola**
dash **la lineetta**
exclamation mark **il punto**
   esclamativo
hyphen **il trattino**
inverted commas **le virgolette**
parentheses (in) **(fra) parentesi**
period / full stop **il punto**
question mark **il punto**
   interrogativo
semicolon **il punto e virgola**
umlaut **la dieresi**

22b Stationery

adhesive tape **il nastro adesivo,**
   lo scotch
ballpoint **la penna a sfera, la biro**
board-rubber / eraser **la gomma da**
   cancellare
carbon paper **la carta carbone**
card index **lo schedario**
cartridge (ink) **la cartuccia**
chalk **il gesso**

clip board **il portablocco a molla**
compasses **il compasso**
correction fluid **il bianchetto**
diary **l'agenda** *(f)*
drawing pin **la puntina da**
   disegno
envelope **la busta**
eraser / rubber **la gomma da**
   cancellare
exercise book **il quaderno**
felt tip **il pennarello**
file **lo schedario**
filing cabinet **il casellario, lo**
   schedario
fountain pen **la penna stilografica**
glue **la colla, l'adesivo** *(m)*
highlighter **l'evidenziatore**
hole punch **la perforatrice**
ink **l'inchiostro** *(m)*
ink refill **la carica d'inchiostro**
in-tray / out-tray **la cassetta per**
   corrispondenza in arrivo / in
   partenza
label **l'etichetta** *(f)*
marker **il marcatore**
notebook **il quaderno per gli**
   appunti
notepad **il taccuino**
overhead projector / OHP **la**
   lavagna luminosa
paper **la carta**
paper clip **la graffetta**
paper cutter / guillotine **la**
   ghigliottina
pen **la penna**
pencil **la matita**
photocopier **la fotocopiatrice**
pocket calculator **la calcolatrice**
   tascabile
protractor **il rapportatore**
ring binder **il taccuino a fogli**
   mobili
rubber band / elastic band **l'elastico**
ruler **la riga, il righello**
scissors **le forbici**
screen **lo schermo**
set square **la squadra a triangolo**

sheet of paper   il **foglio di carta**
stamp   il **timbro**
staple   il **punto metallico**
stapler   la **graffatrice**
stationery   la **cancelleria**
textbook   il **libro di testo**
typewriter   la **macchina da scrivere**
typewriter ribbon   il **nastro per la m. da s.**
transparency   il **foglio traslucido**
wastepaper basket   il **cestino della carta straccia**

23a Scientific Disciplines

applied sciences   le **scienze applicate**
anthropology   l'**antropologia** (f)
astronomy   l'**astronomia** (f)
astrophysics   l'**astrofisica** (f)
biochemistry   la **biochimica**
biology   la **biologia**
botany   la **botanica**
chemistry   la **chimica**
geology   la **geologia**
medicine   la **medicina**
microbiology   la **microbiologia**
physics   la **fisica**
physiology   la **fisiologia**
psychology   la **psicologia**
social sciences   le **scienze sociali**
technology   la **tecnologia**
zoology   la **zoologia**

23b Chemical Elements

aluminum / aluminium   l'**alluminio** (m)
arsenic   l'**arsenico** (m)
calcium   il **calcio**
carbon   il **carbone**
chlorine   il **cloro**
copper   il **rame**
gold   l'**oro** (m)
hydrogen   l'**idrogeno** (m)
iodine   lo **iodio**

iron   il **ferro**
lead   il **piombo**
magnesium   il **magnesio**
mercury   il **mercurio**
nitrogen   l'**azoto** (m)
oxygen   l'**ossigeno** (m)
phosphorus   il **fosforo**
platinum   il **platino**
plutonium   il **plutonio**
potassium   il **potassio**
silver   l'**argento** (m)
sodium   il **sodio**
sulphur   lo **zolfo**
uranium   l'**uranio** (m)
zinc   lo **zinco**

23b Compounds & Alloys

acetic acid .   l'**acido** (m) **acetico**
alloy   la **lega**
ammonia   l'**ammoniaca** (f)
asbestos   l'**amianto** (m)
brass   l'**ottone** (m)
carbon dioxide   l'**anidride** (f) **carbonica**
carbon monoxide   l'**ossido** (m) **di carbonio**
hydrochloric acid   l'**acido** (m) **cloridrico**
iron oxide   l'**ossido** (m) **di ferro**
lead oxide   l'**ossido** (m) **di piombo**
nickel   il **nichel**
nitric acid   l'**acido** (m) **nitrico**
it oxidizes   si **ossida** [-are]
ozone   l'**ozono** (m)
propane   il **propano**
silver nitrate   il **nitrato d'argento**
sodium bicarbonate   il **bicarbonato di sodio**
sodium carbonate   il **carbonato di sodio**
sodium chloride   il **cloruro di sodio**
sulfuric acid   l'**acido solforico**
tin   lo **stagno**

23c The Zodiac

Aries	**Ariete**
Taurus	**Toro**
Gemini	**Gemelli**
Cancer	**Cancro**
Leo	**Leone**
Virgo	**Vergine**
Libra	**Bilancia**
Scorpio	**Scorpione**
Sagittarius	**Sagittario**
Capricorn	**Capricorno**
Aquarius	**Aquario**
Pisces	**Pesci**

23c Planets & Stars

Earth	**Terra**
Jupiter	**Giove**
Mars	**Marte**
Mercury	**Mercurio**
Neptune	**Nettuno**
Pluto	**Plutone**
Saturn	**Saturno**
Uranus	**Urano**
Venus	**Venere**
Great Bear	**l'Orsa** *(f)* **maggiore**
Halley's comet	**la cometa di Halley**
Little Bear	**l'Orsa** *(f)* **minore**
polestar	**la stella polare**
Southern Cross	**la Croce del sud**

24b Wild Animals

baboon	**il babuino**
badger	**il tasso**
bear	**l'orso** *(m)*
beaver	**il castoro**
bison / buffalo	**il bufalo, il bisonte**
camel	**il cammello**
cheetah	**il ghepardo**
chimpanzee	**lo scimpanzé**
cougar	**il coguaro, il puma**
coyote	**il coyote**
deer	**i cervidi** *(pl)*
elephant	**l'elefante** *(m)*
elk	**l'alce** *(m)*
fox	**la volpe**
frog	**la rana**
giraffe	**la giraffa**
gorilla	**il gorilla**
grizzly bear	**l'orso grigio** *(m)*
hare	**la lepre**
hedgehog	**il riccio**
hippopotamus	**l'ippopotamo** *(m)*
hyena	**la iena**
jaguar	**il giaguaro**
leopard	**il leopardo**
lion	**il leone**
lizard	**la lucertola**
lynx	**la lince**
mink	**il visone**
mole	**la talpa**
monkey	**la scimmia**
moose	**l'alce** *(m)*
mouse	**il topo**
otter	**la lontra**
panther	**la pantera**
polar bear	**l'orso** *(m)* **bianco**
puma	**il puma**
rat	**il ratto**
reindeer	**la renna**
rhinoceros	**il rinoceronte**
snake	**il serpente**
squirrel	**lo scoiattolo**
toad	**il rospo**
tiger	**la tigre**
whale	**la balena**
wildcat	**il gatto selvatico**
wolf	**il lupo**
zebra	**la zebra**

24b Birds

albatross	**l'albatro (m)**
blackbird	**il merlo**
budgerigar	**il pappagallino ondulato**
buzzard	**la poiana, il buzzago**
chaffinch	**il fringuello**
crow	**il corvo**
dove	**la colomba**
eagle	**l'aquila** *(f)*

emu   l'emu *(m)*
golden eagle   l'aquila *(f)* d'oro
hawk / falcon   il falco
heron   l'airone *(m)*
hummingbird   il colibrì
kingfisher   il martin pescatore
magpie   la gazza (ladra)
ostrich   lo struzzo
owl   la civetta
parrot   il pappagallo
peacock   il pavone
pelican   il pellicano
penguin   il pinguino
pigeon   il piccione
robin   il pettirosso
seagull   il gabbiano
sparrow   il passero
starling   lo storno
swallow   la rondine
swan   il cigno
swift   il rondone
thrush   il tordo
woodpecker   il picchio
wren   lo scricciolo

24b Parts of the Animal Body

beak   il becco
claw   l'artiglio *(m)*
comb   la cresta
feather   la penna, la piuma
fin   la pinna
fleece   il vello
gill   il bargiglio, la branchia
hide   la pelle
hoof   lo zoccolo
mane   la criniera
paw   la zampa
pelt   la pelliccia
  fur   il pelame
scale   la scaglia
shell   la conchiglia
tail   la coda
trunk   il tronco
tusk   la zanna
udder   la mammella
wing   l'ala *(f)*

24c Trees

apple tree   il melo
ash   il frassino
beech   il faggio
cherry tree   il ciliegio
chestnut   il castagno
cypress   il cipresso
eucalyptus   l'eucalipto *(m)*
fig tree   il fico
fir tree   l'abete *(m)*
fruit tree   l'albero *(m)* da frutto
holly   l'agrifoglio *(m)*
maple   l'acero *(m)*
oak   la quercia
olive tree   l'olivo *(m)*
palm   la palma
peach tree   il pesco
pear tree   il pero
pine   il pino
plum tree   il prugno
poplar   il pioppo
redwood   la sequoia
rhododendron   il rododendro
walnut tree   il noce
willow   il salice
yew   il tasso

24c Flowers & Weeds

azalea   l'azalea *(f)*
cactus   il cactus
carnation   il garofano
chrysanthemum   il crisantemo
clove   il trifoglio
crocus   il croco
daffodil   la giunchiglia
dahlia   la dalia
daisy   la margherita
dandelion   il dente di leone, il
  tarassaco
foxglove   la digitale
fern   la felce
geranium   il geranio
hydrangea   l'ortensia
lily   il giglio
nettle (stinging)   l'ortica *(f)*

orchid l'orchidea *(f)*
pansy la viola del pensiero
poppy il papavero
primrose la primula
rose la rosa
snowdrop il bucaneve
sunflower il girasole
thistle il cardo selvatico
tulip il tulipano
violet la violetta

25a Political Institutions

assembly l'assemblea *(f)*
association l'associazione *(f)*
cabinet il consiglio
  dei ministri
shadow cabinet *(UK)* il governo
  ombra
confederation la confederazione
congress il congresso
council il consiglio
federation la federazione
House of Representatives
  l'Assemblea *(f)* Nazionale
local authority il comune
Lower House / Lower Chamber la
  Camera dei Deputati
parliament il parlamento
party il partito
Senate il Senato
town council il consiglio
  municipale / comunale
town hall il municipio
Upper House il Senato, la camera
  dei lord / pari *(UK)*

25a Politicians

chancellor il cancelliere
congressman / woman il membro
  del congresso
head of state il Capo di Stato
leader il capo, il leader
leader of the party / party leader il
  segretario del partito
minister il ministro

Home Secretary / Minister of the
  Interior il ministro dell'interno
prefect il prefetto
politician un politico
president il / la presidente
prime minister il / la presidente del
  consiglio
member of parliament il
  deputato / la deputata
secretary of state / foreign minister
  il Ministro degli Affari Esteri
senator il senatore / la senatrice
speaker il / la presidente della
  camera dei deputati
spokesperson il / la portavoce

27b Military Ranks

admiral l'ammiraglio *(m)* d'armata
air marshal il generale di squadra
  aerea
brigadier il generale di brigata
captain il capitano
commodore il commodoro
corporal il caporale
field marshal il maresciallo
general il generale d'armata
lieutenant il tenente
major il maggiore
private il soldato
rear admiral l'ammiraglio *(m)* di
  divisione
sergeant il sergente
sergeant major il maresciallo

27c International Organizations

ASEAN / Association of South-East
  Asian Nations l'Associazione
  (f) delle nazioni del sud-est
  asiatico / ASEAN
Council of Europe il Consiglio
  d'Europa
Council of Ministers il consiglio
  dei ministri
EU / European Union l'Unione *(f)*
  europea / UE

NATO / North Atlantic Treaty
Organization **l'Organizzazione**
(f) **del trattato nord
atlantico / OTNA**
OECD / Organization for Economic
Cooperation and Development
l'Organizzazione *(f)* **per la
cooperazione e lo sviluppo
economico / OCSE**
OPEC / Organization of Petroleum
Exporting Countries
l'Organizzazione *(f)* **dei paesi
esportatori di petrolio**
Security Council **il consiglio di
sicurezza**
UNO / United Nations Organization
l'Organizzazione *(f)* **delle
Nazioni Unite / ONU**
WHO / World Health Organization
l'Organizzazione *(f)* **mondiale
della sanità / OMS**
World Bank **la banca mondiale**

D
SUBJECT INDEX

Subject Index

Numbers refer to Vocabularies

SUBJECT INDEX

finance   14d; personal 14e
fine arts   17b
first aid   11a, 11b
fish   10b
fitness   11d
fittings & fixtures   8b, 8c
flowers   App. 24c
flying   19d
food   10, 9b; preparation 10d; jobs
   App. 14b
foodstuffs, basic   9b
fractions   4c
friends   7a
fruit   10c
fuel sources   23c
functional words   1a
funerals   7c
furnishings   8b, 8c
furniture   8b, 8c
further education   22d

G

games   16b, 16c
gardening   24c; tools App. 8c
gems   App. 9c
geography   24a
geology   23c
geometrical terms   App. 4d
good-byes   15a
government   25; jobs App. 14b
grammar   App. 21b, 1a
growth, economic   14e;
   human 7c

H

hair care   11d
hairdresser   App. 11d
handicapped   11b, 12b
hardware, computer   App. 15d
health   11d
health care, jobs   App. 14b
herbs   10c
hesitating   15b
high school   22a, 22b
higher education   22d
hobbies   16a, App. 16a, 20a

holiday   20; beach App. 20a
holidays   App. 13b
home   8
homelessness   12c
homophobia   12e
horticulture   24c
hospital   11c; jobs App. 14b;
   departments App. 11c
hotel   20b
house   8
household   8b, 8c
household goods   9b
housework   8d
housing   8a, 12c
how much?   4
human body   App. 5b
human character   6, App. 6a
human lifecycle   7c
human relationships   7
hygiene   11d

I

ideology, political   25b; religious
   13a
illness   11b
illnesses   App. 11c
industrial relations   14a
industry   14d, 14b; jobs App. 14b
information technology   15d
insects   24b
institutions, political   App. 25a
instruments, musical   App. 17d
interjections   15b
international organizations   27c
international relations   27c
interview for job   14c
introductions   15a

J

jewelry / jewellery   App. 9c
job application   14c
job interview   14c
jobs   App. 14b
journalism   18
judiciary   26b
justice   26b, 26c

SUBJECT INDEX